新潮文庫

欲　　望

小池真理子著

欲望

「眠らないでくれ。幕引きを見せるから」

——ヴィスコンティ監督 映画『イノセント』より

第一章

1

私はいま、都心とは反対方向に向かう電車に乗っている。冷房の効いた車内に、乗客はまばらである。

梅雨が明けたと思ったら、連日三十五度近くまで気温が上がる猛暑が始まった。白茶けたような濁った色を見せているものの、今日も東京の空には雲ひとつない。日差しは強く、そのせいか、窓の外を流れる景色は不自然に鮮やかで、強すぎるライトを浴びた舞台の書き割りのように見える。

これから会いに行こうとしている人物が、何故《なぜ》、これほど私をとらえてやまないのか、わからない。会ってどうする、と何度も自問してみた。何を話すのか。何を聞いてもらいたいのか。何を言ってもらいたいのか。

答えは出なかった。話したいことは何もなかった。聞かせたいことも、言ってもらいたいことも何ひとつなかった。私はただ、その人に会いたいと思っているだけだった。

郊外の小さな駅に着き、幾人かの乗客が降りて行った。開いた扉の向こうに、線路に沿って咲き乱れる夥《おびただ》しい数の向日葵《ひまわり》の花が見えた。プラットホームを去って行く初老の婦人が、向日葵に向かって勢いよく白いパラソルを開いた。

次の駅でも似たような光景が繰り返された。その次の駅でも。またさらにその次の駅でも。

だが、新たに乗ってくる乗客は少なくなっていった。客は降りて行くだけで、気がつくと車両には、私を含め数人しか残っていない。

……それでも電車は夏の光の中を走り続けている。


一ケ月ほど前の木曜日のことである。

勤め先の学校が創立記念日で休みになり、雨の日だったが、午後になってから私は渋谷まで出かけた。世話になった医師に、どうしても心ばかりの礼の品物を贈っておきたかったからである。

明け方になって、夫が急に胸が苦しいと言い出した時、その開業医はいやな顔ひとつせずに診てくれた。疲れからくる不整脈だろう、心配いらないと言われ、精神安定剤を処方された。早朝からたたき起こしてしまったことをあやまると、医師は、どうせゴルフで早起きしなけりゃいけなかったから、と言って豪快に笑った。

その医師と親しくなったのは三年ほど前。もとより身体《からだ》があまり丈夫ではない夫が、具合が悪くなったといっては通いつめているうちに、世間話に興じるようになった。同世代同士の気安さか。以来、何かというと優先的に診てもらえるようになった。

かなりのゴルフ好きで、僕が手にするものは二つしかない、聴診器かゴルフクラブだ、などと言っては笑わせてくれる。贈るものはあらかじめ決めてあった。私はデパートの紳士服売場に行き、ゴルフウェア用の萌葱《もえぎ》色《いろ》のポロシャツを包んでもらった。

そういう時に限って、日頃、不義理を重ねている知人の顔が次々に頭に浮かぶものなのかもしれない。知人から新茶を送ってもらい、電話で礼を言ったものの、そのままになっていたことを思い出したり、かと思えば、先頃、結婚して勤めをやめたばかりの同僚の若い女性が、新婚旅行先のミラノで美しいスカーフをみやげに買って来てくれたことを連鎖反応式に思い出したりした。

私は、中学校から短大までそろった私立の女子校に勤めている。といっても、教師ではない。学校には別棟になっている大きな図書館が建っていて、私はそこで働く学校司書である。

日頃、華やいだものとは無縁の生活を送っているせいか、久しぶりに街に出て、何か気のきいた物を買おうとすると、何にすればいいのかわからず、途方に暮れる。デパートを地下一階から地上六階まで、二度も往復し、知人には老舗《しにせ》の和菓子屋の水羊羹《ようかん》、同僚の女性には涼しげな一輪差しを贈ることに決めた時、すでに時刻は三時をまわっていた。

日曜日以外で休みがとれた貴重な一日だというのに、何やら雑事に追われて終わってしまいそうな焦《あせ》りにも似た気持ちにかりたてられた。品物の支払いと発送手続きをすませると、私はデパートを出て、駅前にある大型書店へ向かった。

司書になってから、早くも二十年たっている。毎日毎日、図書館で本に囲まれた生活をしていながら、何も休みの日に書店めぐりをしなくてもよさそうなものだ、と誰もが言う。新刊書を眺め、そのうちの何冊かを手に取ってはページをめくり、次に作家別に並べられた棚をひととおり見て歩く。小説、ノンフィクション、文庫本、評論、詩歌、全集……順番に店内を一巡するのに、一時間ですんだためしはない。それは、私のささやかな、欠かすことのできない楽しみのひとつであった。

時には、長い間探していた本、古書店をまわる以外、手にいれる方法が見つからなくなってしまった本とふいにめぐり合うこともあった。どういう風向きなのか、出版社が古い本を復刻版として出してくれることが多くなったせいである。本好きの快楽、と一言で言い切るのも癪《しゃく》なのだが、そんな本と出会うとやはり、快楽を感じないではいられない。

その日も同じだった。ずいぶん前から欲しいと思っていて、いつのまにか見かけなくなってしまった厚手のイギリスの翻訳小説が、復刻版として新刊コーナーの片隅に並んでいた。

手にとったとたん、どうしても欲しくなった。上下巻合わせて七千六百円。学校図書館用の希望図書リストに入れておけば、何の問題もなく受け入れられるであろうことはわかっていた。だが、図書館の本はあくまでも図書館の本であって私有物ではない。

少々、値段が張るのを気にしつつも、私は本を手にレジに並んだ。

あの時、レジカウンターにいた女店員がベテランで、きびきびした応対をしてくれていたら、私は生涯《しょうがい》、二度と、あの記憶をこれほど生々しく甦《よみがえ》らせることはなかったかもしれない。たまに掘り返してみることはあっても、記憶は次第にぼんやりと輪郭を失って定かではなくなり、現実にあったことなのか、夢に見たことにすぎないのか、区別がつかなくなっていったに違いないのだ。そして、やがては若かったころの幾千幾万の苦い思い出と共に、小箱の中に閉じ込め、封印してしまうこともできたはずなのである。

だが、私の応対に当たったその女店員は、入店して間もないと思われる新米だった。

いや、ひょっとすると、学生アルバイトだったのかもしれない。彼女は代金の計算を間違えたばかりではなく、ブックカバーをかけようとした時に不要な折り目をつけてしまい、やり直さねばならなくなった。

女店員は、顔を赤らめながら、私に向かって何度も「すみません」と繰り返した。極度に緊張している様子だった。

正視するのは気の毒だった。私は彼女の失態に気づかなかったふりをしながら、ぼんやりとレジカウンターに並べられているものを眺めていた。

いろいろなものが目に入った。栞《しおり》、英会話教材の広告パンフレット、タレントの署名入りのエッセイ集、発売されたばかりの中高年向け月刊誌……。

一写真展の割引入場券は、カウンターの片隅に置かれていた。プラスチックの、何の変哲もない円筒形の筆立てのようなものに、束になって押し込まれていただけだったと思う。

入れ物には「ご自由にお取りください」と書かれた紙が貼《は》ってあった。紙を貼りつけてあるセロハンテープは半分剝《は》がれ、剝がれた部分には埃《ほこり》とも手垢《てあか》ともつかない汚れが付着していた。

何故という理由もなく、私は一枚、引き抜いてみた。〈東京回顧写真展　過ぎ去りし宴〉とあった。

写真家の名は小寺行秀。聞いたこともみたこともない、私の知らない名前だった。

全国にチェーン店をもつ、その大型書店の協賛で、二週間にわたって開かれていたらしい。日付を見ると、その日が最終日だった。

「これ、いただいていきますよ」

カバーをかけ終えた本を受け取りながら、私は若い女店員に言った。彼女は「どうぞ」と言ったが、早くも次の客から数冊の本を手渡され、代金の計算をし始めていて、上の空だった。

この入場券を持参すると、おとな四百円の入場料金が三百五十円になります……券にはそう書かれてあった。

五十円安くなるから、という理由で、名も知らぬ写真家の写真展を覗《のぞ》いて行く気になったわけではない。そもそも、何故、割引入場券を手にとったのかも不明である。「東京回顧」という言葉に、四十も半ばを過ぎた私が郷愁を覚えたからか。それとも、「過ぎ去りし宴」という写真展のタイトルに気を惹《ひ》かれたからか。

その両方だったような気もするし、どちらでもなかったような気もする。雨の日の休日、すべて用がすんだからといって、これから夕食用の惣菜《そうざい》などを買いそろえ、電車に乗り、降りてからまたバスに乗り、そんなふうにして当たり前のように家に帰るのが、突然いやになったからかもしれない。

写真展は、そのビルの最上階にあるギャラリーで開かれていた。私はエレベーターを使って六階まで上った。

買物客で賑《にぎ》わう他のフロアと異なり、六階は閑散としていて静かだった。エレベーターを降りるとホールをはさんで右側がギャラリー、左側はガラスで仕切られただけの、何もない空間になっている。貸し店舗らしく、ガラスのあちこちにテナント募集中の貼り紙が貼られ、掃除に手が回らないのか、どことなく埃がたっているように見えるのが侘《わび》しげだった。

ギャラリーの入口付近に人の気配はなかった。白いテーブルクロスがかけられた机の上に一つと、机の脇《わき》の床の上に二つ、それぞれ、けばけばしい色の花で埋め尽くされた籠《かご》が置かれていたが、花の大半は生気を失い、萎《しお》れかけていた。

机から離れた衝立《ついたて》の陰で、中年の男がひとり、まるで人目を避けるように背を丸めて椅子《いす》に座り、厚手の本を読みふけっているのが目に入った。くたびれた感じのする紺色のサマージャケットを着て、ジーンズをはいている。場違いと思われるほど気むずかしそうな視線が、本のページの上を泳ぎまわっていて、どこか近づきがたいような印象があった。

男が私を見つけてのっそりと立ち上がったので、私は軽く会釈《えしゃく》をした。割引券と一緒に四百円を差し出すと、男は白いクロスのかかった机の下を覗き込み、四角い菓子の缶を取り出して、中から五十円の釣銭を返してきた。

どうも、と私が言うと、「ごゆっくり」と男は早口で言った。そして、にこりともせずに椅子に戻り、再び本に目を落とし始めた。客は私以外、誰もいなかった。

黒いスチール製のフレームに収められた写真は、撮影年度順に展示されてあった。すべてモノクロ写真で、タイトル通り〝過ぎ去りし宴〟だけで構成されている写真展のようだった。誰かの結婚披露宴、新宿駅西口での反戦フォーク集会、誰かの通夜《つや》、忘年会とおぼしき大衆酒場でのどんちゃん騒ぎ、全共闘系学生による街頭デモと集会、政治家が開いたホテルでのパーティー風景、川べりでの花見の賑わい、グループサウンズの公演で熱狂している少女たち、渋谷で初めて行われたウーマンリブの大会……。

作品を解説するパンフレットのようなものはどこにも置かれていなかった。展示されている写真の脇に、わずか数行の説明文のようなものが書かれた白いプレートが貼ってあるだけである。しかもそれは、撮影日時や場所を細かく特定しているわけではなく、例えば、「一九六九年秋。新宿駅西口にて。反戦フォーク集会」といった具合の、きわめて簡素なものでしかなかった。

全部で六、七十点ほどだったろうか。興味をそそられる写真ばかりだったとは言いがたい。展示されている写真には、素人《しろうと》くさいスナップ写真も数多く混ざっていた。また、何故、この写真にわざわざ〝回顧〟という意味をもたせる必要があったのだろう、と思われるものもあった。

さしたる説明文がなかったせいか。時代を物語る風景が、私のような年代の者にとってはありふれたものばかりだったせいか。過ぎ去った時代への感傷めいたものはさほど味わうことができなかった。むろん、専門家が見れば、違ったものを見いだすことができたのかもしれない。だが、写真に門外漢の私には難しかった。

ギャラリーの奥に窓が見えた。天井まである大きな窓で、外の様子がよくわかった。雨足はさっきよりも強くなったようだった。相変わらず、客は私だけだった。

腕時計を覗いた。残る写真は数点だけになっていた。急いで残りを見て早く帰ろう、と私は思った。

足を速めながら一枚一枚、見ていくうちに、ふと私は歩みを止めた。初めは何なのかわからなかった。それはただ単に、他の多くの写真と同様、大勢の人間が雑多にいりまじって写っているだけの写真にすぎなかった。

なのに私の頭は、写真の内容を読み取る前にそのすべてを把握していた。ぐらりと頭が揺れた。

「一九七八年秋。東京郊外の家。新築記念のガーデンパーティー」……説明にはそう書かれていた。

息をのみながら、写し出されている風景に目をこらした。見たことのある写真だった。それどころか、そこに写っている家は、私が知っている家だった。或る意味で、私の愛した人を象徴してやまない家だった。

正面に、天井までの高さのある両開きの大きな窓が三つ。完全に洋館仕立てになっている。観音開きに開け放された窓の外には幅広いテラスが伸びており、そこでは幾つかのテーブルを囲んで、十二、三名の着飾った人々が歓談している。テラスから四段ほどの階段を降りたところが庭で、ここでもまた、十数人の人々が、立ったままグラスを手に談笑している。

よく晴れた日で、人々の影が長く地面に伸びている。晩秋の日差しに満ちた午後の風景。東京郊外に建てられた、贅《ぜい》を尽くした家の新築記念パーティー……。

庭で立ったまま談笑している人々の中に、忘れようとしても忘れることのできない人々の顔が見える。袴田亮介《はかまだりようすけ》・阿佐緒《あさお》夫妻。そして秋葉正巳《まさみ》……。

画面左手の隅のほうで、正巳はシャンペングラスを手に、カメラに左半身を見せながら退屈そうに空に向かって煙草《たばこ》をふかしている。誰も彼に話しかけておらず、彼もまた、誰かに愛想をふりまこうとはしていない。意地になって孤独を守り抜こうとしているように見える。

一方、袴田夫妻は画面の右端にいて、居合わせた客に向かって愛想よく笑みを投げかけている。夫妻のまわりには、華やいだ人垣ができている。対照的な雰囲気《ふんいき》をたたえた男と女が、それぞれ画面の両端にとらえられているせいで、写真は奇妙にシンメトリーな構図を描いているように見える。

覚えている。すべて覚えている。

あの日、阿佐緒は寒がっていた。日差しは強かったとはいえ、時折、吹き抜けていく風が思いのほか冷たい日だった。七分袖《そで》になった美しい芥子色《からしいろ》のワンピースを着ていた阿佐緒は、客の目にふれないところで両腕をこすっては「鳥肌が立っちゃう」と言って笑ったものだ。

あの日、私もこの家のどこかにいた。どこかにいて、これと同じ風景を見ていたはずだった。

そう思うと、ふいに床がゆるやかに波打って、立っていられなくなるような錯覚にとらわれた。

前略
手紙をありがとう。まさかあのような場所で、あなたと会うとは思ってもみなかったので驚きました。八年ぶりだったそうですが、確かに計算してみると、その通りですね。早いものです。
そのうち、僕のほうから連絡するつもりでいたのですが、ここのところ仕事が重なり、遅くまで帰れない日が続いて、休日は阿呆《あほう》のようにぼんやりするばかりでした。あなたに限らず、誰かに手紙を書くことはおろか、電話をする気力もわかず、それでいながら自分でも説明のつかない漠然とした焦燥感にかりたてられて、じっとしていられない日々が続いていたところです。ともあれ、そんな折だったこともあり、手紙は本当に嬉《うれ》しく拝見しました。

あなたが手紙の中で指摘していた通り、僕はああいう華やいだ場所は苦手で、逃げるように帰ってしまったくせに……そして、ろくに阿佐緒と話もしなかったというのに、僕の中に巣くう阿佐緒の面影は、あの日以来、ますます大きくなってしまったような気がしています。いい年をした男が、餓鬼のころからの淡い思いを未《いま》だに引きずっているというのは恥ずべきことに違いありません。ですが、正直なところ、あんなパーティーには誘われても行かなければよかった、と後悔にかられる始末。

いや、むしろそれよりも、あの馬鹿《ばか》げたほど大きな家の庭造りを頼まれた時、どうしてうちの父親が二つ返事でOKしようとするのを阻止できなかったのか、と悔やんでさえいます。袴田さんの妻が阿佐緒であることを知っていたら、僕は親父《おやじ》を殴り倒してでも、庭造りを辞めさせていたに違いない。秋葉造園には他にも仕事はある。何もよりによって、袴田邸の庭を引き受ける必要はなかったんです。

こんなことを言っても、今さら遅いということはわかっています。それに僕は、現実にはまったく別のことをやった。親父が引き受けた仕事先に阿佐緒が住むことになっていると知り、いてもたってもいられなくなって、親父と共に袴田邸に通いつめたのですからね。哀れというよりは滑稽《こっけい》です。我ながら呆《あき》れます。

それにしても、あなたにしかこんな打ち明け話はできない。ここまで読み終えて、苦笑しているあなたの顔が目に浮かぶ。笑うのなら、笑ってほしい。僕はもともと、あなたの前ではどういうわけか、隠し事ができなかった。あなたが僕の露悪趣味を引き出したのか、それとも、もともと僕の中に潜在的にあなたに対する特殊な甘えがあったのか、そのあたりのことは定かではありません。

ともかく、僕はあなたに会うとどういうわけか、自分を暴露したくなる。さぞかし、あなたは迷惑なことでしょう。申し訳ないと思いつつ、今もこうして、ひとたびあなたに向けて言葉を発し始めると、尽きることなく語り続けていたくなる自分を感じてとまどっている次第。

学校図書館の司書をなさっているとのこと。いかにもあなたらしい、と思いました。中学時代、あなたはいつもどこか怖いような印象がありましたが、それはどこにでもいる単なるガリ勉少女の、鎧《よろい》で固めたような怖さではなかった。あなたにはあのころから、あなた自身の世界があった。少年にとって、そんな少女は不可解で怖いものなのです。でも、あれほど不可解だったあなたに、僕はまっさきに自分を打ち明けることになったんですからね。そこに、どんな心理のからくりが働いたものやら、考えてみれば不思議です。

毎日の力仕事のせいで、筋肉ばかりが発達し、精神のほうは追いつきません。精神なんぞ、いっそ麻痺《まひ》してくれればいい、と願っているのですが……現実はかなわず、三文の値打ちもないくだらない神経が、愚かしくも研ぎ澄まされていくばかりです。

しかし、それにしても、週刊誌に載ったあの写真には心底、参りました。まさか僕まで写ってるとは夢にも思わなかったですからね。阿佐緒は有名人と結婚していたのだ、とつくづく思い知らされた次第です。有名な変人、と言い換えてもいいですが。しかし、僕はあの変人は嫌いではない。

またいずれ、連絡します。

一九七八年十二月二日

秋葉正巳

青田類子様

2

私は会場の入口まで戻り、相変わらず本を読みふけっていた男に声をかけた。男は顔を上げ、さも面倒くさそうに椅子《いす》から立ち上がった。

「小寺行秀さんとは、どのようにして連絡を取ればいいんでしょうか」

男が目を瞬《まばた》いたのと、ギャラリーの入口付近で賑《にぎ》やかな話し声がしたのは、ほぼ同時だった。着飾った中年の女が三人、中を覗《のぞ》きこみながら入ろうか入るまいか、躊躇《ちゅうちょ》している。

静寂を一瞬にして蹴散《けち》らすような、金属的な笑い声があたりに響いた。男はちらりと声のするほうを見た。女たちはくすくす笑いを続けながら、背を向けて去って行った。

「あの奥のほうに展示されている写真のことなんですけど」と私は言った。「新築記念パーティーの写真です。あそこに写っている方の連絡先がわかれば、と思いまして」

男が何か言いかけるのを制し、私は慌《あわ》ててつけ加えた。「本当に偶然なんですが、実は私もあのパーティーに出席してたんです。袴田亮介さんという方の家の新築記念パーティーですよね。よく覚えています。でも、あの後、袴田さんの居所がわからなくなってしまって……撮影された小寺さんはご存じかと……」

「僕が小寺ですが」すかさず男は言った。尊大さのかけらもない、むしろ控えめすぎて卑屈とも受け取れる言い方だった。

写真家本人が自分の個展の受付をやっていたとは夢にも思わなかった。私はいささか動揺した。「すみません。存じあげなくて」

「いえ、別に」小寺は目をそらし、照れくさそうに人さし指で鼻の下をこすった。

いっとき会話が途切れた。六階フロアの静けさに、館内のかすかなざわめきがこだまし、それは何か、遠い祭り囃子《ばやし》の音のように聞こえた。

「素敵な写真展でした」私はあたりさわりなく言った。

小寺はそれには応《こた》えなかった。彼は軽く首を横に振ると、「あいにく」と言った。「僕も袴田さんの居所は知らないんです」

たいして残念だとは思わなかった。むしろ、小寺という写真家が袴田のその後を知らずにいてくれて、よかったとさえ思った。袴田さんは亡《な》くなりました……そんな話を聞かされる可能性もあったのだ。かつて知っていた人の死を、死後何年もたって耳にするのは苦手だった。

「もしかするとあの写真は、昔、何かの雑誌のグラビアに使われたものではなかったでしょうか」私は聞いた。

「『週刊サンデー』でしょう？」

「そうだったわ。そう。『週刊サンデー』。覚えてます」

「でも、ここにある写真は、あの時に掲載されたのと同じものじゃないですよ。雑誌なんかに掲載された写真の版権は、撮影者ではなく、出版社のものになりますから」

私はうなずいた。「そういえば、グラビアに載った写真とは少し違うような気もします。ほんの少しですけどアングルが……」

小寺は何かを思い出したように、短く笑った。「なにしろ、三島由紀夫の家と同じ家を建てた人ですからね。変わった人です。新築のお披露目パーティーをする、という情報を聞いて駆けつけたんですよ。古い話です。ええっと、いつだったかな。一九七九年？　七八年？」

七八年です、と私は言った。

小寺は軽くうなずいた。ビルの外を救急車がサイレンを鳴らしながら走り去っていく音がした。

何か話題を探そうとしたのだが、何も出てこなかった。それまで小寺が座っていた椅子に、ページを開いたまま、本が伏せて載せられているのが見えた。『炎のごとく』という題名の本だった。女性写真家のダイアン・アーバスについて書かれたノンフィクシヨンだった。どこかで聞いたことのある名前だった。銀灰色の帯にはこうあった。

〝人が目をそむけた〈フリーク〉の、何が写真家アーバスを魅《ひ》きつけたのか〟

〝フリーク〟という言葉が、私の中の何かを刺激した。時の流れが渦を巻いて押し寄せてくるような幻覚を覚えた。

私は深く息を吸い、あたりを眺めまわす素振りをしてから小寺に向かって微笑《ほほえ》みかけた。「ごめんなさい、お邪魔しちゃって。思いがけなく、昔の友達の顔を見つけたものですから、つい興奮して……」

小寺は曖昧《あいまい》な笑みを浮かべながら、黙っていた。長年の不摂生を物語る色つやの悪い顔をしていたが、その目は目薬をさした直後のように涼しげだった。

「今日が写真展の最終日だったんですね」私は言った。「最後の日に鑑賞させていただいて、袴田さん夫妻の顔を見つけるなんて、これも何かの縁だと思っています。本当にありがとう」

頭を下げて歩き出そうとした私を、小寺が慌ただしい口調で呼びとめた。「よろしかったら、調べてみますよ」

「は？」

「知り合いに、しばらく袴田さんと親しくしていた男がいるんです。新聞社の学芸部に勤めていた男ですが、もしかすると彼なら袴田さんの連絡先を知ってるかもしれない。

聞いてみてあげましょうか」

一瞬の迷いもなかった、と言えば嘘《うそ》になる。考えてみれば妙なものだ。私は袴田がすでに死んでいる、と思いこんでいたらしい。小寺から、改めて袴田の死を告げられる場面が容易に想像でき、私は返答に詰まった。

「簡単です。彼に電話をかけて聞けばいいだけのことですから」小寺はそう言いながら、ジャケットの内ポケットをまさぐって黒革の名刺入れを取り出した。「もっとも、僕自身、彼とはここのところ、すっかり疎遠《そえん》になってましてね。まず彼の連絡先を確かめる必要があるんですが。それでも、共通の友人も多いんで、そちらのほうはすぐにわかると思います。あ、これ、僕の名刺です。名刺、お持ちですか？」

名刺入れは自宅だった。私は小寺にメモ用紙を持って来てもらい、そこに自分の名前と自宅、勤め先の両方の連絡先を書きとめて、彼に渡した。

「ご存じでしたか」小寺はろくに見もせずに、私の書いたメモを四つ折にすると、名刺入れの中にさしはさみながら言った。「袴田邸は火事で焼失したんですよ」

「知ってます。建ててから四年くらいたってからだったように記憶してますけど」

「そうですね。確か、そうでした。跡地にはその後、短大の女子寮が建てられた、っていう話ですが」

「それは知りませんでした」

「僕もですよ。人から聞いただけです」

私はうなずいた。そして、その必要もなかったのだが、腕時計を覗くふりをした。

「ではこれで」と私は言った。「お手間をとらせますが、ご連絡、お待ちしています」

小寺は会釈《えしゃく》とも礼ともつかぬ、曖昧な仕草をし、何も言わずに席に戻った。彼が本を手にとろうとした瞬間、何かの拍子で椅子が揺れ、本がすべり落ちた。

腰をかがめて拾い上げている彼の背に向かい、私は言った。「それが三島由紀夫の本だったら、決まりすぎの通俗ドラマになっていたところですね」

小寺は振り返って目を丸くしたが、すぐに私の言った言葉の内容を理解したらしい。さも可笑《おか》しそうに肩を揺すって笑い出した。「おっしゃる通りです。まったくだ。ここで僕が三島の本を読んでたら、安っぽいほど決まりすぎてる」

「お好きですか?」

「三島をですか? 好きも嫌いもないですね。正直なところ、ほとんど読んだことがないんですよ。第一、袴田さんが三島邸とそっくりの家を建てて世間の話題になった時も、三島由紀夫という人がどんな小説を書くのか、知らなかったんですから。僕が三島について知ってることと言えば」そう言いながら、小寺はいたずらっぽく笑って右手にこぶしを作り、自分の腹を切る真似《まね》をしてみせた。

「腹を切って自殺した、ってことくらいですよ。あのハラキリと生首の写真だけは強烈だった」

エレベーターの前が賑わい出したと思ったら、数人の若者グループがギャラリーに入って来た。静寂が破られ、あたりに彼らが嚙《か》んでいるチュウインガムのフルーツの香りが漂った。

改めて小寺に挨拶《あいさつ》をしてから会場を出ようとしたのだが、小寺は新しい入場客に釣銭を渡すのに気をとられていて、私のほうを見てはいなかった。

前略

先日はご苦労さま。それにしても、阿佐緒があんなに酒癖の悪い女だということは夢にも思いませんでした。酒癖の悪い人間はたくさん知っているけど、中でも彼女はトップクラスだ。

ただ、あなたにはまた、阿佐緒びいきに過ぎない、と笑われてしまうかもしれないが、僕は女の酔っぱらいは嫌いではない。何と言えばいいのか、無防備なくせに、途方もなく悲壮な覚悟を決めているような、そんな決然とした印象を与えるからね。

阿佐緒でなくても、僕は女の酔っぱらいには寛大な男です。

だから、あなたがもしも阿佐緒並みに酔っぱらって暴れまくったとしても、大丈夫だからご安心を。しかしそれにしても、あなたも相当、酒を飲む人だったんだな。しかも顔色ひとつ変えないとは。

もっとも、中学時代、何やら難しそうな本を鞄《かばん》から取り出し、休み時間になると読みふけっていたあなたを思い出せば、なるほど、それもそうだろう、と膝《ひざ》を打ちたくなるようなところもある。覚えていますか。あなたが本を読み始めると、決まって阿佐緒があなたの傍に行き、何か話しかけて邪魔を始めた。あなたは迷惑そうな顔ひとつせず、本を閉じて熱心に阿佐緒の話に耳を傾ける。僕は廊下から、時々、ちらちらそんなあなた達を見ていた。阿佐緒が何をあんなに真剣な顔をして喋《しゃべ》っているのか、と興味があった。

阿佐緒はあのころ、クラスの女の子たち全員に敬遠されていましたからね。いや、嫌われていたと言っていい。そんな阿佐緒を何のわだかまりもなく受け入れていたあなたのことも、不思議でならなかった。

ともかくあなたは、落ちついていて綻《ほころ》びひとつ見えなかった。阿佐緒や僕と、とても同じ年には思えないほどだった。そんな青田類子という女生徒のことを思い返せば、あなたのあの、一糸乱れぬ飲み方は、いかにもあなたらしい、と言うべきなんだろう、と思います。

それにしても、あの晩、あなたと二人で阿佐緒を送り届けた時、玄関に出て来た袴田さんは、かなり苛立《いらだ》っていたようでしたね。物分かりのいい夫の役割を演じようと、必死になってとりつくろってはいましたが、目の奥に怒りが見えた。叱《しか》ったり怒鳴ったりしたいのなら、素直にそうすればいいものをあの人は決してそうはしないらしい。感情的にならずに済む方法を独自に編み出して、きちんとそれに従って生きているような人だ。

確か前の手紙にも書いたと思いますが、僕は袴田さんのことが嫌いになれない。どうしてなのか、わかりません。嫌いになってみたいと思うんだけどね。僕に言わせれば、三島邸とそっくりな家を建てても、袴田さんの持っている美意識は三島とは程遠い。程遠いと言うよりは、まるで別種のものでしかない。彼はただの目立ちたがり屋の奇人に過ぎません。軽蔑《けいべつ》に値する、と言っても言い過ぎではない。

ましてて、あの人の阿佐緒の扱い方はどう考えても馬鹿げている。阿佐緒はもともと、ああいうよそよそしい洋館調の家で、あれこれ堅苦しい生活上の規則に縛られながら生きていくのが似合う女ではありません。背筋を伸ばして膝に白いナフキンを置き、黙ったままスープ皿の中に目を落としながら、静かに音をたてずにスプーンを口に運ばなければならないような食事が、あの阿佐緒にできると思いますか。

この間、僕らに向かって見せた醜態こそが、むしろ、彼女の自然な姿なんだと思います。阿佐緒は自分を解き放って、例えば手づかみでハンバーガーを食べ、傍にいる男にキスをしながら、口のまわりについたケチャップを舐《な》めとらせたりするのが似合う女です。

　ついでに言えば、阿佐緒は文学にも絵画にも建築学にも、およそ人が気取って知識やセンスをこねくりまわしたがるものすべてに対して、何ひとつ興味を持っていない。生活の様式ということにも無頓着《むとんちゃく》です。

　確かに中学時代の阿佐緒のピアノの腕は、ちょっとしたものだったと思います。評価してやってもいい。ですが彼女は、自分が弾いている曲の作曲者が誰なのか、それが音楽史的にどのように位置づけられているのか、何ひとつわからぬまま、鍵《けん》盤《ばん》に指をすべらせていただけのような気がしてなりません。

　彼女は余計なものは何も必要としていない。彼女はただ、生まれ持った肉体の魅力をもてあましながら生きていて、貧乏と退屈から逃れられさえすれば、自由にふるまう自分が他人にどう受け取られようがかまわないんだ。

　袴田さんはそのことを知っているのだろうか。知っていて、阿佐緒を彼なりの鋳《い》型《がた》にはめようとしているのだろうか。だとしたら、断じて許しがたいし、阿佐緒という人間に対する冒瀆《ぼうとく》だ。そう思って怒りにかられたこともあります。

　なのに、妙な話ではありますが、これほど悪口を並べたてているくせに、僕にはあの人が憎めない。時々、鏡の向こうに立つ自分自身を見ているような思いにかられることもある。僕もひとつ間違うと、あの人のようになるかもしれない。くだらない美意識を後生大事に持ち歩いて、すべてを自分が定めた様式の中におしこめようとして……ね。

彼と僕とは幾つ、年が違うんだったっけ。三十？　確かそのくらいでしたね。僕もあと三十年たったら、三島邸とそっくり同じ家を建てることになるのだろうか、などと思ってみたこともあります。いくらなんでもそれだけは御免ですが。僕は彼ほど、やみくもに酔狂を愛せる人間ではありません。

また馬鹿な独白を長々と書きました。あなたが読んでくれている、と思うと、どうもいけない。許してください。

近々、電話します。いくら飲んでも乱れないあなたを誘って、また酒を飲みたくなりました。

一九七九年一月二日
秋葉正巳

青田類子様

3

二十代の初めのころからだったろうか。私は自分が、長い長い旅をしている、と思うことがよくあった。帰る場所のない旅、行き着く先の想像もつかない旅である。

とりわけ、そうした気持ちは結婚してから強くなった。勤め帰りのバスの中、慣れ親しんでいるはずの町の灯を窓の外に見ながら、自分はいつかまた、この場所と訣別《けつべつ》して、別の場所に向かって行くに違いない、などと考える。

それがどこなのかは、わからない。何故《なぜ》、そんなふうに考えてしまうのかもわからない。夫との結婚生活はうまくいっている。人並みに、一戸建ての小さな家も購入した。夫婦二人の収入を合わせると、住宅ローンの返済も楽だった。三十も半ばになってからの初婚同士ということで、若かったころのような華やいだ賑《にぎ》やかさは望むべくもないけれど、その分、いざこざのない、静かで満ち足りた暮らしが続いている。

なのに私は、これも旅だ、と考えるのである。暮らしのすべてが、旅の途中の出来事にすぎない。自分には帰るべき場所が他にあり、いつか必ず、そこに戻って行かなければならない、と焦《あせ》りにも似た気持ちにかられるのである。

日曜の午後、夫と向かい合わせになって、黙りがちに紅茶を飲んでいる時も、私は密《ひそ》かに考える。自分はこの人と、長い長い旅の途中、ほんのひととき、袖《そで》をすりあわせて暮らしているに過ぎないのではないか、と。いつかはこの人に手を振り、再び、あてどなく長い道のりを一人で歩いて、あの、長年、探し求めてきた帰るべき場所を探し、まっしぐらに進み始めるのではないか、と。それが幻の場所であったとしても、かまわない。幻を追い続けながら、自分は老いて死んでいくに違いない、と。

そんな私にも、旅をしているという感覚と無縁でいられた時期があった。二十代後半のほんの一時期。一年にも満たなかった短い日々ではあったが、私は自分が居るべき場所に居る、という実感をもつことができた。

束《つか》の間《ま》に訪れた至福の時であった。今から思えば、苦悩それ自体が甘美であった。世間並みの幸福とは無縁だったかもしれない。だが、私はあの時期、旅することをやめていた。

流れる時間に、無心に身をゆだねていられたあの短いひととき。たとえ、自分が乗っている小舟が、ジェットコースターに早変わりし、巨大な滝壺《たきつぼ》に向かって真っ逆様に落ちていったとしても、叫び声ひとつあげずに、素直に身を任せていたに違いないであろう、あのひととき……。

私は秋葉正巳に恋をしていた。それは尋常な恋ではなかった。愛の地獄にはまったとしか思えないような恋だった。
だが、しかし、私は正巳と肉のつながりのある地獄にはまったのではない。私は烈《はげ》しく彼を求め、彼も私を求めたが、求めるという意味と行為が、他の人とは異なっていた。正巳は完全な性的不能者だったのである。

前略
この間、きみと会って帰ったら、妙に眠れなくなり、本を読み始めて、結局、朝まで起きていました。ほとんど眠らずに翌日、仕事に出たものだから、一日中、眠くて困ったよ。
最近、よく、きみのことを考える。きみはいったい、誰なんだろう、何者なんだろう、と思う。僕はきみと会うたびに、毎回、違ったくだらないことを山のように喋りまくり、きみを困らせ、呆《あき》れさせてばかりいるが、おかしいね、僕のほうはきみのことを何ひとつ知らずにいるような感じがしてならない。
第一、類子、きみは僕のことを知りすぎている。知りすぎているくせに、そのことをうっとうしいと思っている様子もない。僕がきみの立場だったら、とっくの昔に嫌気がさしていただろうと思うよ。

僕がきみに書いたり、喋ったりしていることはすべて、この手紙も含め、繰り言に過ぎないんだ。どんなにもっともらしい修辞を使って表現しても、ご立派に観念的であるふりをしてみせても、あるいはまた、僕がきみと同等か、それ以上に表現力があるのだということを粗末な虚栄心をもって、ひけらかしてみせたりしても、結局、僕はきみに向かって愚痴と不満を垂れ流しているに過ぎない。金輪際、どうにもならない問題に対する、どうにもならない愚痴……。

そんな僕をきみは受け入れる。死ぬまで不完全な男でいるしかない僕を、きみは何を間違ってか、許容してくれるんだ。おそらくは、中学時代からの同級生のよしみで。

……類子、この間の夜は悪かった。僕は調子に乗り過ぎたみたいだった。阿佐緒に対する品のない、常軌を逸した欲望について、あんなふうに細々ときみ相手に喋って聞かせるなんて、どうかしていたとしか言いようがない。

あの話をしたのが僕ではなく、他の男だったら、問題はなかった。あの程度の話は、男はもちろんのこと、よほど潔癖な人間でない限り、女だって誰もが理解できることだと僕も思う。酒場での話題として、あれほど健全な話題もなかったくらいだ。

だが、少なくとも僕は話すべきではなかった。僕には、あのような話をする資格がない。そう思うと恥ずかしいよ。

僕は男であって男ではない。このことを考えると、僕の中に暗闇《くらやみ》が広がる。闇は深すぎて、何も見えない。本当に見えないんだ。内臓全体が闇に包まれたみたいになってしまう。僕自身が闇になる。

僕はきっと、きみに同情されているに過ぎないんだろう。それでもかまわない。きみとは、何度でも会いたいと思っている。きみには迷惑だろうが、実際に阿佐緒に会うよりも、きみと会って阿佐緒の話をしていたほうが楽しい。それは多分、僕がきみのことを誰よりも近しく感じているせいかもしれない。

きみと過ごす時間は、本当に僕にとってかけがえがないんだ。きみに触れることができれば、もっと素晴らしいものになるのかもしれない。そう考えることもあるよ。実際、その通りなんだろう。僕がまともな男だったら、今頃はもう、きみを真剣に口説いていただろうと思う。残念だ。

この次は映画でも見に行こうか。と言っても、最近はあまり、見たいと思う映画がないね。ポップコーン片手にきみと二人、映画館のシートに並んで座っているよりも、どこかの薄暗い飲み屋のカウンターで、安ウィスキーをすすりながらきみと喋っていたほうが僕は楽しい。

いずれにせよ、近いうちにまた。

類子へ

七九年三月十五日

秋葉正巳

第二章

1

阿佐緒の旧姓は安藤という。私は青田、正巳の姓は秋葉。私たちが通っていた東京都大田区の公立中学校では席替えの習慣がなく、クラス替えがあっても、席だけは名簿のアイウエオ順と定められていた。したがって私たち三人は、中学二年になった年の春のクラス替えで同級になってから卒業するまでずっと、前後左右の席で袖《そで》をすり合わせるようにして過ごした。互いの消しゴムを使う音、ナイフで鉛筆を削る音、教科書をめくる音、空腹時に鳴る腹の音まで耳にし合っていたと思うと、なんだか可笑《おか》しい。

黒板に向かって二つずつ六列の机が並んでおり、苗字《みょうじ》が「ア行」の生徒は、教室の右端の列の前半分を占めていた。私が前列右側の席で、私の隣が正巳、私の真後ろが阿佐緒だった。

　正巳は学級委員長であり、生徒会の副会長であり、軟式テニス部の部長であり、同時にクラスの人気者、いや、学校中の女子生徒の憧《あこが》れの的であった。成績が優秀であることを鼻にかけないばかりか、喧嘩《けんか》の仲裁、ホームルームでの司会進行など、まとめ役はお手のもので、ユーモアのセンスも優れていた。公平で健全、まっとうな意見の持主である反面、反道徳的、反社会的な考え方にも寛大だった。

　そうかと言って、ただの人気者の優等生、という印象は一度も受けたことがない。当時、私は読書好きな生徒として有名だったが、正巳もまた、本が好きな、どこか内向的な一面を見せる少年だった。

　運動部に属している元気な汗くさい少年と読書、という取り合わせは、一面、不自然で奇妙なものだったかもしれない。自分の記録に執念を燃やしたり、校内試合や他中学との地区対抗試合で勝つことだけを目指したりしていた運動部の生徒たちは、男女を問わず、ほとんど全員、読書などという辛気臭い習慣とは無縁だったはずである。

　だが正巳には、その奇妙な取り合わせが似合う、風変わりなところがあった。

　部活動の後、テニスウェアのまま、校庭の木陰に寝ころんで、あたりが薄暗くなるまで本を読みふける彼の姿を、何度、見かけたことだろう。かと思えば、昼休み、屋上で本を読みながら居眠りしてしまったと言い訳し、頭をかきかき、午後の授業に遅れてやって来たこともあった。

英語の女教師は、叱《しか》る代わりに、彼に何の本を読んでいたのか、と詰め寄った。彼が意味ありげな視線で教室内を眺めまわし、いつもの諧謔《かいぎゃく》をこめた口調で、「先生が知ったら、驚いて卒倒するようなやつです」と言ったものだから、教室中が笑いの渦に包まれた。

席に戻った彼に「本当は何の本だったの」と聞いてみた。

彼は私の知らない、外国の探偵《たんてい》小説家の名前をあげた。囁《ささや》くような声だったので、うまく聞き取れなかった。

著者が誰で、どんな題名だったのか、もう一度、確認しておけばよかった、と後々、私は後悔にかられたものだ。当時、私は読書量を彼と競い合っていた。自分の知らない本を彼が読んでいると腹立たしくなり、すぐに図書館に行って探して来ては読みふけった。探偵小説であろうが、少年向き冒険小説であろうが、何でもよかった。内容は選ばなかった。

読んだ後、わかったような感想を言いたくてそうしていたのではない。何ひとつ、彼とその作品の話をしなくてもよかった。「え？　きみも読んでたの？」と彼の驚く顔が見たいからでもなかった。私の中ではただ、彼が読んだ本を自分も読んでおきたい、とする執念のような気持ちだけが渦を巻いていた。

単なる子供じみた競争意識からそうしたのではないことは、私自身、よく知っていた。認めるのは悔しいのだが、私は多分、あのころから彼が好きだったのだ。

とはいえ、かなりの読書量を誇っていた彼も、決して教室では本を読もうとしなかった。授業中、彼が机の下に隠し持って密《ひそ》かに盗み読みするのは、他の大勢の男子生徒たちと同様、漫画本だけだった。それは少年らしいポーズだったかもしれない。

夏休みに入る直前の暑い日だったと思う。放課後になって、烈《はげ》しい雷雨に見舞われた時があった。傘《かさ》を持って来なかった私は、生徒会委員の女子生徒に傘を貸してそのままになっていたことを思い出し、生徒会室に出向いてみた。

室内は薄闇《うすやみ》に包まれていた。近くで雷鳴が轟《とどろ》き、そのたびに室内に閃光《せんこう》が走った。誰もいないと思っていたのだが、閃光の中に人影が浮かび上がったものだから、私は一瞬、ぎくりとした。

正巳だった。正巳は立ったまま窓辺に寄りかかり、窓の外のわずかな明るさを頼りに、文庫本に目を落としているところだった。

「こんな暗いところで何を読んでるの？」私はからかうような調子で声をかけた。

私が来たことに気づかなかったのだろう。彼は、はっとしたように姿勢をただし、私の見ている前で慌《あわ》ただしく文庫本を閉じた。

題名がはっきりと読みとれた。三島由紀夫の『仮面の告白』だった。

ややあって、面白い？　と聞くと、彼は照れくさそうに「まあね」と答えた。

稲妻が光り、室内が一瞬、プールの底のように青くなった。美しい、底知れないほど深い青だった。地を揺るがすような烈しい雷鳴がそれに続いた。

外の廊下を女生徒たちが叫び声をあげながら走り去って行った。窓ガラスの外の軒先を滝のようになって流れ落ちていく雨が見えた。

「何か用？」と正巳が聞いた。私はうなずき、用向きを言った。

再び稲妻が光り、室内が青く染まった。窓辺の正巳が、薄闇の中に青白く浮き上がった。彼の身体《からだ》から、一瞬、輪郭が消えた。彼は現実感を伴わない、青い幻と化した。

私は傘入れをまさぐり、自分が貸した傘を見つけ出した。傘を手に、戸口のところで振り返って「じゃあね」と言った。

正巳はうなずき、とってつけたように「気をつけて」と言ったが、何か他のことに気をとられている様子で、私のことは見ていなかった。

それだけである。それだけの記憶なのだが、今でも私はあの時の生徒会室の水のような青さ、雷鳴、そして正巳が手にしていた『仮面の告白』の文庫本の、題名の部分だけが朱色になっていたことや、栞《しおり》の紐《ひも》がほどけかかって、藁《わら》のようになっていたことをはっきりと思い出せる。

私はその週の日曜日、自転車で駅前の小さな書店に行き、小遣いで『仮面の告白』を買った。それが私と三島由紀夫との初めての出会いだった。

正巳の家の家業は造園業だった。父兄参観があると、耳の脇《わき》に短くなった煙草《たばこ》をはさんだ父親が、地下足袋姿のまま現れた。豪胆さと剽軽《ひょうきん》さが感じられるいでたちのわりには、無口で、近づきにくい感じのする男だった。

正巳は、すくすくと成長した長身の逞《たくま》しい少年だったが、父親のほうは驚くほど小柄で、華奢《きゃしゃ》な印象すら与えた。頑固なのか、人嫌いなのか、参観が終わるとすぐに、「秋葉造園」と染めぬかれた真新しい藍色《あいいろ》のハッピの背を丸め、せわしげに煙草をふかしながら、にこりともせずに帰って行く。近づく人間を拒むようなその後ろ姿に、正巳を取り囲む複雑な家庭の事情が読みとれたこともあった。

小学校三年の時に母親を亡《な》くし、母の実の妹だった人が継母になったと聞いている。その継母には、かねてより密かに交際していた男がいたらしい。正巳が中学に入学すると同時に、まるでそれを待っていたかのように姿を消した。親類たちが探しあてた時、すでに彼女は男と所帯を持っていたのだという。

正巳はひとりっ子だった。継母がいなくなってからはもちろんのこと、実母が死んで以来、正巳の身のまわりの世話一切合切は、同居していた父方の祖母の手に委《ゆだ》ねられていた。

祖母は京都出身とかで、実家は古くからの家柄を誇っていた。そもそも「秋葉造園」

は、祖母の出資がなければ成立しなかったという経緯があった。初めから上質の顧客に恵まれていたのも、祖母方の係累《けいるい》の恩恵に浴していたからだという。

初めて池上にある彼の家に行ったのは、中学三年になった年の夏だった。大きな土間のついた恐ろしく古い木造の家だった。私はそこで、彼の祖母がすべての職人、そこに住むすべての人間の頂点に立ち、采配《さいはい》を振っていることを知った。

麦茶を運んできたついでに、祖母という人は私を前にしながら、「これほど頭がようて、人さまから人気のある子は、どこを探してもおらんさかいにな」などと、ぬけぬけと言い放った。正巳に邪険な物言いをされても、いっこうに気にする様子はなく、むしろ、可愛《かわい》がっている子猫に指を嚙《か》まれた時のような悦にいった顔をして、「ほんに、ようロのまわること」などと嬉《うれ》しげに言うのである。

正巳が連れてきたガールフレンドとでも思ったのだろう、私には値踏みするような露骨な視線を投げかけた。そして、さりげなさを装《よそお》っては、私の成績、私の家庭環境などを孫に問う。正巳が「そんなこと、どうだっていいじゃないか」とつっぱねると、ほほ、と口をすぼめて笑いながら、うちわで私と正巳を扇《あお》ぎ続け、答えを聞くまではいっこうに立ち去ろうとしないのだった。

その祖母に唯一《ゆいいつ》、不満があったとしたら、正巳が生徒会長になれず、副会長にとどまったことだったろう。当時の生徒会長は、常に抜群の成績を誇る、隣のクラスの女生徒だった。正巳の祖母はことあるごとに、その女生徒の話題をひきあいに出し、年端《としは》もいかない子供のころから、女だてらに偉そうにしていると、そのうち嫁のもらい手がなくなってしまうに決まっている、などと言っては、皮肉めいた笑い声をにじませた。

正巳の父親は、そうした祖母の発言には沈黙を守っている様子だった。父親の存在感は希薄だった。正巳はそんな父親を軽蔑《けいべつ》し、祖母を恐れ、反抗しつつ成長した。

傍目《はため》にも、均衡がとれているとは言いがたい家庭であった。あの頃、学校での正巳が、単なる成績のいい人気者だと言いきれない、どこかしら大人びた静けさをたたえていたのも、そうした環境が影響を及ぼしていたに違いない、と今になって私は思う。

一方、当時の阿佐緒は、ある意味で正巳とは好対照をなす少女だった。成績はお世辞にもよかったとは言いがたい。五十人中三十番前後か、あるいはそれ以下で、後ろから数えたほうが早いこともあった。

中でも数学と理科が苦手だった。そもそも教師が口にする言葉、教科書に書かれてある文章それ自体を理解していたかどうか、怪しいものである。

課外授業で居残りになり、懇切丁寧に教えられても無駄だった。テストのたびに追試験を命ぜられ、そのたびに細く削った鉛筆を手に、今度こそ、とばかりに机に向かうのだが、質問の意味すらわからず、白紙で提出して後で半べそをかくこともしばしばあった。

さりとて、勉強そのものを嫌悪《けんお》し、何もかも放り出してしまうような生徒だったわけでもない。テスト前ともなると、顔を真っ赤にし、必死の形相で教科書やノートと格闘した。恥ずかしがらずに頻繁《ひんぱん》に職員室にも出向き、教師に質問をぶつけたりもしていた。だが、初めから基礎的な学力が劣っていたせいだろう。どれほど努力しても、阿佐緒は平均点を大幅に下まわる点数しかとれない生徒だった。

正巳がその優秀さ、頭の回転のよさにおいて、全校生徒——とりわけ女子生徒の絶大な人気を誇っていたとすれば、阿佐緒はその性的魅力において、男子生徒の目を釘付《くぎづ》けにするような存在だった。

今でも私は、あのころの阿佐緒を見つめる男子生徒たちの潤《うる》んだまなざし、呆《ほう》けたように半開きになった唇を思い出すことができる。阿佐緒から受ける性的刺激をごまかそうとして、廊下の片隅などで彼らがふざけ始める時の、あの、猿のようにかん高い、けたたましい馬鹿《ばか》げた笑い声を思い出すことができる。

切れ長の、青みがかった大きな目は、それとは気づかれない程度の斜視だったせいで、時々、どこを見ているのかわからなくなる時があった。やや厚めの肉感的な唇は、笑うと少しめくれ上がり、白い小さな、獰猛《どうもう》な感じのする前歯が覗《のぞ》いて見えた。

太っていたわけではない。むしろ、贅肉《ぜいにく》を気にし始める年齢の少女にしては、痩《や》せすぎているとも言えた。なのに阿佐緒には、柔らかさと豊満さだけがあった。身体の線に、直線を思わせる部分はひとつもなかった。折り重なるなだらかな曲線だけが、彼女の輪郭をなぞっていた。

そこには同時に、説明しがたい一種の綻《ほころ》び、緩みのようなものもあった。きちんと正確に結わえていたはずの紐が、いつのまにか緩んでたわんだ時を思い出してもらえばい い。阿佐緒には常にどこかしら、けだるさ、物憂《ものう》さ、だらしなさのようなものがつきまとっていて、それが余計に彼女を年齢にふさわしくない成熟しきった性的存在として目立たせてしまうのだった。

体育の授業になると、男子生徒は阿佐緒の体操着姿を見たがった。黒のブルマーに、襟《えり》ぐりの開きの少ない、白いラウンドネックのTシャツ。サイズが初めから小さかったのか、それとも阿佐緒の成長の度合いが早すぎたのか、あるいは洗って縮んだだけなのか。ブルマー姿の阿佐緒は露骨に豊かすぎて、淫《みだ》らな感じさえした。

プールの時間ともなると、阿佐緒の水着姿は体育教師の目すら奪うことになった。紺色のスクール用水着は、阿佐緒が着ると胸に深い谷間を作った。背筋をのばすと、背中に大人びた窪《くぼ》みができた。形のいい尻《しり》は、水面に浮いた大きな桃のようだった。くびれと隆起。その調和は完璧《かんぺき》で、とても十四歳の少女のものとは思えなかった。

まだ独身だった男の体育教師が、安藤阿佐緒の水着姿をいやらしい目で眺めまわす、という噂《うわさ》が女生徒たちの間に広まった。その噂は正しかった。かつて私は阿佐緒から、

「体育の先生に、プールで変なところを触られた」と打ち明けられたことがある。

どこを触られたの、と聞いてみた。わざわざ聞くまでもないことだったかもしれない。だが、私は明らかに性的にオクテだった。どこを触られたのか、想像もつかなかった。そのことを知ってか知らずか、彼女は意味ありげに目を伏せただけで、質問に答えてはくれなかった。

以来、阿佐緒はプールのある日は学校を休むようになった。男子生徒たちは、なんだ、今日は安藤阿佐緒のセミヌードが見られない、と言って、騒いだ。

阿佐緒が休んでいるのをいいことに、みんなの前で阿佐緒のまねをし始める生徒が出てきた。学生服の胸に丸めたタオルを詰め込んで乳房を作り、悩ましげなポーズを取りながら、腰をくねらせて黒板の前を歩いてみせる。そのたびに教室中がどよめくほどの笑いに包まれる。男子生徒たちは拍手をして喜び、女子生徒たちは笑いながらも苦々しく目くばせし合う。

あんなに素直でいい子だったのに、と私は今でも不思議に思う。阿佐緒はその、過剰な成熟ぶりのせいで、同年代の女の子たちに疎《うと》ましがられ、敬遠され、気味悪がられたり、やきもちを焼かれたりしていた。

誰もが、阿佐緒の発散する雌の匂《にお》いを嫌っていた。阿佐緒がごく普通に歩いているだけで、少女たちはその歩き方を特別なものだと決めつけた。阿佐緒が普通に笑っただけで、阿佐緒が普通に居眠りをしているだけで、阿佐緒が普通に転んだだけで、それは男子生徒たちを意識してやっている阿佐緒独特の演出である、とみなされた。

したがって阿佐緒には、友達と呼べる相手は私以外、ひとりもいなかった。

阿佐緒の父親は事業家だった。人から、お父さんは何をしているの、と訊《たず》ねられると彼女は決まったように「商売をしているの」と答えていたものだ。

蒲田《かまた》の駅の近くに小ぎれいな事務所を持ち、従業員も数人抱えて、羽振りがよかったと記憶している。確か、不動産関係の仕事だった。阿佐緒の母親もまた、連日、事務所に通い詰めていて、家にいることはめったになかった。

阿佐緒の家には、数えきれないほど何度も遊びに行った。総檜《ひのき》の二階建て。芥子《からし》色《いろ》に塗装された背の高い塀がいかめしく屋敷を囲み、門扉《もんぴ》には恭《うやうや》しく瓦《かわら》の載った庇《ひさし》がつけられ、風呂《ふろ》に入りながら、鹿《しし》おどしのある坪庭を眺められるような家だった。玄関先には、虎《とら》の毛皮の敷物が敷かれてあった。ピアノが置かれた応接間には巨大なシャンデリアがぶら下がっていた。何もかもが贅沢で、何もかもが安っぽく、虚《うつ》ろに見える家だった。

家では、住み込みのお手伝いの若い娘が一人、留守番をしていた。君子という名の娘で、阿佐緒は「きみちゃん、きみちゃん」と呼んでいた。

私が遊びに行くと、阿佐緒の部屋まで君子がお茶とお菓子を運んできた。小柄だがふっくらとして、妙な色気のある、可愛い娘だった。秋田県出身とかで、訛《なま》りがぬけないのも愛嬌《あいきょう》だった。当時、阿佐緒の兄は二十二歳で父の会社で働いていたのだが、君子がその兄に熱をあげている、という話は阿佐緒から聞いて知っていた。

どこか緩んだ感じのするところが、阿佐緒に似ている娘だった。家事の手があくと、台所脇にあてがわれていた三畳間で、かりんとうなどをつまみながら、しどけない姿で女性雑誌をめくっている。阿佐緒の兄が帰って来る時刻になると、家事を後回しにして身づくろいを整え、うっすら唇に紅をさす。兄に何か話しかけられると、滑稽《こっけい》なほど頬を染めて、目を伏せてしまう。

「お兄ちゃんはきみちゃんのこと、あんまり関心がないみたい」阿佐緒はそう言い、くすくす笑っていたものだ。

だが、阿佐緒の観察はあたっていなかった。ずっと後になってからの話だが、結局、阿佐緒の兄は家族の留守中、君子の部屋にしのびこみ、君子を抱いた。君子は有頂天になって結婚を口にした。だが、阿佐緒の兄にしてみれば、一時の欲望のはけ口に過ぎなかったものらしい。そっけなく断られ、失意の中で、いやがらせのつもりなのか、君子は阿佐緒の父親とも関係をもってしまった。

やがて妊娠が発覚し、密《ひそ》かに中絶手術を受けた君子は、阿佐緒の母から解雇を言い渡された。それを機に、安藤家には壮絶な諍《いさか》いが始まることになる。

だが、そのあたりの詳しい経緯はわからない。阿佐緒とは中学卒業後、まもなく疎遠《そえん》になり、高校時代、二度ほど会ってはいるものの、再会までの長い空白期間を迎えることになるからだ。

成績のかんばしくない、何をやらせても人並みなことができかねた阿佐緒にも、ただひとつ、特技があった。幼いころから習っていたピアノであった。

将来は音楽大学に行って、ピアニストになる、と目を輝かせていただけのことはある。ピアノに限らず、楽器演奏全般、歌、音譜の読み取り、そのいずれにおいても、阿佐緒はトップクラスの才能を発揮した。

したがって、音楽の時間だけは、阿佐緒の独壇場になった。音楽の教師は、阿佐緒のピアノの能力を高く評価していたらしい。時々、授業の合間に、阿佐緒にピアノを弾かせてみせることがあった。

得意満面になって鍵盤《けんばん》に向かう阿佐緒に、男子生徒たちのうっとりとした視線が集まった。女の子たちは、嫉妬《しっと》まじりにあくびを嚙み殺すまねをした。

身体全体を使って表現するような、華麗な演奏だった。鍵盤のミスタッチがあると、阿佐緒はかすかに肩をすくめ、唇を嚙んだ。

そんな時の阿佐緒は、可愛かった。美しかった。神々《こうごう》しく、誇らしげだった。

いかに、同性の嫉妬をかおうとも、同年代の少女たちが、どうひっくり返っても持ち得ない魅力が阿佐緒に備わっていたことは事実である。彼女を密かに思って、性的夢想にふけっていた男子生徒は無数にいただろう。

正巳もその一人だった。秋葉君から手紙をもらった、と言い、阿佐緒が私に見せてくれたことがある。中学三年の秋。白い真四角な封筒に入った便箋《びんせん》二枚の手紙だった。中には気取った散文詩のようなものが綴《つづ》られてあった。ラブレターとは言いがたかった。それは通りいっぺんの美辞麗句を並べただけのものに過ぎなかった。

放課後、気がついたら鞄《かばん》の中に入ってたの、と阿佐緒は言った。手紙の内容の分析を求められた。

あなたのことが好きなのよ、決まってるじゃない、と私は言った。

正巳が当時から阿佐緒を強く意識していたことは、私も気づいていた。誰もがするように阿佐緒の並はずれた色気をからかい、誰もがするように阿佐緒を性的夢想の対象にしていることを口にしてはばからなかったものの、そんなふざけた仕草の中に、それだけではすまされない、生真面目《きまじめ》な熱意のようなものが感じられた。

秋葉君だったら、つきあってみてもいいような気がするの……阿佐緒は折りにふれ、そんなふうに言うようになった。阿佐緒は阿佐緒で、あのころ、正巳に憧《あこが》れていたのだと思う。放課後、鞄の中にすべりこませる散文詩まがいの手紙の量が増えていくにしたがって、阿佐緒の気持ちも大きく傾いた。

どう思う、と聞かれた。「彼だったら、最高だと思うけど」

私は一言、力をこめて、うん、私もそう思う、と答えた。

永遠に自分は正巳の対象ではなかった。その可能性すらなかった。それは充分、わかっていた。相手は美しく優秀な少年で、その少年は誰が見ても魅力的な阿佐緒に強く惹《ひ》かれ、阿佐緒を求めていた。阿佐緒もまた、それに応じようとしていた。他にどんな答え方があっただろう。二人は私の目から見ても、お似合いだったのだ。

そのうち、放課後、正巳と阿佐緒が肩を並べて校門を出て行く姿が頻繁に見られるようになった。阿佐緒は正直だった。親友と新しくできたボーイフレンドとを天秤《てんびん》にかけ、正直に後者を選択することのできる少女だった。

私と阿佐緒は次第に疎遠になっていった。互いの家を行き来する機会も失われた。

私と正巳は別々の都立高校へ、阿佐緒は音楽専門教育で有名な私立の女子校へ、それぞれ進学した。阿佐緒の父親は、その学校に娘を入学させるため、驚くほどの大金をつぎこんだようだった。

手紙を書く、という習慣をもっていなかった阿佐緒は、私がたまに懐《なつ》かしくなって手紙を書いても、返事ひとつよこさなかった。腹は立たなかった。私にとって、阿佐緒はこれまで一度も、腹の立つ対象になったことがない。誓って言える。私が阿佐緒を羨《うらや》んだことは確かに数知れずある。だが、怒りにかられたり、憎んだりしたことは一度もなかった。阿佐緒は初めから、私にとって、美しい完璧な肉体以外の何物でもなかった。

阿佐緒に精神は不在である、と私は心のどこかで信じていた。

それにしても、考えてみればおかしな言い方だ。精神のない少女、まるごと肉体だけで生きていた同世代の人間を何故《なぜ》、私は好きでいられたのだろう。

うまく説明できない。ただ、こういうことは言える。阿佐緒はわかりやすい人間だった。正直で、率直で、まっすぐだった。本も読まず、ひとつのことを深く考えてみることもなく、感じたことを感じたままに表現し、後悔も意地も作為も何もなかった。阿佐緒は、自分の肉体が求めるものを素直に受け入れた。本能にしたがって生きていくことを恥ずかしいと思わない人間だった。

そんな阿佐緒が、私は好きだった。淡い好意を抱いていた正巳が、私ではなく阿佐緒を恋の対象に選んだ事実を知った瞬間ですら、その気持ちは変わらなかった。

同じ町に住みながら、ばったり会う機会にも恵まれず、阿佐緒から一年ぶりに連絡があったのは、一九六八年、高校二年になる年の春休みのことである。

三月とはいえ、肌寒い日だった。すでにあたりは暮れかかっていた。電話口で阿佐緒は私の声を聞くなり、いきなり泣き出した。商店街の中にある公衆電話を使ってかけているようだった。夕食の買い出しに出てきた人々のざわめきが、蜂《はち》の羽ばたきのようになって伝わってきた。阿佐緒のすすり泣きの背後に、当時、大流行していたピンキーとキラーズの『恋の季節』が大音量で流れていた。

阿佐緒は声を震わせながら、切羽詰まった様子でこう言った。「正巳が事故にあったの。重体なんですって。死んじゃうかもしれない。大怪我《おおけが》なのよ。生きてるのが不思議なくらいだって」

その朝、自転車で出かけた正巳は、交差点を信号無視で右折してきたトラックにはねられ、すぐに病院に運ばれたのだという。

にわかには事態がのみこめなかった。正直なところ、大変なことが起こった、とは思わなかった。人の生死に関わる話であること以外、私の気持ちを揺さぶってきたものは何もなかった。

正巳や阿佐緒と疎遠になって一年。私は阿佐緒のことはもちろん、正巳のことすら忘れかけていた。二人がいまだに交際を続けている、ということすら知らずにいた。かつて「秋葉君」と呼んでいた阿佐緒が、彼を「正巳」と呼び捨てにできるようになるまで、二人の間にどんな進展があったのか、想像することもできなかった。

阿佐緒は私に、今すぐこっちに来てもらえないだろうか、と言った。「今、病院にいるの。正巳のおばあちゃんは意地悪で、なんにも教えてくれないのよ。会わせてもくれないし。心細くて心細くて、どうしたらいいのかわからない。類子、お願い、ここに来て。一緒にいて」

こんなこと頼めるのは、類子しかいないもの、と最後に阿佐緒はつけ加え、こらえきれなくなったかのように再び、声をあげて泣き始めた。

　正巳が運ばれた病院は都立病院で、大田区の雪谷《ゆきがや》にあった。以前、私の父が胆石に罹《かか》った時、入院したのと同じ病院だった。何度も見舞いに通ったせいで、私はその病院には詳しかった。一階のロビーで待っているように、と指示し、私は急いで支度をして家を出た。

　病院に到着したころ、すでにあたりは闇《やみ》に包まれていた。阿佐緒は私を見つけると、走り寄って来るなり私の肩に顔をうずめた。ボーイフレンドの生死がかかっているという時に、鮮やかなオレンジ色の、ボックスプリーツになったミニスカートに、身体《からだ》の線を目立たせる、ぴっちりとした黒のタートルネックのセーター、といういでたちで人目を引いているのは、いかにも阿佐緒らしかった。

　阿佐緒は涙で汚れた顔をあげ、「類子、久しぶりね」と言った。「手紙の返事、書かなくてごめんね。私ったら、類子には返事を書かなかったくせに、正巳には返事を書いてたのよ。変ね。おかしいわね」

　高校に入ってからしばらく、環境が変わったせいで互いに忙しくなり、頻繁《ひんぱん》に会うというわけにはいかなくなった。代わりに正巳からはせっせと手紙が送られてきて、阿佐緒は三度に一度の割合で返事を書き綴ったのだという。正巳と急速に親しくなったのは夏を過ぎるころから。日曜日ごとに会うようになり、その年の正月、初詣《はつもうで》に行った帰り、初めてキスをし合ったのだ、と私に打ち明けた阿佐緒は、あまりに場違いな、のどかすぎる打ち明け話であることに気づいたのか、変よね、こんな話、変よね、と言いながらひとしきり声をあげて泣いた。

やがて、正巳の祖母と父親がロビーに現れた。私と阿佐緒はそろって挨拶《あいさつ》をしたのだが、どちらも沈鬱《ちんうつ》な表情をしており、容態を確かめるチャンスを失った。

後で知ったことだが、正巳は骨盤を骨折し、尿道に重大な損傷を受けていた。一度だけ、阿佐緒と一緒に見舞いに行ったことがある。しばらくぶりに会う正巳は、中学校時代の面影の中に、ひどく大人びた憂《うれ》いのようなものを漂わせていて、言葉数も少なかった。

入院していたのは二ケ月ほどだったか。高校二年に進級し、阿佐緒からの連絡で正巳の退院を知った私は、形ばかりの退院祝いのカードを送った。どんなカードだったのか、中に何を書いたのか、覚えていない。正巳からの返事はなかった。

翌一九六九年、東大闘争激化のため、東大の入学試験が中止になった年の夏、珍しく阿佐緒から手紙がきた。少し右あがりになった、勢いこんだような感じのする文字で、「今つきあってる人がいます。正巳とは別れました」と書いてあった。何故、別れたのか、喧嘩《けんか》をしたのか、それとも自然に終わったのか、一切、触れられておらず、新しいボーイフレンドに関する退屈な話だけが、お世辞にも上手とは言いがたい稚拙な文章で綴られていただけだった。

新しく阿佐緒に気にいられた少年は何という名だったろう。一郎？　次郎？　太郎？　ふざけていると思われるほど簡単な名前だったと記憶しているが、むろん、私は会ったことはなく、その後も阿佐緒の口からその名を聞くことはなかった。

2

時折、私はこんなことを考える。私と正巳、そして阿佐緒は初めから何かの目に見えない糸で結ばれていたのだろうか、と。それが滑稽な少女趣味的感傷にすぎないとわかっていても、どうしても、そうとしか考えられなくなるのである。何故なら、その後の私たち三人の再会には、常に怖いような偶然が作用していたからだ。まるでそうなることが、あらかじめ決められていたかのように。それを知らずにいたのは、自分たちだけだったかのように。

一九七〇年、私は都内にある私立大学文学部に入学した。日本赤軍派による、よど号ハイジャック事件が起きた年である。学園紛争は全国各地に飛び火し、もはや収拾がつかなくなっているような末期的状態にあった。

私が在籍していた都立高校ではかろうじて卒業式は行われたものの、途中から造反組によるアジ演説に切り換えられた。野次と怒号には慣れていた。顔面蒼白《そうはく》になって怒り狂っている教師たちを尻目《しりめ》に、私は何の感傷もなく、奇妙に乾いた、透明な気持ちで学校を後にした。

大学では演劇部に入部することになるのだが、もとより演劇に興味があったわけではない。戯曲はいくつか読んではいたが、夢中になるほどではなかった。まして、容姿に自信がなかった私が、舞台に立って衆目を集めたい、と願うはずもない。

文学や活字、議論、ある種の青くささ……そうした雰囲気《ふんいき》が漂っているところこそ、自分の居るべき場所だろう、という漠然とした考えが私の中にはあった。当時、演劇部といえば、通称〝社研〟〝落研〟と呼ばれていた社会科学研究会や落語研究会、新聞会などと並んで、一般に学園の中でも先鋭的な活動方針を取っているクラブだった。それは私の大学に限ったことではない。どこの大学でもほぼ、同じであった。

入学してから数日後、各セクトの立て看板が乱立するキャンパスで、演劇部と書かれた幟《のぼり》を手に、ブリーフ一枚で全身に金粉を塗りたくった男子学生や、髪の毛にちりちりのパーマをかけたヒッピーふうの女子学生が、〝街頭演劇〟と称して、わけのわからないコントを演じていた。彼らは等しく、常軌を逸することに命をかけているように見えた。

金粉を塗った男子部員にやおら腕をつかまれ、おネエ言葉で「ねえ、お嬢さん、一緒に何か面白いこと、やってみない？」と囁《ささや》かれた。タヌキのように、目のまわりだけ黒く縁取りをいれた化粧をしている男だった。

大げさなしなを作って腰をくねらせてはいるものの、どう見ても置物の大きなタヌキにしか見えない。私は可笑《おか》しくなって笑い出した。

「あら、なんで笑うの？　そんなに可笑しい？」

私は笑いをこらえながら言った。「昔、よく似た貯金箱、持ってました。金色のタヌキの……」

彼は頭のてっぺんからコインを投げ入れる真似《まね》をしてみせ、「やあだ」と言った。「なんてことさせるのよ。これでもあたし、踊り子なのよ。そう見えない？」

貯金箱に見えます、と私が言うと、彼は笑い出し、やおら私の腕をとった。「気にいったわ、可愛い子ちゃん。どこのクラブに入るつもりなの？　まだ決めてないんだったら、うちに入りなさいよ。楽しいわよ。ね？　ね？」

曖昧《あいまい》にうなずいたつもりだったのだが、彼は「よし、決まった」と声を張り上げた。「ねえねえ、この子、入ってくれるってよ。お一人さま、上がりぃ。さ、そっちに行って名前を書いて。名前は？　青田類子？　ルイコだなんて、ちょっといい名前じゃない。呼びやすくって、何だかエキゾチックで。英語読みしたら、ルイーズかしら？　あたし、カオル。後でコーヒーごちそうするわよ。部室に来て。ね？」

カオルというのは彼の芸名で、本名は大熊剛《おおくまつよし》という、何やら強そうな名前だった。私は部室に行き、茶渋のこびりついたマグカップに入れられたインスタントコーヒーをごちそうになった。大熊とは、その日のうちにすぐに親しくなった。

大熊は私よりも一学年上で、同じ文学部の学生だった。金粉を洗い流して元の姿に戻れば、愛嬌《あいきょう》のある顔をした、ごく普通の青年だった。もちろん、おネエ言葉はセリフ回しの一つとして使っていたにすぎない。

気軽な世間話から、出身高校を聞かれ、さらに出身中学名を聞かれた。

あれ、と大熊は声をあげた。「その中学だったら、ひょっとして、きみ、秋葉正巳ってやつ、知らない？　多分、同学年だと思うけど」

知ってます、と私は言った。「同じクラスでした」

「奇遇だな」大熊は煙草《たばこ》を私にすすめ、私が一本、抜き取ると、そばにあった徳用マッチで火をつけてくれた。「僕の一つ年下の従姉妹《いとこ》に朱美《あけみ》って女がいてね。これがちょっとした美人なんだよ。大熊一族の中の突然変異だって言われてるんだけどさ。彼女が今、秋葉ってやつとつきあってるんだ」

大熊の従姉妹の朱美は、高校在学中、何度か模擬試験を受けるために予備校に通っていた。ある時、隣に座ったのが正巳だったらしく、二人はその時から親しくなったのだ、という。

「それにしても、なんだってあいつはあんなに男前なんだろうね。昔からそうだったの？」

「そうですね。学校中の女生徒の憧《あこが》れの的でしたから」

「腹が立つよな、まったく。従姉妹の話だと、模擬試験を受けた時も、彼が廊下を通ると、予備校中の女の子たちが悩殺されたみたいな顔をしてたんだってさ」

私は中学時代に知っていた正巳の話をした。生徒会の副会長をしていたこと、軟式テニス部のキャプテンだったこと、運動能力、学力ともに、常に優秀な成績をおさめていたこと……。

「変だね。そんなに優秀だったんなら、浪人なんかする必要はなかっただろうに」

「秋葉君は受験に失敗したんですか」

「うん。従姉妹のほうも結局、全部落っこちて、この春から、二人仲良く予備校通いだよ。デートしてるんだか、何しに行ってるんだか、わかりゃしないけどさ」

正巳が受験に失敗したのは、あの事故のせいに違いない、と私は思った。阿佐緒と一緒に見舞いに行った日、ふてくされたような顔をして、ベッドに仰向けに寝たまま、天井に射るようなまなざしを投げていた彼のことが思い出された。腰の骨を折ったという ことは、リハビリにも時間がかかったに違いなく、元の生活に戻るまでの苦労は並大抵のものではなかっただろう。だが私は、大熊にその話はしなかった。

思いがけず、ひょんなところで知り合った人間から正巳の名を出されたわけだが、私の気持ちはつゆほども波立つことはなかった。事故後、阿佐緒と別れた正巳が、朱美という名の女の子とつきあい始めたという話も、週刊誌のゴシップ記事を読む程度にしか、私の好奇心をくすぐらなかった。

懐《なつ》かしいと思わなかったわけではない。だが、とりたてて胸が疼《うず》くようなことはなかった。私はまだ十八歳だった。そのころの私は、おおかたの同世代の人間がそうだったように、過去よりも現実に目を向けて生きていた。数年前の感傷よりも、現在、たった今、この瞬間、自分の目で見て耳で聞いて手で触れているもののほうが遥《はる》かに魅力的だったのだ。

その年の夏、八月も終わりにさしかかったころ、演劇部で恒例の夏合宿が行われた。伊豆《いず》の下田からバスで小一時間。鄙《ひな》びた小さな海辺の町で、一軒の民宿を借り切り、総勢二十二、三名が参加したと記憶している。

一週間の合宿期間中、やることといったら、昼日中からビールを飲んだり、泳ぎに行ったり、浜辺で昼寝をしたり。一応、午前中は発声練習と演劇論に関する本の読み合わせ、大学祭の演《だ》し物《もの》についての討議などが予定に組み込まれてはいたが、予定通り行われたためしはない。夜は夜で、夕餉《ゆうげ》の食卓はたちまち宴会場に早変わりするありさまであった。

毎日、毎日、太陽と暑さと蟬《せみ》の声と砂と海と、そして安ウィスキーだけが私たちの目の前にあった。愚にもつかない馬鹿《ばか》騒ぎと不毛な議論だけが、延々と飽きずに続けられた。

演劇部には当時、ベ平連に入っている女子学生が二人、そして中核シンパで、白地に黒で「中核」と書かれたヘルメットを後生大事に持ち歩いている男子学生が一人いた。

沖縄返還やベトナム戦争、教科書問題などについて、議論の火蓋《ひぶた》を切るのは決まって彼らだった。話は際限なく広がった。誰かが何か言い始めると、別の誰かがわかったような意見を吐き、そうこうするうちに、誰かが突拍子もない冗談を言ってまぜっかえす。政治になんか、全然、興味がないもの、と言ってそっぽを向く女子学生も含め、その手の話はどういうわけか当時の学生の血をわきたたせるところがあった。

やがて話は自分たちの大学の全共闘の噂《うわさ》話にまで発展する。ロックアウトの最中、誰と誰が身体の関係をもったのか、誰それは複数の活動家と関係をもち、父親のわからない子を孕《はら》んで妊娠中絶をしたらしい、などという情報がもたらされる。男子部員は品のない笑い声をあげ、私よりも先輩にあたる女子部員たちは、わが身にも覚えがあるのか、にわかに大人びた顔つきをし、避妊の正しい方法について、女同士、ひそひそ囁き合ったりするのだった。

思えば、あの夏もまた、私にとって忘れられない夏であった。五感が記憶しているあの夏のすべてを私は今もはっきり、思い出すことができる。潮騒《しおさい》、潮の香り、汗、肌を焦《こ》がすようにして照りつける太陽、人さし指を伸ばすとそっと羽を休めに来たトンボの群れ、蜂の唸《うな》るような羽ばたき、夕方になると松林から折り重なるようにして聞こえてくるヒグラシの鳴き声。そして、みんなの馬鹿笑い、ビールの泡、トイレにこもったすえたようなアルコールの匂《にお》い、うちわを使う音、民宿のおばさんがつけてくれた蚊とり線香の煙、風鈴の音、夕立……。

四日目の昼頃、大熊あてに電話がかかってきた。電話は母屋《おもや》にしかなく、大熊は民宿のおばさんに呼び出され、部屋を出て行った。

たまたま私はその時、母屋の裏のニワトリ小屋の前にいた。小屋には、気性の荒い、誇り高いシャモが一羽いた。彼は雌鳥の中でも一番美しい一羽をわがものにしながら、他の雄鳥を威嚇《いかく》していた。

電話を終えて、母屋から出て来た大熊が私に声をかけた。

「そんなとこで、何してんだよ」

「シャモを見てたんです。強気でカッコいいんですよ。この雌が好きらしくて、他の雄が近づくと、すごい目で睨《にら》みつけるの」

大熊は私と一緒になってニワトリ小屋を覗《のぞ》きこんだ。「なるほど。もてそうなやつだ」

私たちの見ている前で、シャモが声をあげながら、別の雄鳥に襲いかかった。小屋の中が騒然となった。羽が飛び散ったが、大した攻撃ではなさそうだった。雄鳥はすごすごと小屋の片隅に引き返して行き、毛づくろいを始めた。シャモは大きく首を伸ばし、勝ち誇ったように一声、高く鳴いた。

私と大熊は顔を見合わせ、笑い合った。

「もうすぐ朱美がここに来るよ」

私が黙っていると、大熊は「覚えてないの？」と呆《あき》れた顔で聞き返した。「従姉妹の朱美だよ。きみの中学時代のクラスメートとつきあってる……」

ああ、と私は言った。「ここに来る、って、近くまで来てるってことですか」

「近くも近く。今、下田駅から電話をかけてきたんだよ。今夜、ここに泊まったことにしておいてくれ、って言われてさ。夕食だけ、俺たちと一緒に食べて、その後、どこかに消えるんだとさ。浪人中だっていうのに、いいご身分だよ、まったく。あ、そうだ。となると、今夜の夕食、二人分追加してくれ、っておばさんに頼んでおかなくちゃいけないな」

踵《きびす》を返して再び母屋に戻ろうとした大熊を私は呼び止めた。「二人分追加、って……朱美さん、一人で来るんじゃないんですか」

「あたりまえだろ？　一人で来るんだったら、こんな裏工作、する必要もないよ」

「裏工作？」

風のない暑い日だった。そこは離れになった民宿の建物と母屋との間にある中庭で、古くなった竹に蔓《つる》を絡《から》ませた大きな朝顔だの、グラジオラスだの、デイジーだの、雑多な花が無造作にあちこちで咲き乱れていた。

トタンでできた物置小屋に、夏の午後の太陽が反射し、ぎらついた光を放った。大熊はその照り返しの中で目を細め、「わかってないな」と言って苦笑した。「きみもそうだけど、朱美くらいの年齢の女の子がさ、親をだまして男友達と外泊しようとする時、どういう方法をとる？　友達か、信頼できる俺みたいな従兄弟《いとこ》を利用するのが一番だろ？」

よくわかります、と私は言い、大きく息を吸って微笑《ほほえ》んだ。「秋葉君と一緒に来るんですね」

そういうこと、と大熊は言い、白い歯を見せて笑った。「悪いけど、部長に今夜の夕食、二人分追加した、って報告しておいてくれないかな。もちろん、費用はあいつらに出させるから、って」

「わかりました」

大熊は忙しそうに、そのまま母屋のほうに走り去って行った。

秋葉正巳と朱美の二人が民宿に到着したのは、それから一時間半ほどたってからである。大熊は汗だくになりながら、居合わせた部員全員に二人を紹介して回った。

名前のもたらす印象から、阿佐緒のような派手な容貌《ようぼう》を想像していたのだが、朱美という女は、阿佐緒とは正反対の、どちらかというと楚々《そそ》とした控えめな感じのする美人だった。

肩すれすれのところで、黒い髪の毛をおかっぱに切りそろえている。瘦《や》せぎすだったが、切れ長の涼しげな目と、雛《ひな》人形を思わせるふっくらとした小さな唇が初々《ういうい》しく、何かというと少しすねてみせるような仕草が少女じみていた。

正巳はと言えば、あれほど大きな事故にあった人間とは思えないほど元気そうだった。黒のポロシャツに白いコットンのズボン。シャツの前ボタンは全開になっていて、奥には、はちきれんばかりの胸の筋肉が覗いて見え、そして彼はとてつもなく美しかった。

晴れやかな屈託のない笑顔を作って近づいてきた彼に「やあ」と言われた時、私は彼の胸元にうっすらと浮かんだ汗から視線をはずすのに苦労した。

「久しぶりだね。元気？」

「元気よ」と私は少しそっけなく答えた。「こんなところで会うなんて、夢にも思わなかった」

「僕もだよ」

「初めから海に来るつもりでいたの？」

「まあね」

「ここはどう？」

「いいところだね。気にいったよ」

「そう。よかった」

正巳はまた微笑んだ。私はわざと、身体測定をする時の保健婦のような視線を作って、彼を眺めまわした。「秋葉君、背が伸びた？　体重も増えたんじゃない？　たくましくなった感じね」

彼はふいにおどけた顔をして、腰のあたりを指さした。「実はさ、事故にあって手術を受けた時、ついでにアソコにちょっと細工をしてもらったんだよ」

「あそこ？」

「そう、あそこ。以来、噂が噂を呼んだらしく、群がってくる女の子が絶えなくてさ。そのために身体《からだ》を鍛えておく必要が生じてね。たくましくならざるを得ない」

私は横目で彼を見た。「嘘《うそ》でしょ」

「……嘘」

私たちは声を合わせて笑った。彼はポロシャツの胸ポケットから煙草を取り出し、火をつけた。吐き出した煙が、開け放された部屋の窓の外に大きく弧を描いて消えていった。

私は聞いた。「大変な事故だったものね。身体のほうはどう？」

「おかげさまで全快したよ。あ、いつぞやは悪かった。きみには見舞いにも来てもらったし、退院祝いのカードまでもらったっていうのにさ。何のお礼の手紙も書かなかった」

「いいのよ」と私は言い、朱美が大熊と話しているのを遠くに見て確かめながら、声をひそめた。

「でも、阿佐緒には熱心に手紙を書いてたみたいね」

正巳はふざけて、両目をぐるりと回してみせた。「まずいなあ。全部、知られてるんだな」

「新しいガールフレンドって、素敵な人じゃない？」私は目線で朱美を示し、同意を求めた。「大熊さんから聞いてたの。美人なんだ、って。同じ予備校なんですってね」

「去年の夏だったかな。隣同士の席で模擬試験を受けたんだ。試験が終わってから、強引に喫茶店に誘って……それ以来だよ」

「今夜はどこに泊まるの？」

「決めてない。ここらへんは民宿ばっかりで旅館はないしね。また下田に戻らなくちゃいけないかもしれないな」

たまたまその時、朱美が大熊から視線をはずし、私たちのほうに目を向けた。

正巳は朱美に向かって、大きく片目をつぶってみせた。朱美の頬が、刷毛《はけ》ではいたように薔薇色《ばらいろ》に染まった。大人びた流し目を送りながら微笑み返すと、朱美は再び大熊と向き合った。

朱美が正巳に夢中であることはすぐにわかった。だが、正巳はどうなのか、その時点ではよくわからなかった。

「ちょっと外に出ないか」正巳は吸っていた煙草を傍にあったアルミの灰皿でもみ消しながら言った。「何かクラブの仕事があるなら邪魔しないけど」

「仕事なんて、なんにもないわよ。ご覧の通り、自堕落を絵に描いたような毎日を送ってるだけ」

「じゃあ、海に行こうよ。さっき着いたばっかりなんだ。まだ海も見てない」

いつまで滞在するつもりなのか、今回の小旅行の費用はどうやって捻出《ねんしゅつ》したのか、彼自身の親にはどんな言い訳をして出て来たのか、同年代の友人なら誰もが聞くはずの無邪気な質問を何ひとつしないまま、私は正巳と連れ立って外に出た。朱美を誘うのが礼儀だと思い、彼女の姿を探したのだが、大熊と母屋のほうに行ったらしく、見えなかった。

3

どこをどう歩いたのか。私たちは罪のない冗談ばかり繰り返しながら、日ざかりの中、照り返しの強い田舎道を歩き、気がつくと浜辺ではなく、防波堤が伸びている静かな一角に足を踏み入れていた。

そこだけが小さな入江になっていた。「遊泳禁止」の立札が立っているせいか、人影は見えない。白いコンクリートの堤の上には、枝を伸ばしている生い茂った木が、くるくる回る美しい木もれ日を落としていた。

私たちは海に向かって、堤の上に並んで腰をおろした。風のない日で、海は凪《な》いでいた。目の前にあるのは、見渡すばかりの夏の海……紺青《こんじよう》の世界だけだった。

「浪人中だってのに、本ばかり読んでるよ」正巳は眩《まぶ》しそうに目を細めて海を見ながら言った。「きみは？」

「同じ。演劇部なんかに入ったものだから、読む本の傾向が違ってくるかな、と思ったけど、そうでもないみたい」

「最近は何を読んでる？」

「手当たり次第よ。安部公房とか倉橋由美子とか、大江健三郎、高橋和巳《かずみ》、アンドレ・ブルトン、ボリス・ヴィアン……サガンなんかもね」

「三島は？」

「三島由紀夫？　読むわ。大好きよ」

私は、中学時代のあのひとこまを思い出した。あの日、生徒会室であなたが『仮面の告白』を読んでいるのを見なかったら、私が三島由紀夫を読むのはもっと後になっていたかもしれない……そう言いそうになるのをこらえながら、私は問い返した。「秋葉君は？」

「全部読んでる。この間、『春の雪』を読んだ。身体がふるえたよ」

当時、三島由紀夫は〝豊饒《ほうじよう》の海シリーズ〟と銘打って、次から次へと長編を発表していた。私もまた『春の雪』を読んでいたので、私たちはしばらくの間、その話を続けた。

『春の雪』の主人公、まだ二十歳そこそこの若き侯爵《こうしやく》家の息子である松枝清顕《まつがえきよあき》が、聡子《さとこ》という女性と初めて接吻《せつぷん》をし合う雪の日のシーンが何よりも好きだ、と正巳は言った。

幌《ほろ》を閉じた人力車の中。ふたりの膝《ひざ》の上には膝かけがかけられている。車夫に「どちらへ」と聞かれた清顕は、「どこでもいい、行ける限りやってくれ」と告げる。初めての接吻の後、幌をあげると、間断なく降りしきる雪がふたりを包む。口をあけると口の中に雪のかけらが舞い落ちる。「今、雪がここへ……」と聡子が自分の胸もとを指さす……。

そのシーンの官能的な描写が、僕にはたまらなかった、と彼は言った。「なんだか、聡子という人の胸もとの匂いまで嗅《か》ぎ分けることができたみたいな気がしてね」

照れくさくなったのか、ふいに口を閉ざした彼の次の言葉を待ちながら、私もまた黙りこんだ。私たちの沈黙に、堤にあたって、ぽちゃり、と眠たげな音をたてる柔らかな波の音がにじんだ。背後の雑木林では、油蟬《あぶらぜみ》が猛々《たけだけ》しく鳴き狂っていた。潮風に、肌が少しべたついた。

つい先程まで見せていた朗らかさが影をひそめ、目の前にいる正巳は内省する物静かな青年に変わっていた。彼はコンクリートの堤の上に転がっていた小石をつまみ上げると、大きく腕を振りかざしてそれを海に投げた。小石は細かい漣《さざなみ》をたてている海面に吸い込まれ、消えていった。

あのさ、と彼は、何やら少年じみた愚かしさの感じられるふざけた口調で言った。

「僕はこの旅行を終えたら、朱美と別れるつもりでいるんだ」

私は隣に座っている彼を見つめた。「冗談でしょ？」

「ほんとだよ。そう決めたんだから、決めた通りにするよ」

「どうして？　お似合いのカップルなのに」

「お似合い？　本当にそう見える？」正巳は私を振り向いた。唇に冷笑が浮かんだ。

見えるわ、と私は言い、肩をすくめてみせた。「似合いだろうが似合いじゃなかろうが、そんなことはご本人たちにはどうでもいいことなんだろうけど」

「まあね」吐き捨てるようにそう言うと、正巳は再び視線を元に戻した。「僕は欺瞞《ぎまん》的な関係に耐えられないのさ」

「どういう意味？」

「意思や感情にそむいて、なるがままに任せて、そのうち爛《ただ》れて腐って堕《お》ちていくような関係ってのが、僕は苦手なんだ。自分のことは自分で決めたい。どんなことでもね」

私は黙っていた。私が口をはさむことではなさそうだった。自分が関わっているわけでもない、そうした男女の問題に首をつっこんで、あれこれ知ったようなことを言うのが、私は昔から好きではなかった。

「結婚を口にされちゃったこともあるよ」彼は皮肉めいた笑いをにじませながら言った。「今年の春。灰色の浪人生活に入った矢先。女の子の心理ってのは、そんなものなのかもしれないけど、僕には想像もつかない。結婚？　やめてくれ。僕はやっと十九になろうとしてる、ただの小僧なんだ」

「ほんとに彼女のことが好きだったら？」私は努めて明るく聞いた。「夢中だったら、結婚を口にされたことに、そんなに拒絶反応を示さなかったんでしょうね」

少しの沈黙の後、正巳はゆっくりと首を横に振った。「わからないね。それとこれとは別の問題だと思うよ」

「例えばね、阿佐緒はどう？　阿佐緒とつきあっていた時、阿佐緒から結婚を口にされてたらどうしてた？」

彼はやおら堤の上で股《また》を開き、両膝を立てて背筋を伸ばした。澄んだ大きな声が、その形のいい唇から、美しく連なる透明な玉のようになって迸《ほとばし》り出てきた。「相手が阿佐緒だったら、話は別だろうな」

「ほらごらんなさい」私はからかうように笑った。「ほんとに秋葉君、阿佐緒のことが好きだったのね」

正巳はそれには応《こた》えなかった。私たちが黙ると、雑木林の蟬の声が大きくなった。間断なく寄せてくる小さな波が、防波堤で規則正しく涼やかな音をたてた。

彼は大きく息を吸った。「久しぶりだな」

「え？　何が？」

「海だよ」

その時初めて、私は自分でも説明のつかない、何か不可思議な心の粟立《あわだ》ちを感じた。それはかすかな、それとはわからないほどかすかな嫉妬《しっと》であり、悲しみであり、空《むな》しさだった。慣れているはずの感情には違いなかった。私はいつも、人生に生じる、幾多のささやかなドラマの中心人物にはなれない人間だった。よくても端役《はやく》、悪ければ黒子にすぎず、ドラマは私がいてもいなくても、滞りなく進んで終焉《しゅうえん》を迎えた。

だが、ずっと後になってからこんなふうに思ったこともある。私が黒子しか演じられない人間だったからこそ、正巳は私に気持ちを許したのかもしれない、と。打ち明け話というものは、黒子に向かってするほうがいい。ドラマの中心人物、主役たちに打ち明け話をするのは危険を伴う。主役は計算高く立ち回って、その打ち明け話を自分のために利用するかもしれないのだ。

一方、黒子は決してそんなことはしない。こっそり打ち明け話をされたこと、それ自体に誇りを感じる。姿を隠し、陰にまわって、密《ひそ》かに誰かのために生きること。それが本来の黒子であり、黒子の役割なのである。

その日、六時ころから民宿で始まった夕食は、二人の闖入者《ちんにゅう》を迎えての大宴会になった。ビール、安ウィスキーの他に誰かが調達してきたらしい日本酒の一升瓶までが供された。

襖《ふすま》を取り払った座敷に、テーブルを細長く並べ、客人だということで、正巳と朱美はそれぞれ、テーブルをはさんで向かい合わせになるよう、中央に座らされた。どうせ、後でここを出たら、熱い一夜を過ごすんだろう、少しの間、二人を引き離したっていいじゃないか、と誰かがからかったものだから、みんながその気になった。結局、正巳と朱美、二人の席を並べなかったことが、その後に起こる出来事の引金になるのである。

一年生だった私は、他の新入部員たちと並んで末席につこうとしたのだが、部長から昔のクラスメートの隣に座ってやれよ、と耳打ちされた。知った顔がなくて、気の毒じゃないか、と。

それまで正巳の隣に座っていた二年生の男子学生が、私のために席を空けてくれた。正巳の正面には朱美がいて、朱美の隣は大熊だった。

男子部員たちが、朱美に取り入るようにして次から次へと質問をあびせ始めた。朱美もまんざらではなさそうだった。

丁寧に質問に答えながら、誰かがコップにビールを注ごうとするのを「飲めませんから」と断り、それでも居合わせた連中に酌をすることを忘れず、正巳との関係について、いささか品のない露骨な質問を飛ばされても、優雅に微笑《ほほえ》むにとどめて、朱美はたちまち、みんなの人気者になった様子だった。

あまりの賑《にぎ》やかさ、騒々しさに驚いたのか、時折、朱美が困惑したような視線を正巳に投げるのがわかった。早く出て、下田に戻りましょう……朱美がそう言いたがっているような感じもしたが、もしかすると違ったのかもしれない。朱美は終始、楽しそうだったし、多分、あの晩は若者らしい興奮に包まれていたはずである。正巳とどこかのホテルに泊まる、という本来の目的すら、忘れかけているようにも見えたのだが、それは正巳も同じであった。

隣の席についたのをいいことに、私と正巳は自分たちにしかわからない、中学時代の思い出話を続けた。何の脈絡もなく思い出される昔の記憶は際限がなく、とりわけ阿佐緒のこととなると、正巳は饒舌になった。傍に朱美がいるということも忘れていたようで、時々、はっと居ずまいを正しては、言葉をのみこみ、くすくす笑う。

「まるで、女房に隠れて昔の女の話をしてるみたいだな」

言われてみればその通りだった。慣れないビールの酔いが私を少し、いつもよりも大胆にさせていた。

私が「じゃあ、その話を聞いてる私は何？」と問いかけると、彼はしばしためらった後、「戦友」と答えた。

「どういう意味？」

「類子は昔から、そんな感じのする女の子だったよ。一緒に戦いに出て行けるような女の子なんだ。そういう女の子は男にとって珍しい」

「へえ、そう。つまり、色っぽくない、ってことでしょ」

まさか、と彼は言い、妙に大まじめな顔をして「誤解だよ」と付け加えた。そのまじめな表情が、かえって私の気持ちを深く傷つけることになったのだが、正巳が気づいた様子はなかった。

座が賑わい、宴もたけなわになったころ、誰かが花火をやろう、と言いだした。民宿から歩いて五、六分のところにある雑貨屋では、大小様々な花火が売られていた。

一年生の男子部員が買物に出され、帰って来ると、早速、縁先で花火大会が始まった。朱美はいそいそと楽しげに自ら縁先に出て行った。下田に戻るバスの最終便が何時なのか、確かめようとする素振りもなかった。

正巳は朱美の後ろ姿を目で追いながら、誰に言うともなく「類子」と私を呼んだ。ささやきかけるような呼び方に、束《つか》の間《ま》、私の胸は熱くなった。なに、と振り返ると、彼は意味ありげな視線を私に絡《から》みつかせながら、「暑くなった」と小声で言った。「外に出ないか」

ひたと私を見据える目のどこかに、何か暴力的な感じのする光が宿っているのがわかった。たじろぐような、後じさりしたくなるような気持ちが私を襲った。

だが、それも一瞬のことだった。彼はまもなく表情を和らげ、微笑み、「行こうよ」と言って、若者らしい率直さで私の腕を取った。

部長か副部長に、その旨《むね》、報告して出て行くつもりだった。だが、どちらも縁先に出て、筒型の太い花火に点火しようとしているところだった。朱美をはじめとするみんなが耳を塞《ふさ》ぎ、遠巻きにそれを見ていた。私たちは誰にも行き先を告げずに外に出た。

民宿のすぐ真裏がバス通りになっていた。私たちは通りを渡り、示し合わせたようにして、海とは逆の丘に向かった。丘の中腹には、氏神を祭った古い神社があった。その前日だったか、散歩がてら歩いて行って、私が見つけた神社だった。

案内するけど、怖くない？　と私が聞くと、馬鹿《ばか》だな、そんなもん、どうして怖いんだよ、と言った。そして、ふいに立ち止まったかと思うと、大人びた微笑みを浮かべながら私を見下ろした。

「何を見てるの？」

彼はふっと短く笑った。「類子、きれいになったな」

「嘘《うそ》ばっかり。お世辞言ったって、なんにもあげないわよ」私は笑った。笑いながら動悸《どうき》が始まるのを覚えた。

顔をそむけ、足を早めた。彼はすぐさま、追って来た。空気が揺らぎ、日なたの匂《にお》いにも似た正巳の汗の匂いが鼻腔《びこう》をついた。

私たちは肩を並べながら、けもの道のような細い参道に入って行った。濃紺の空に、いびつな形をした月が出ていた。民宿の庭での笑い声が次第に遠くなっていった。あたりの闇《やみ》が濃くなった。青白い月の光が闇ににじんだ。草むらでは、ひっきりなしに虫が鳴いていた。

参道には、ところどころに裸電球を灯した街灯が立っていた。街灯から離れると、再びあたりは闇に沈んだ。月明かりだけが頼りだった。

神社の境内は粗末なものだった。玉砂利もなく、それどころか一面、下草がびっしりと生えていた。生い茂る木々の枝に遮《さえぎ》られ、光が届かないのか、黒ずんだ賽銭《さいせん》箱は苔《こけ》むして、黴《かび》くさい匂いを放っていた。

部長が、明日、ここで肝試しをするって言ってるの、と私が教えると、正巳は「僕がいれば優勝だな」と言った。「僕は幽霊とかお化けとか、ちっとも怖くないんだ。何も感じない」

「じゃあ、参加していけば？」

「無理だよ」そう言いながら、彼はまた、じっと私を見た。話の内容など、どこか上の空といった様子だった。

参道と同じく、境内にも裸電球だけの街灯が立っていた。その卵色の淡い光の中、喉《のど》が詰まったような違和感を覚えて私は目をそらした。

「明日は帰るよ」正巳は、私がそらした視線を追うように、一歩、私に近づきながら言った。「残念だけど、今晩しか一緒にいられない」

どういう意味なのか、わからなかった。私は曖昧《あいまい》にうなずき、微笑んだ。

「座ろうか」正巳は草に被《おお》われながら建っている石碑を指さした。

神社建立《こんりゅう》の際、町が建てた記念の石碑のようだった。形は不揃《ふぞろ》いだが、表面が平らでなめらかになっている大きな石が、石碑を囲むようにして地面に埋めこまれていた。私たちは並んでその石に腰を下ろした。

正巳はポケットから煙草《たばこ》のパッケージを取り出し、私に勧めた。高校三年のころから、私は時折、両親に隠れて煙草を吸っていた。私に本格的な喫煙習慣ができたのは、その日を境にしてからのことになる。

私は煙を吸い込み、ゆっくりと吐き出した。ひどく落ちつかない気分だった。薄ぼんやりとした境内の中には、これといって視線を集中できるようなものは何もなく、草に被われた地面の上に映し出される木々の影を眺めていると、虫の声ばかりが耳について、いっそう心細いような気持ちになった。

正巳があまり長い間、口を開かずにいたので、私は正面を向いたまま背筋を伸ばし、陽気さを装《よそお》って言った。「秋葉君が浪人するとは思わなかった。一発で東大、っていう感じだったのにね」

「そんなにうまくはいかないよ」

「みんながそう思ってたわ」

彼は静かに息を吸い、ゆっくりと吐き出し、吐息の中に溶けいってしまうような弱々しい低い声で言った。「どこかで何かが狂ったんだ」

私は煙草の灰を地面に落とし、彼を見た。「……事故のこと？」

彼は答えずに煙草を吸い、長い間、肺にためてからひと思いに吐き出した。沈黙が流れた。表情に険しさが加わったようだった。私はそのことに気づかないふりをした。

「あの日はほんとにびっくりしたわ。いきなり阿佐緒から電話がかかってきて、秋葉君が重傷を負った、って言うんだもの。阿佐緒ったら、それまで全然、手紙の返事もくれなかったくせに、突然、そんなことを言い出すんだから、いかにも阿佐緒らしいわよね。ちょうど夕方だったんだけど、私……」

強烈な、射るようなぎらついた視線を感じたのはその時だった。私はふと口を閉ざし、おそるおそる隣にいる正巳を見た。正巳の目はぎらぎらと光っていた。彼の小鼻がひくりと一回、大きく動くのがわかった。

私はぎこちなく微笑んでみせた。「どうかした?」

正巳は私から目を離さずに、大きな呼吸を繰り返した。まるで自分に横隔膜があることを確かめてでもいるかのような、芝居がかった呼吸だった。両肩が烈《はげ》しく上下し、そのたびに小鼻が空気をはらんだゴムのように、閉じたり開いたりした。

怖くなった。相手が正巳であるということを私は一瞬、忘れた。そこにいるのは闇の中で鬼に変貌《へんぼう》しかかっている得体の知れない化け物のように思えた。

彼の名を呼び、何もかもが悪い冗談であることを確かめようとした途端、いきなり彼が私の手から火のついた煙草をもぎ取った。赤いぽっちりとした火が、闇の彼方《かなた》に投げ捨てられ、消えていくのが見えた。

立ち上がろうとしたが遅かった。彼の体重が、いきなり私にのしかかってきた。私たちは座っていた石から、もんどりうつようにして地面に転げ落ちた。

何が起こったのか、わからなかった。私は彼に組み伏せられ、地面に仰向けに倒れた。目の前には正巳の顔があった。高熱に喘《あえ》ぐ人のように、気味が悪いほど火照《ほて》った顔だった。夜露に湿った草むらの中で、その火照った日なた臭い肌が、焦《こ》げつく硫黄のような匂いを発しているのがわかった。

目を剝《む》いて「やめて」と叫ぼうとすると、彼の唇が私の口を乱暴に被った。歯と歯が烈しくぶつかり合った。両方の鼻の穴に、彼の皮膚がめりこんでくるように感じられた。一瞬、呼吸ができなくなった。

彼の手はすでに私のTシャツの中にあった。足をばたつかせても無駄だった。自分の身体《からだ》の上に鉄の塊が載っている、と私は思った。恐ろしいほどの体重、恐ろしいほどの腕力だった。

嗚咽《おえつ》が体内で渦巻いた。彼が私に何をしようとしているのか、考えるのもいやだった。あまりにも馬鹿げていた。あまりにも愚かしい行為だった。彼の行為には、優しさのかけらもなかった。そこにあったのは、獣めいた卑劣さだけだった。

乳房を乱暴にまさぐっていた彼の手が、今度は私のはいていた木綿のスラックスのジッパーをおろし始めた。やめてよ、と私は怒鳴った。悲鳴をあげた。自分でもぞっとするほどの金切り声があたりに響きわたった。

正巳の喘ぎ声が烈しくなった。ほんの一瞬、私の頭の中に、これまで自分が知っていた正巳の姿が、早送りされるビデオテープのようにして甦《よみがえ》った。

みんな嘘だった、と私は思った。美しくて、成績がよくて、みんなに好かれる秋葉正巳。頭の回転がよく、感性も豊かで、人柄もよく、非のうちどころがなかった秋葉正巳。みんな、みんな嘘だった、虚像に過ぎなかったのだ、と。

目尻《めじり》から涙が伝った。涙ではなく、血糊《ちのり》ではないか、と思われるほど熱くて粘るような涙だった。

正巳が私の上に被いかぶさったまま、腰を大きく回しながら、はいていたズボンを脱ぎ始めた。

汗なのか唾液《だえき》なのか、烈しく喘ぐ正巳の顔から水滴が私の顔に滴《したた》り落ちた。私は赤ん坊のように手放しで泣き声をあげた。

その時点において、私はまだ、性の交わりを経験したことがなかった。私にとって、性的体験というのは、読み飛ばした夥《おびただ》しい数の小説、小遣いをやりくりして通った映画館で見た映画、時々、拾い読みする雑誌の記事の中にしかなかった。

犯される、という言葉が頭に浮かんだ。その意味が初めてわかった。悪夢だった。猛々《たけだけ》しいほど葉を繁《しげ》らせた境内の木々が視界を被った。木々の梢《こずえ》の隙間《すきま》をぬうようにして、月に照らしだされた美しい夜空が見えた。瞬《また》く星も見分けられた。夜風に木々の枝が揺れると、それに応じるようにして星が冴《さ》え冴《ざ》えと青白い光を放った。

私が両目を大きく見開き、夜空を見上げている中で、ふと正巳の動きが止まった。唐突な止まり方だった。まるで何かに気づいて機嫌をそこねた時のような、あるいはまた、何かのっぴきならない困難な問題にぶつかった時のような。

無知だった私は、終わったのだろうか、と思った。だが、身体には何ひとつ痛みはなかった。下着もはがされてはいなかった。ただ、太ものあたりに、夜露に濡《ぬ》れた草がひやりとあたるのを感じただけだった。

彼は逃げるようにして私から身体を離し、私に背を向けて膝《ひざ》を抱えた。何をしているのか、わからなかった。私には知識がなさすぎた。避妊具を装着しているのだろうか、とも思った。だが、それにしては様子がおかしかった。男が突然、女に襲いかかる時、わざわざ避妊具など装着するものだろうか。彼の背中は小刻みに震えていた。

私は上半身を起こし、乱されたTシャツの裾《すそ》を伸ばしながら彼の様子を窺《うかが》った。ついさっきまで聞こえなかった虫の声が耳についた。木々の梢を風が吹き抜けていく音もはっきりと聞き取れた。

正巳が鼻をすすり上げる音がした。まるでこれから嘔吐《おうと》しようとしている人のように、肩と背中をこわばらせ、震えている。

「ごめん」彼は聞き取れないほど小さな声で言った。「ごめんよ。許してほしい」

私は唾液を飲みこんだ。乾いた音が響いた。何か言おうと思った。だが、何を言えばいいのか、わからなかった。

彼の背中が突然、大きく揺れ始めた。笑い声が彼の口からもれた。彼は笑いながら私のほうをふり向いた。「笑ってくれよ。僕はさ……僕はね……セックスができないんだよ」

何を言われたのか、理解できなかった。何？ と私は問い返した。私の問いに、彼の笑い声が重なった。

「こんな目茶苦茶なことをしてきみを怖がらせておいて、結局、僕は何もできないんだよ。生涯、ただの一度も、女を抱けない身体なんだ。あの事故だよ。あの事故で、気がついたら僕は、不能になってたんだよ」

尿道損傷……彼が交通事故にあった時、阿佐緒から怪我《けが》の状態をそんなふうに説明されたことを思い出した。医学の知識は皆無だった。だが、尿道損傷という言葉は、彼の言うような結果を招くのかもしれない、と私は咄嗟《とっさ》に考えた。

「何をやってもだめだった」正巳はふいに顔をこわばらせた。「医者を何人も替えて、いろいろな解決策を聞いた。女の子を誘ってもみたよ。朱美だけじゃない。気が狂ったようにいろんな女の子に声をかけた。デートに誘って、夜の公園を散歩して、キスして……でもだめだった。気持ちだけは盛りのついた犬みたいになるんだよ。でも、肝心の……肝心の……僕の……」

美しい顔がくしゃくしゃに歪《ゆが》み始めた。汗と涙がこびりつき、さらにそれを汚れた手でこすったのか、頬に何筋もの土の跡があった。十九歳の男には見えなかった。彼はまるで、泥遊びをして深みにはまり、助けを求めて泣いている五つの子供だった。

怒りも恐怖も軽蔑《けいべつ》の念も何もかもが、私の中から消えていた。この短い時間に起こったことのすべてを反復し、分析し、結論をくだす力が私の中から失われていた。私はただ、自分の目の前にいる、泣きぬれて一回り小さくなってしまった美しい男を見つめていることしかできなかった。

「すまない」彼は首をがくりと折り、私の前で頭を下げた。「きみと話していたら、妙な気分になった。もしかすると、と思ったんだ。きみとだったら、できるかもしれない、って……。そんなはずはないんだ。僕はできないんだから。でも、できるような気になった。馬鹿だった」

なおも私が黙っていると、彼はそっと顔を上げ、唇を噛《か》みしめた。「このことをきみがみんなに教えたいのなら、そうしてくれ。朱美に言ってもかまわない。何だったら、警察に訴えてもいい。そうされても仕方のないことを僕はした」

私は首を横に振った。何故《なぜ》かわからないが、涙がにじんだ。境内の裸電球の明かりが、水の中で揺らいで見えた。

草むらという草むらで、虫が鳴いていた。静かな夜だった。吹き過ぎる風の中には、潮の香りに混ざって、かすかな秋の香りが嗅《か》ぎとれた。

「怪我はない？」正巳は聞いた。掠《かす》れに掠れた、吐息のような声だったのだが、私にははっきりと聞き取れた。

私は再び首を横に振った。彼はズボンのポケットからハンカチを取り出すと、私に手渡した。青い格子縞《こうしじま》が入ったハンカチだった。私はそれを使って涙と汗を吹き、鼻をかみ、彼の見ている前で身繕いを整えた。

類子、と彼は言った。私は彼を見た。後に続く言葉を待ったのだが、結局、彼は何も言わなかった。

私に先んじるようにして参道を降りて行く彼のズボンの尻には、何本もの枯れ草がこびりついていた。草がついてる、と一言、声をかけてやりたかったのだが、どういうわけか、最後まで口にすることができなかった。

私たちが民宿に戻ったころ、花火大会はすでに終わっていて、無理やりビールを飲まされたらしい朱美は宴席の片隅で、座布団《ざぶとん》を枕《まくら》に眠りこんでいた。

いったい、どこに行ってたんだよ、と大熊に聞かれた。怒ったような口ぶりだった。散歩、と答えた私の顔を大熊はじろじろと見つめて、何やら不快そうに目をそらした。

その晩、正巳と朱美は私たちの民宿で雑魚寝《ざこね》をし、翌朝早く、食事もとらずに出て行った。私が起きた時にはもう二人の姿はなく、誰に聞いても二人の行き先はわからずじまいだった。

翌日も朝から美しく晴れた夏空が広がっていた。みんなと浜辺に行った時、水着になった私の胸元にキスマークができている、と誰かが騒ぎ始めた。

虫に刺されたのよ、とごまかしつつ、耳からこめかみにかけて赤く染まるのがわかった。私はすぐさま、海に入った。

波に身体を委《ゆだ》ねていると、前の晩、神社の境内で起こった出来事が何か途方もない、遥《はる》か昔に起こったことのように感じられた。正巳には何の恨みもなかった。恐怖心もなかった。それどころか、昨晩の出来事が甘美な思い出にさえなり始めていることを知り、少なからず自分でも驚いた。

信じられないことだが、私はその時、正巳の身体の重み、正巳の肌の匂《にお》い、正巳の唇の柔らかさ、烈しい息づかい、少々、乱暴に過ぎたが、正巳から受けた愛撫《あいぶ》の数々を想像の中で甦らせていた。

凪《な》いだ海に仰向けに浮かびながら、私は胸の赤いキスマークを指でなぞった。そこには指先に触れるざらついた感触も隆起も何もなく、ただ、なめらかな自分の肌があるに過ぎない。なのに私にはまるで、たった今、正巳が私の上に濡れた顔を近づけて、そこにそっと唇を押しつけているようにも感じられた。

何度もきみに手紙を書き、書いては破り、破ってはまた書いた。手紙という女々しい手段で許しを請《こ》うのは卑怯《ひきょう》であるような気もしたので、いっそのこと、いっさい連絡をとるまいと心に決めながら、それでもまた、こうやって書いている。笑ってもいい、軽蔑してくれてもいい、ともかくきみが、この手紙を最後まで読み通してくれることだけを祈ります。

あの日は、早朝、朱美と民宿を出て、そのまま東京に戻りました。挨拶《あいさつ》もせずに出て来てしまって申し訳なかった。

どれほど詫《わ》びても、どれほど許しを請い願っても、もう二度と取返しのつかないことを僕はしてしまった。そのことについては、ここで長々と弁解がましいことを書くつもりはありません。実際、弁解のしようもないことを僕はしたのです。すまなかった。それしか言いようがない。

身体の異常を感じたのは、退院してまもなくのことです。きみも知っているでしょうが、若い男なら誰でも経験する朝の習慣のようなものが、僕には甦らなかった。怪我のせいだと考えて、しばらく様子をみることにしたのですが、無駄だった。

父や祖母にも打ち明けられず、むろん、当時、まだつきあっていた阿佐緒にも相談できず、悩みに悩んだ末、恥をしのんで病院に行きました。幾つかの検査を繰り返した。カウンセリングのようなものもたくさん受けた。最後に担当医は気の毒そうな顔をしながら、それでも誇り高く非情な声で、僕に向かって「インポテンス」という言葉を発しました。

機能的に何ら異常のない、原因不明の不能の場合、精神的な治療次第で九割が完治するそうです。でも、僕の場合は事故の時に負った怪我が原因でした。陰茎の血流障害によるもので、残念ながら回復の可能性はない、と告げられました。非常に珍しい、悲運としか言えないケースだそうで、たとえ手術を受けて血流障害を治療したとしても、日常的に生殖行為ができるようになる可能性はゼロに近い、とも宣告されました。

あの日、久しぶりにきみと会い、懐《なつ》かしい話に花を咲かせながら、一方で僕はきみの身体ばかり見ていた。無礼な言い方を許してほしい。きみはとても女らしい身体つきになっていて、僕でなくてもたいていの男はきみを見て同じことを考えただろう。

きみにはもう打ち明けたが、僕は性的に興奮する感情までは失っていない。もちろんそこに、肉体的な反応を期待することはできないし、あくまでも僕の頭の中が興奮するに過ぎないのだけど、それでもそれは間違いなく性的な興奮であり、その点においては他の健康な男たちと何ら違いはないんだ。

　きみを誘って外に出た時、僕は自分の中の興奮状態が極限まで達するのを感じた。飢餓感のようなものが、あっという間にふくらんでいった。いや、正確に言い直そう。あの晩のきみはとても魅力的だった。普通の男なら、暗がりの中できみを抱きよせ、キスをし、次の約束をして別れたに違いないのに、僕は愚かなまねをした。手順を踏まなかった。

　こんな言い方は無礼だと先刻承知しているけど、それでも正直に言うよ。女の子を口説く時、男がみんなやっている手順を踏んでいる余裕が僕には何ひとつないんだ。

　わかってもらえるか、どうか。今、この瞬間しかない、と僕は思った。ともかく切羽詰まっていた。自分の下半身に神経を集中させるあまり、頭がおかしくなりかけていた。医者に回復の可能性はないと言われていたというのに、僕は奇跡を信じようとしていた。あれはまったく最低の、許しがたい、情状酌量の余地のない行為だった。

　乱れた恰好《かっこう》のまま、呆然《ぼうぜん》と僕を睨《にら》みつけていたきみの顔を思い出す。そのたびに、自分自身の醜さ、滑稽《こっけい》さ、みじめさを再認識させられて、暗い穴を覗《のぞ》きこんでいるような気持ちにさせられる。

せめてきみが、あの時の僕の状態をほんの少し理解してくれれば、とすがるような思いでペンを取ったのですが、こうやって書いてくると、やはり何も書かずにいたほうがよかったのではないか、などと考えてしまう。ひょっとすると、きみはこんな手紙を受け取るだけでも迷惑なのかもしれない。きみは僕と違って、ごく普通の、健康的な人生を送ることが約束されている女の子です。こんな薄汚い、みじめな打ち明け話を聞かされる義理なんか、きみには何ひとつない。

忘れてほしい。それしか言いようがありません。

きみの幸福と健康を祈りつつ……

一九七〇年九月十五日

秋葉正巳

青田類子様

追伸――朱美とは別れました。ずいぶん、なじられましたが、おかしいね、彼女は自分たちが別れることになった原因がきみにある、と思いこんでいる。僕がきみとあの晩、民宿を抜け出して、海辺かどこかで抱き合って、性行為をしたんだろう、とはっきり聞かれたよ。すさまじい妄想《もうそう》としか言いようがないが、本当にそうだったとしたら、どれほど嬉《うれ》しかったか。朱美は僕の身体のことは何ひとつ知りません。僕のことを結婚式をあげるまでは、きれいな関係でいてくれる、清潔な白馬の騎士だとでも思っていたようです。僕は、彼女が少女趣味的な関係妄想に浸ることのできる、性的に未熟な女の子であったことに感謝しています。

4

その年の十一月二十五日、市《いち》ヶ谷《や》の自衛隊駐屯地で、三島由紀夫が割腹自殺をした。私は正巳のことを思い出し、その晩、彼の自宅に電話をかけた。祖母が出てきて、留守にしている、と言った。どちらさま、と聞かれ、名を名乗ったのだが、彼の祖母は、私のことを覚えていない様子だった。

私から電話があったことを伝えてほしい、と伝言しておいた。だが、その晩遅くなっても、あくる日になっても、正巳から電話はかかって来なかった。

新聞や雑誌は三島事件の報道に終始した。様々な側面から三島という作家を分析評論した記事が、グロテスクな現場の写真と共にマスコミを賑《にぎ》わせた。

私は『春の雪』を読み返してみた。ひと通り読み終えてから、正巳が好きだと言った箇所を繰り返し読んだ。こんなに美しい文章で美しい物語を綴《つづ》ることのできる作家が、腹を切って死なねばならない理由が私にはわからなかった。わかりたいとも思わなかった。そこには凝縮された美だけがあった。

どうしても正巳と三島由紀夫についての話がしたくなった。私は彼にあてて手紙を書いた。書きたいことが山ほどあったのだが、実際にペンを取ってみるとほとんど何も書けず、簡単な時候の挨拶と近況報告に終始した。

投函《とうかん》してから一週間、毎日、正巳からの返事を心待ちにしていたのだが、返事はなかった。

めぐる季節の中で、私の中の秋葉正巳に関する記憶が再び薄れていくのがわかった。大学二年になる年の春休み、私は演劇部の先輩、大熊剛のアパートで初めて彼と肌を合わせた。私は大熊が好きになっていた。大熊は初めて会った時から、類子のことが気になって気になって仕方がなかった、と言ってくれた。

どこか不器用な、それでいて真摯《しんし》な関係が始まった。私たちは毎日のように部室で顔を合わせ、一日おきに学外で会い、三日に一度の割合で彼のアパートで夕食を一緒に食べた。

ままごとのような食事は、ままごとのような会話で始まり、待ちきれないと言いたげな大熊が、私のうなじに唇をはわせ始めた瞬間、終わりを告げた。四畳半一間のアパートで、煙草のヤニやラーメンの脂《あぶら》がこびりついたちゃぶ台の横には、いつも決まったように万年床が敷かれてあった。

大熊は、その湿った布団《ふとん》の上で私を抱くたびに、愛している、愛している、と繰り返した。私も同じだった。言葉にしていないと不安だった。

一度だけ、大熊から、伊豆での合宿の晩、私が正巳と何をしていたのか、聞かれたことがある。私は嘘《うそ》を言った。

「神社に行って、お参りしてたの。来年は秋葉君が大学に合格しますように、って」

「ふうん。それにしちゃ、帰って来るのが遅かったな」

「そう？　ゆっくり歩いてたからよ。途中で道に迷いそうになったし」

「あんなところで道に迷うわけがないよ。境内までの道は一本しかなかったじゃないか」

「もしかして疑ってるの？」

「何をだよ」

「私と秋葉君のことをよ」

ちっ、と大熊は舌を鳴らし、「馬鹿《ばか》なこと言うなよ」と言った。「いくら朱美が奴《やつ》と別れたからって、類子が原因だなんて、考えたこともないし、考えたくもない」

「そうよ。あたりまえじゃない」

私はふざけて大熊に抱きついていく。大熊は私を抱きとめ、類子、類子、どこにも行くなよ、と耳元で囁《ささや》く。

いつものことなのだが、そんなふうにされていると何だか泣きたいような気持ちになってくる。私は彼の胸に顔をうずめたまま、じっとしている。大熊は私を愛撫し始める。私の中に、打ち寄せる漣《さざなみ》のような快感が広がっていく。

ごくたまにではあるが、大熊と交わっている時、私の中に正巳の記憶が甦《よみがえ》ることがあった。

彼はこういうことがしたかったんだ、と私は思い、何故《なぜ》ともなく悲しくなる。性別の違う、女である私にも、正巳のみじめさ、辛《つら》さがわかってくる。

「気持ちよかった?」と時々、私は身体《からだ》を離したばかりの大熊に訊《たず》ねてみる。商売女みたいな露骨な質問だったにもかかわらず、大熊は無邪気に、いいよ、よかったよ、最高だよ、などと答えてくれる。

正巳にそう言わせてあげたい、と私は思う。彼はどんなに喜ぶだろう。どんなにほっとするだろう。

何故、恋人でも何でもない男について、そんなことを思うのか自分でも理解できなかった。そう願ってやるだけの恩も義理もないはずだった。彼が受け入れざるを得なくなった一つの残酷な宿命を、私が一緒になって担《にな》い、案じてやらねばならない理由は何ひとつなかった。

だが、そうとわかっていて、私はいつも、折りにふれ、正巳のことを思い出した。思い出しては、彼の絶望の深さを推し量った。

大熊と性の体験を積まなければ、私はそんなふうにはならなかったかもしれない。私が正巳の苦しみを想像し、まがりなりにも自分なりに理解できたと思いこんだのは、自分自身が性の快楽を知り、それを味わい始めたせいだったのかもしれない。

私の中には、そのようにして秋葉正巳の面影が不自然な形で、密《ひそ》かに棲《す》みついていったのである。

第三章

1

私の父は繊維関係の企業に勤めていた。母は主婦。四つ年下の弟が一人。貧困、病、家族間のトラブル……何ひとつ経験したことがない。絵に描いたような平凡な家庭であった。

罰あたりだと知りつつも、私は時々、自分の生い立ちに退屈さを覚えた。劣等感すら感じた。平凡で恵まれているということは、かつての私の価値観の中では罪悪なのだった。

阿佐緒や正巳の家庭をどれだけ羨《うらや》ましいと思ったかわからない。阿佐緒の家族は、成り上がり意識に凝り固まっており、いかがわしくて、美意識のかけらすら感じられなかった。一方、正巳の家庭は、かろうじて環境は整えられているものの、どこかしら愛情に欠け、冷やかな空気が充満していた。

そうした刺々《とげとげ》しい環境に置かれた自分を夢想することは、私の楽しみのひとつであった。頭の中では、幾通りもの悲劇ができあがった。ゲームのように空想の中でこねくりまわす悲劇の物語は、実感を伴わない分だけ、常にどこか甘美で切なかった。私は想像の中で、阿佐緒になり、正巳になり、寂しさに満ちた波瀾《はらん》の人生を楽しんでは、再び諦《あきら》めて現実のわが家の、ぬくもりに満ちた茶の間に戻るのだった。

いつだったか、反抗期にさしかかった弟が、食卓で母にお茶の入った湯飲み茶碗《ぢやわん》を投げつけたことがある。湯飲みは母の腕にあたり、そのまま畳の上に転がった。母は黙ったまま弟を睨《にら》みつけた。大きく見開いた目から涙がこぼれ落ちた。

弟は顔をそむけ、ばばあの涙は反吐《へど》が出る、と言った。母は何か言いたげに口をぱくぱくさせたが、言葉にならなかった。短い沈黙が流れた。母はつと立ち上がり、背を丸めて、台所の勝手口から外に出て行った。

私は内心、快哉《かいさい》を叫んだ。これでやっと、自分の家庭にも不和が始まる、と思った。不安と期待とで、胸の動悸《どうき》が早まった。

だが、母はまもなく何事もなかったかのような小ざっぱりとした顔で戻って来た。そして、食事の途中でトイレに立ち、戻って来ただけといったふうに、いくらか照れくさそうな表情で食事を続けたのだった。

さほど熱いお茶でもなかったはずなのに、どういうわけか母の腕にはその時の火傷《やけど》の跡が小さな細長い痣《あざ》のようにして長い間、残されていた。時折、母は自慢げにそれを家族に見せては、何が可笑《おか》しいのか、幸福そうに口に手をあてて、ころころと笑ったものだ。

父はそれを見て、一緒になって笑う。弟もまた、「やめろよ」と言いながら、しまいには笑い出す。嘘《うそ》くさい家庭の温かさ。だが、私の家庭は、嘘くさいと知りつつ、家族四人が四人とも、どこか大まじめに温かさを演じきることのできた稀有《けう》な家庭であった。

一九七二年、私が大学三年になる年の春に、父に札幌支社への転勤の辞令が出た。まだ高校生だった弟は両親と共に札幌に転居し、私は井の頭線沿線に四畳半一間のアパートを借りて一人暮らしを始めた。

大態とは相変わらず関係を続けていたが、私が一人で暮らすようになってからは、関係はどこかしらぎくしゃくし始めた。アパートには電話はなく、それまで自由に公衆電話を使って好きな時に私の家に電話をかけ、私が留守の時でも母が私の行き先を丁寧に教えてくれるという利点を十二分に活用していた大態は、私と連絡が取れにくくなったことで、猜疑心《さいぎしん》をぶつけてくるようになった。

何月何日の夜はどこにいたのか、何日の午後はどうして部室に来なかったのか、先週の日曜日は誰と過ごしたのか……目をぎらつかせながらそう問い詰めてきたかと思うと、次の瞬間、冷淡なまなざしで私を見つめ、ぷいと帰ってしまって、音沙汰《おとさた》がなくなる。そうなると大熊は、部室で私と顔を合わせても口ひとつきかなくなって、事情を知る者の好奇の視線を浴びることになった。

ある晩、大熊はどこからか借りてきた乗用車で私のアパートの前に乗りつけたと思うと、私を乗せて近くの空き地に車を停め、「一緒にここで死のう」と言い出した。どこで用意してきたのか、ホースを使って排気ガスを車内に引き込もうとしている彼を見ながら、私もまだ未熟だったのか、わけがわからないままに、やはり一緒に死ぬしかないのではないか、などと大まじめに考えた。

ふたりの間にあった情熱が消えかかっているのはわかっていた。だが、わけ知り顔をして打開策を口にしたり、冷静さを装《よそお》ってなりゆきを見守ったりするのはいやだった。そんな真似《まね》はできなかったし、何よりもそれは、純粋さからかけ離れていることのように思えた。

遺書を書いておかねば、と私のアパートに戻ってから、レポート用紙を取り出した途端、ふいに大きな地震があった。安普請《ぶしん》だった木造のアパートはひどく揺れ、私たちはひしと抱き合いながら、揺れがおさまるのを待った。

結局、どうということはない地震だったが、気分を変えるには恰好《かっこう》の材料になった。

死ぬ気が失《う》せ、レポート用紙を前にしても何の文案も出てこなくなった私たちは、白けた気持ちを引きずったまま彼が借りた車で奥多摩までドライブをし、帰って来た。

アパートの玄関の前で私をおろした大熊は「さよなら」と言った。すでに明け方になっていて、白み始めた東の空に茜色《あかねいろ》の雲が浮いていた。私もまた「さよなら」と言った。深い意味をこめた「さよなら」だった。彼はひどく悲しそうな顔をしたが、そのまま何も言わず、車を発進させた。

以来、大熊とは会わなくなり、たまに部室で見かけても挨拶《あいさつ》をする程度に終始した。その年、私は演劇部を辞めた。

どこかのクラブに所属しているのといないのとでは、学生生活には格段の違いが出てくる。クラブ活動から遠のいた私の生活は一変した。友人づきあいが半減し、そのうち大学の講義も必要最低限のものにしか出席しなくなった。

大熊が懐《なつ》かしくなり、会いたくなることもたまにあったが、そのたびに私は自分を問い質《ただ》した。本当に大熊に会いたいのか、それとも単に孤独を癒《いや》したいだけなのか、と。答えは常に後者だった。

大学の図書館で本を読んだり、安い料金で見ることができる映画を探しては、映画館に足を運ぶ毎日だった。もともと、本を読みふけるという、あくまでも個人的な快楽の中に身を委《ゆだ》ねることが私は好きだった。在学中に司書の資格をとろうと思い始めたのは、そのころである。

　本好きだからといって必ずしも司書は務まらない、ということは知っていた。司書というのは一種のサービス業であり、カウンター越しにあらゆる種類の人間と対話できなければいけない。個人的な趣味に溺《おぼ》れながら本の価値を決めることも許されない。人間嫌いで閉鎖的、頑固で内向的な人には殊《こと》に向かない、と断言する人もいて、そうまで言われると自分には無理かもしれない、と思ったが、それでも他に進む道は考えられなかった。

　公立や私立の一般図書館ではなく、学校の図書館司書を希望したのは、規模が小さければ、個人の自由が効くだろうと都合のいい想像を働かせたからである。資格を取り、私は中学から短大までそろっている、都内にある私立K女子学園の学校司書の採用試験を受けた。新規採用が一人だけのところに百人近い応募があり、まるで期待していなかったのだが、どういうわけか私だけが採用された。

　お世辞にもレベルの高くない学校であったが、歴史があることと、卒業生の中に元華族の令嬢も少なくなかったせいか、生徒はかなり裕福な家庭の娘ばかりだった。寄付金の多さが功を奏したか、施設はどこもかしこも充実していた。中でもキャンパスに別棟として建てられた大きなドーム型の美しい図書館は、蔵書の数を誇りとする見事なもので、国内のみならず、外国からも関係者が視察に訪れることで有名だった。

朝は八時四十五分までに出勤し、その日の新聞をそろえてから開館する。休み時間と昼休み、そして放課後以外は生徒や短大生の出入りは少なく、教師や教授らが時折、やって来ては調べものをしていく程度で、手が空いた時は存分に読みたい本をあさることもできた。

四時五十分には閉館し、五時ちょうどにはもう帰り支度を整えて帰途についている。寄り道をせずにアパートに帰り、自分で食事を作り、銭湯に行って十二時には床についた。しばらくの間、私の生活はおおむね、そんなものだった。

勤め始めて半年後、いくらか蓄えもできたので、それまで住んでいたアパートを引き払い、五反田に小ぎれいなマンションを借りた。七畳ほどのワンルームに三畳のダイニングキッチン、バストイレがついている部屋だった。

北向きで、一日中、日が射《さ》すことのない薄暗い部屋だったが、窓から見える中庭には大きな桜の木があり、春になると絢爛《けんらん》と咲き誇る花を見せてくれた。夜更《ふ》けて各部屋の明かりが灯《とも》される時刻になると、それまで闇《やみ》に沈んでいた桜は、光の中に白々と浮き上がり、急にすっくと聳《そび》え立ったようになる。そんな時、窓辺に椅子《いす》を運んで、一人、ビールなど飲みながら、何を考えるでもなく、ぼんやりと夜桜を眺めていると、時間のたつのを忘れた。

夏休みと春休み、冬休みは学生同様、たっぷりとれたので、その度に両親の住む札幌の家に帰った。連休が続く時は、一人でふらりと小旅行に出たりした。学生時代の友人から電話があって食事に行ったり、学園の職員たちと飲みに行ったりもしたが、それもごく稀《ま》れなことだった。

学校司書は私を含めて四人おり、全員が女だった。一番年かさの四十代の人がリーダー格で、三十代が二人、私はむろん一番若かった。私以外、三人とも結婚して家庭を持っていたため、四人そろってのんびりお茶を飲みに行くこともなく、私的なつきあいは希薄だった。

能勢《のせ》五郎と急速に親しくなったのも、ある意味では私が、若い娘にしては交友関係の少ない、予定表がいつも空欄のままで残されているような、地味でおとなしい、変わりばえのしない暮らしを続けていたせいかもしれない。

能勢は私が勤めていた学園の高等部で、世界史を教えている教師だった。私よりも六つ年上で、三歳になったばかりの娘が一人と、二人目の子を宿したばかりの妻がいた。世界史の文献を探しに図書館を頻繁《ひんぱん》に訪れていた彼に頼まれ、たまたま私が手助けをしたことから、親しく口をきくようになったのが始まりだった。どちらかというと小柄だが、スポーツ万能だったという鍛えられた筋肉質の身体《からだ》は見事に均整がとれていた。煤《すす》けた色をした背広を好んで着る教師が多い中、能勢はいつも白い開襟《かいきん》シャツに、ジーンズを思わせるような細身のズボン、という若々しくくだけた装いだった。寒くなると、シャツの上に着慣れた感じのする、色合いの美しいジャケットをはおる。髪の毛は襟に届く程度に無造作に伸ばし、美男とは言いがたいものの、それなりの雰囲気《ふんいき》をたたえた男だった。どちらかというと無口で、近寄りがたいところがセクシーだ、という生徒たちの噂《うわさ》を小耳にはさんだこともある。

一九七八年五月。そろそろ閉館という時刻になって、能勢が図書館に駆け込んで来た。世界史関連の本を返しに来たのだが、どうしても今日中に代わりのものを探したいと言い、一緒になって開架式の書庫を覗《のぞ》いているうちに、同僚の司書たちは次から次へと帰ってしまった。

すでに外は暮れかかり、生徒の姿もなかった。スチームをつけるほどではないのだが、それでも日暮れると、まだひんやりと肌寒かった。心なし、床に響く靴の音も寂しげで、窓の外からかすかに聞こえてくる、遠い都会のざわめきも、どこかしらもの悲しく感じられた。

目指す本は見つからなかった。腕時計をのぞいた彼から「車で来てるんだ。送りましょうか」と言われ、何ということもなく、すがるような思いにかられてうなずいてしまったのは、私が何か暖かいものに飢えていたからだろうか。

うちはどこ？　と聞かれ、五反田のマンションを教えると、彼はお腹が空いたね、本を探してくれたお礼にごちそうさせてください、と言ってやわらかく笑った。

私はその夜、能勢に連れられて、目黒にある小さな、気のきいたイタリア料理店でパスタを食べ、能勢の車で送られてマンションに帰った。夕方、図書館で能勢に「送りますよ」と言われてから四時間。そのたった四時間の間に、能勢が私のその後の生活を変えることになるとは夢にも思わなかった。

それればかりではない。能勢との出会いが、結果的に正巳との三度目の再会につながるなどと、どうして想像できただろう。

私が能勢と親しくならず、あの日、小石川後楽園を能勢と共に散歩しなかったら、阿佐緒と会うこともなかったのだ。そして私が阿佐緒と会わなければ、正巳と再び出会うことも多分、二度と、永久になかったのだ。

2

まもなく能勢は、週に一度の割合で私のマンションを訪れるようになった。来るのはたいてい土曜の夜で、深夜を過ぎてから帰って行く。四度に一度は泊まっていき、そんな時は日曜日の午後まで一緒に過ごした。

妻にどんな言い訳をしていたのか、アリバイ作りがよほど完璧《かんぺき》だったと見える。泊まっていく時の彼は、帰らねばならない日の彼と違って、妙に穏やかなくつろいだ顔を見せた。

私と能勢の間にあったものを言葉で説明するのは簡単である。私たちを結びつけていたものは肉欲だけだった。

毎週、土曜日、私は夕食用の買物をすませてからマンションに帰る。床に掃除機をかけ、バスルームを磨き、シャワーを浴びて汗を落としたころ、ぽろん、とドアチャイムが鳴る。

ドアを開けると、能勢が黙って中に入って来る。いつもの能勢……学校で見慣れている、白い開襟シャツにジャケットというういでたちの能勢であるのに、私はすでにその瞬間、能勢の着ているものを通して、能勢の裸を見、能勢の肌の匂《にお》いを嗅《か》ぎ取っている。能勢はすでに、教師ではなくなっている。名前も住所も何もない、ただの雄になっている。

能勢が後ろ手にドアの鍵《かぎ》をかける。狭い玄関で、いきりたったような視線が交錯する。私たちは、目だけで、互いがむきだしの本能に溺れたがっていることを確認し合う。

能勢がいささか乱暴な手つきで私の腰を抱き寄せる。そして、歯をたてんばかりに、私の首筋に唇を這《は》わせ、同時に乳房を愛撫《あいぶ》しながら慌《あわ》ただしげに靴を脱ぐ。

私の身体が能勢に包みこまれる。頭の中で花火が砕け散る。身体全体が暗い夜の海に飲みこまれていくような感じになる。私たちは無言のまま抱き合い、喘《あえ》ぎ、短い声を発し合いながら冷たいリノリウムの廊下に崩れ落ちる。

自分の喉《のど》から、自分のものとは思えない、猥雑《わいざつ》な歓喜の声が迸《ほとばし》るのを、何度私は不思議な思いで聞いたことだろう。能勢の身体に溺れ、肉欲に溺れれば溺れるほど、私は自分の身体の中に、ぎっしりとおが屑《くず》が詰め込まれていくような幻覚を覚えた。

能勢と部屋で過ごしている時、私はものを考えるということを忘れた。感情すら失った。私は雌という名の器と化し、その器の中には、おが屑がぎしぎしと音をたてて詰め込まれ、器は次第に重く、けだるくなっていって、しまいには自分が動物なのか、微生物なのか、あるいはただの石でしかなかったのか、わからなくなるのだった。

私たちは廊下で抱き合った後、シャワーを浴び、ビールを飲んで簡単な夕食をとる。そして、たいてい、食事が終わるまで待てなくなって、互いの身体に手を伸ばす。テーブルの食器が揺れ、グラスが倒れる。気がつくと私たちはベッドの中にいて、マットレスを軋《きし》ませながら喘いでいる。

その後、短い眠りが訪れる。眠りから覚めると再び互いの身体に手を伸ばす。その繰り返しであった。

私たちの間に、会話らしい会話はほとんどなかった。短くて意味のない、冗談とも幼児言葉ともつかぬ言葉の数々。あるいは性的な空気をかもしだすのに有効なため息にも似た囁《ささや》き声。私たちの間で交わされるコミュニケーションがあったとしたら、せいぜいその程度だった。

したがって、私は時々、自分の部屋にいる男が誰なのか、わからなくなった。彼が自分の勤めている学校の世界史の教師であり、すでに結婚していて、趣味がスキーとダイビングで、好きな国はギリシアで、学生時代、ニーチェの『ツァラッストラはかく語りき』を読み、感動したという男であることなど、能勢五郎に関して私が知っている数少ない、同時に取るに足りない知識の何もかもを忘れ去った。彼は私の身体に火をつけるために神によって選ばれた、一つの肉でしかなかった。

一九七八年九月。そんな能勢が、土曜日の夜、私の部屋に泊まった。翌日、小さなダイニングテーブルに向かい合い、スプーンを動かしながら半分に割ったグレープフルーツを食べていた時、彼は珍しく「外に行こうか」と言い出した。

彼が何故《なぜ》、そんなことを言い出したのか、私にはよくわかっていた。その前夜、私たちはいつにも増して異様な欲望にとりつかれていた。

確かに夏休みの間は会う回数が極端に減っていた。八月半ばからは、私のほうが札幌の両親の家に戻っていたし、私が東京に戻ったころ、彼のほうが子連れで妻の実家に泊まりに行ったりしていたため、しばらく会えない日が続いた。

したがって、ほぼ半月ぶりにゆっくりすることのできた晩だったのだが、そうだったとしても、私たちはあまりに動物めいていた。ついに頭が変になったか、と怖くなるほどだった。正直なところ、私もまた、室内にたちこめる情事の後の甘ったるいすえた匂いや、寒いのか暑いのかわからずに、エアコンを効かせた部屋で素っ裸のままでいること、乱れたベッド、あるいはまた、何度もシャワーを浴び過ぎて、ふやけきってしまった肌に、内心、うんざりしていたのだ。

小石川後楽園を行き先に選んだのは能勢のほうだった。何故、小石川後楽園でなければならなかったのか、私は知らない。単に外の新鮮な空気を吸いながら散歩ができる庭園に行きたかったのであれば、何も後楽園でなくても、数えきれないほどの選択肢が彼にはあったはずである。私のマンションから近いところを探すのであれば、白金の自然教育園でもよかったし、芝離宮庭園でもよかった。あるいはマンションの近所をぶらぶらと歩くだけでもよかったはずなのだ。

すでに時刻は午後一時を回っていた。能勢は「箱根あたりまでドライブしたいと言いたいところだけど」と言った。「でも、こんな時間に出発したら、帰って来るのが遅くなってしまうからね」

そして彼は、ふと思いついたような顔をして、おそらくはさりげなさを装《よそお》いながら、小石川後楽園の名を口にしたのだった。

能勢はそのころ、妻子と共に西池袋に住んでいた。車で来ていた彼が、小石川後楽園の外で私と別れた後、首都高速道路を使って帰れば大した時間はかからないはずであった。能勢はそんな理由から小石川後楽園を選んだのかもしれない、と私は思った。

それは確かに一種の勘繰りではあったかもしれない。だが、もともと私にとって、能勢に妻子があるということや、自分が彼の不貞の対象になっているということは何の意味も持っていなかった。妻が妊娠していて、家庭で思うような性生活が営めないからこそ、能勢は自分のところに足しげく通ってくるのかもしれない、と考えたことはあったが、そんなふうに考えてみても、いっこうに惨《みじ》めな気持ちが襲ってこないのが不思議だった。

第一、私は能勢の妻に対して、嫉妬《しっと》と呼べるような感情を覚えなかった。同時に罪悪感も感じなかった。

むしろ、自分は能勢の妻の代役を務めているにすぎないのだ、と思うと、おかしなことにいっそう能勢に対する性の欲望がつのった。それは明らかに、独占欲とは別種のものだった。

そもそも、私は能勢のことを何も知らなかった。さほど知りたいとも思わなかった。不思議だ。正巳のことは何ひとつ、余さず知りたいと願ったというのに。正巳が意味もなく思い浮かべた情景、正巳の中をふとよぎった不可解な感情、説明のつかないあらゆる気分――何もかも知りたいと思ったのに。

正巳の肉体ではない、その奥底、その裏側に潜んでいるものすべてを私は欲しいと思った。正巳の目となり、正巳の頭脳となり、正巳の感受性そのものと化して生きてみたい、と思ったほどであった。

だが、こういうことは言える。能勢と精神の関わりを持とうとしなかったからこそ、私は能勢に対して、異様な肉欲をかきたてられたのかもしれない、と。

正巳に向かっていった時の私は違った。正巳の肉体——肌、筋肉、ぬくもり、弾力——は、私にとって正巳自身を覆《おお》っている、ただの美しいヴェールに過ぎなかった。私はヴェールを愛《め》で、慈《いつく》しみはしたが、肉欲にはかられなかった。私は正巳そのもの、正巳の核となっている目に見えない何かと交合しようと試みた。

試みること自体、それは私に素晴らしいエクスタシーをもたらした。実際、能勢とは比べ物にならないほどの……。

都内の道路は思っていたよりも空いていて、私たちが小石川後楽園に到着したのは二時を少し回った頃だった。

美しく晴れた日だった。日曜日だったため、混んでいるのではないか、と案じたのだが、入場券を買って中に入ってみると、ちらほらと散策する人々が目につく程度で、団体客の姿もなく、庭内は静けさに満ちていた。

水戸光圀《みとみつくに》の邸《やしき》の跡である。私にとってはそれまで一度も訪れたことのない場所だったが、能勢のほうはどうだったのか、わからない。入口の事務所でもらった案内図を広げるでもなく、彼はゆっくりと、しかも確信をこめた足取りで歩き続け、木陰のベンチで熱心に油絵を描いている人がいると、遠まきに覗き込んでは、私に向かって「うまいね」とか「あんまりうまくないね」などと、退屈な感想を述べた。

木々の茂みで油蟬《あぶらぜみ》がけだるく鳴き続けてはいたが、時折、吹き過ぎていく風には早くも秋の冷たさが感じられた。紅紫色の萩《はぎ》の花も咲き始めていたはずである。

巨大な蓮《はす》の葉が生い茂っている蓮池を左に見て、小さな太鼓橋を渡り、白糸の滝の脇《わき》を通り過ぎようとした時だった。能勢が「見てごらん」と言った。

能勢の指し示す方向に目を転じると、池の縁に親子連れが立って、ちぎった食パンを投げているのが見えた。巨大な、大人の太股《ふともも》ほどもある鯉《こい》が、夥《おびただ》しい数の集団を組んで水面を大きく揺らせながら集まって来た。五歳くらいの女の子は、きいきいと金属的な笑い声をあげながら、食パンを一枚、まるごと投げ与えた。鯉の軍団がそれに食らいつき、むさぼり始めた。女の子は足を踏み鳴らして歓声をあげた。

「すっぽんもいるらしいよ」と能勢が言った。

蓬萊島《ほうらいじま》と呼ばれる小島が望める池の中に、朽ちかけた木札が立っていて「すっぽんにちゅうい」と書かれてあった。

鯉の軍団から少し離れたあたりの水面に、亀《かめ》の形をしたものの姿がちらりと見えた。

「あれだわ」と私は言い、すっぽんを指さした。

能勢はいきなり私の人さし指をつかみ、「そんなふうに指を突き出すと食われるぞ」と言いながら、口にくわえて歯をたてた。私は手をひっこめながら笑った。能勢も笑った。だが、笑い声は白糸の滝の間断なく流れる音に消されて、まもなく聞こえなくなった。

そこは、ひどく足場の悪い場所だった。つまずかないように注意しながら、能勢と手を取り合って細い渓流沿いの飛び石を渡った。

能勢はわざと私を飛び石から落とそうとした。私ははしゃいでみせた。だが、はしゃぎ声の中に、何か嘘《うそ》があるような感じがした。私は能勢が、外でそんなふうにして、普通の恋人同士のようにふるまってみせるのがあまり好きではなかった。

まもなく、手入れのいい松林が広がっている小さな広場に出た。一組の男女が、こちらに向かってゆっくり歩いて来るのが見えた。

私ははたと立ち止まった。前方から来る女もまた、私を見て立ち止まった。

「知り合い？」と能勢が聞いた。

私はそれには応《こた》えなかった。黙って微笑しながら唇を嚙《か》み、まっすぐに彼女に向かって歩いて行った。

無邪気な感動を満面に浮かべ、先に駆け出して来たのは彼女のほうだった。「類子？

類子よね？」

声、話し方、人の視線を釘《くぎ》づけにする美しさ……何もかもが変わっていなかった。私は大きくうなずいた。

阿佐緒は興奮を隠しきれない様子で、息をはずませながら私の両手を取った。「ああ、ほんとに類子だわ。こんなところでばったり会うなんて。いったい全体、どういうこと？」

そばで見ると、阿佐緒の美しさはひときわ、際立《きわだ》って見えた。少女時代の美しさとは比べ物にならない。彼女は見事に花開いていた。そこには花があり、芳香が漂い、色があり、同時に豊かな手ざわりのようなものまで感じられた。

懐《なつ》かしさのあまり、胸の鼓動が早まった。彼女のさらさらと乾いた柔らかな手は、なかなか私を離してくれなかった。

薄桃色のマニキュアが塗られたその左手の薬指に、趣味のいい、シンプルなデザインのダイヤの指輪がはまっているのが見えた。着ているのは、身体《からだ》の線を強調しない、シルクとおぼしき柔らかな素材のクリーム色のワンピースだった。高すぎず低すぎないヒールのついた、同色のおとなしいデザインのパンプス。初秋の午後にふさわしい透明感のある化粧。パーマをかけずにまっすぐに伸ばした栗色《くりいろ》の髪の毛は、うなじのあたりで品のいいシニヨンに結ばれていた。私は阿佐緒が以前とは異なった生活環境、以前とは異なった人生を歩み始めていることを即座に感じ取った。

能勢は私たちに背を向けるようにしながら、離れたところで佇《たたず》んでいた。そんな能勢を気づかいながら、私が「あんまり天気がいいものだから」と空を見上げてみせると、阿佐緒は「私たちもそう」と言って、つと後ろを振り返った。

そこにいたのは、恰幅《かっぷく》のいい、背の高い白髪の紳士だった。萌葱色《もえぎいろ》のジャケットに、仕立てのよさそうな薄茶色のズボンをはき、シャツの襟元にペイズリー模様のスカーフを覗《のぞ》かせていたと記憶している。年齢のわりには華やいだ目立つ恰好をしていたが、それ以上に私はあの時の袴田の、落ちつきはらった無表情が忘れられない。

それは自分よりも年下の人間を見下そうとする時の表情ではなく、かといって過剰な自意識が感じられるような表情でもなかった。あえて言えば、そこにあったのは、生真面目《きまじめ》なヒロイズムのようなものだった。おかしな言い方だが、必死になって自分に陶酔しようとしているかのような、そうしなければいけない、と自分に言いきかせているかのような、そんな表情……その時の彼の表情は、後々、私の袴田に対する印象として根強く定着することになる。

「ちょうどよかった。紹介するわ。こちら、袴田さん」

咄嗟《とっさ》に私は、袴田は阿佐緒のパトロンに違いない、と考えた。その男は阿佐緒の恋人、もしくは仕事上の上司には見えなかった。かといって親戚《しんせき》の人間にも見えなかったし、阿佐緒の恩師のようにも見えなかった。袴田と阿佐緒とは、明らかに親子ほど……いや、それ以上に年齢が離れていた。

「袴田さんはね」と阿佐緒は言い、ちらりと私を見た。「私のフィアンセなの」

はにかんだ表情には、何か芝居がかったものが感じられた。おめでとうと言うべきかどうか、私が迷っているうちに、阿佐緒は続けた。「来月、式をあげるのよ。ああ、類子。あれから本当にいろんなことがあったの。私、結局、音楽の道も諦《あきら》めなくちゃならなくなって……実は、父親の会社が倒産してね。それだけじゃないわ。ほんとにいろんなことがあったの。両親は離婚して、母は兄と一緒にニューヨークで日本料理屋の店を出す、って渡米して、それっきり。おまけに三年前、父親は病気で寝込んだあげく、死んじゃったわ。ねえ、覚えてる？　うちにお手伝いがいたでしょう」

「きみちゃん？」

「そうそう。よく覚えてたわね。きみちゃんがらみの問題が起きたのよ。両親の離婚は、もとはと言えばきみちゃんのせいだったの。それで……」

「積もる話があるようだね」袴田が話を遮《さえぎ》った。「私は車で待っていよう」

苛立《いらだ》っているような感じではなかった。彼は穏やかな笑みを口もとに浮かべながら、威厳に満ちた光を目の奥にたたえて阿佐緒を見た。

阿佐緒は少し慌《あわ》てたように、袴田に向かって「ごめんなさい」と言った。「すみません。久しぶりだったものだから、ついつい。あ、私ったら紹介するのを忘れてました。あの、こちらは青田類子さん。私の中学時代の同級生。とっても仲がよかったの」

はじめまして、と私は改めて頭を下げた。袴田は微笑《ほほえ》んだまま、私に向かって驚くほどまっすぐな、真摯《しんし》な視線を投げてよこした。それはまるで、会いたくて会いたくて、身も焦《こ》がさんばかりに待ち焦がれていた人間にやっと会えた、と言わんばかりの視線だった。

「よろしく」と彼は言い、手を伸ばしてきた。「袴田です。いずれまた、阿佐緒と一緒にゆっくりお会いする機会を持てるでしょう。楽しみにしていますよ」

はあ、と私は言い、彼が差し出した手を見下ろした。握手を求められている、と知って少なからず驚いた。私は慌てて右手を差し出した。

袴田の手はぶ厚くて温かく、ほんのりと湿り気を帯びていたが、外科医か、もしくは彫刻家のそれのように、奇妙な繊細さが感じられた。

いつまでも離してくれないのではないか、と思われるほど、熱意のこもった長い握手が続いた。困惑し、言うべき言葉を探していると、次の瞬間、袴田は突然、興味を失ったかのように、ぞんざいに私から手を離し、「それでは」と言ってよそよそしく目をそむけた。

白糸の滝のほうに向かって歩いて行く袴田の背に向かって、阿佐緒は「すぐに戻りますから」と声をかけた。

袴田は前を向いたまま、軽く右手を上げ、了解のポーズを取った。

「彼は私を救ってくれたの」阿佐緒は袴田の姿が遠くなるのを見届けてから、私に向き直った。「精神科のお医者なのよ。私がひどい不眠症にかかった時、人から紹介されて知り合って。あ、誤解しないでね。不眠症を治してもらった、っていう意味じゃないのよ。もっと別の意味で救われたの。拾われた、って言ってもいいかな。でも、ちょっと変わった人でしょ」

「素敵な紳士じゃないの」

「幾つだと思う？　信じられないわ。今年五十八になるのよ。私より三十一歳も年が上なの」

驚きはしなかった。たとえ阿佐緒から、五十歳年上の男と結婚する、と打ち明けられたとしても、私は驚かなかっただろう。大人になった阿佐緒にはむしろ、それほど年の離れた父親のような男――いや、場合によっては祖父のような男が似合っているように思えた。

「三十一歳年下の人と一緒になるよりは、ずっといいわね」

私が冗談めかしてそう言うと、阿佐緒は肩を揺らせて笑い出し、馬鹿《ばか》ね、類子、と言った。「私、まだ二十七なのよ。三十一歳も年下だったら、生まれてもいないじゃない」

阿佐緒はひとしきり笑うと、咳払《せき》いをし、頬にかかったほつれ毛を耳にかけ、目を細めて私を見た。「でも、いろいろ難しい人なのよ、あの人。見て、私の恰好。こんな恰好、私は全然、趣味じゃないんだけど、彼の趣味なの。彼は私が胸のあいた服や身体の線の目立つ服を着るのが大嫌いなのよ。きみはもともと下品に見えてしまうところがあるから、服装には注意したほうがいい、って言われちゃって、しぶしぶ従ってるの。言葉使いまで徹底的に教育されたわ。彼に対しては敬語を使って喋《しゃべ》らなくちゃいけないの。おまけにね、私、ピアノを弾くこともやめさせられちゃったのよ。袴田はね、なんでも最高のものじゃなくちゃだめなの。音楽を聴くんだったら、コンサートホールに出かけて行って、ちゃんとした演奏家の演奏を聴くべきなんだって。下手くそな素人《しろうと》芸なんか、聴きたくないんですって。だからピアノは買ってもらえないことになっちゃった」

そう言いながら、阿佐緒はさして不満そうな様子も見せず、さらに目を細めて空を見上げた。「でも、文句は言えないわよね。私だって、何が何でもピアノが弾きたいと思ってるわけじゃないんだもの。彼に救ってもらったんだから、彼の言う通りにすべきなんだわ。彼がいなかったら、私、今頃は場末の酒場で、サテンのピンクのドレスを着ながら、『マイ・ウェイ』や『思い出のサンフランシスコ』なんかをピアノで弾き語りするような生活をしてたんだもの。それで、その酒場のボーイかなんかと関係をもって、赤ん坊ができちゃって、男に逃げられて、店にも出られなくなって、お金もなくなって。

哺乳瓶《ほにゅうびん》の脇で一升瓶抱えて飲みながら、そのうちアル中で死んでたかもしれない」

「すごい想像力ね」私は笑った。

阿佐緒は大きく息を吸い、吐き出しながら言った。「想像じゃないの。つい一年前まで、私、ほんとに似たような生活をしてたのよ」

「弾き語りの仕事をしてたの？」

「ううん。弾き語りだったらまだいいわ。酔っぱらった客たちの歌の伴奏をしてたの。私の出番になると、店のママがマイクを通してお客に私のことを紹介するんだけどね、『芸大のピアノ科を出た才媛《さいえん》……』って言いかけて、途中で決まって面白そうに言い換えるのよ。『……になろうとして頑張っていたけど、残念無念、なれなかったのよね、アリサちゃん』って。そこで、どっと客が笑うわけ」

阿佐緒は皮肉めいた笑みを浮かべた。「店のママがつけた名前よ。毎晩、客の誰かに夜のデートに誘われてね。断るのが面倒だから、時々、つきあったわ。深夜、お寿司《すし》か何かごちそうになって、そのままホテルに行って。お休みの日はゴルフに誘われて。そんな暮らしだった」

私は微笑んだ。「じゃあ、お店のボーイさんとの間に赤ちゃんができたわけじゃないのね？」

「優しくしてくれた人が一人いたんだけどね。結婚しよう、って言ってくれて。きれいなマンションまで借りてくれて。私、子供がたくさん欲しいのよ。五人でも六人でも。もし赤ちゃんができてたら、私、そのまま、その人と結婚してたかもしれない」阿佐緒は、ふと目をそらすと、厚みのあるふっくらとした唇を軽く突き出してみせた。「でもね、運がよかったのか、悪かったのか、妊娠しなかったの。どんなことをしてでも、妊娠してればよかった、って、今になって思うわ」

「どうして？」

「わかるでしょ？　類子。袴田はあの年よ。もう赤ちゃんを作るの、無理かもしれないじゃない」

「五十八だったらまだまだ現役よ」私は言った。「そのぐらいの年の人で、若い奥さんとの間に子供を作った人はたくさんいるわ」

阿佐緒はうなずいた。「そうね」

そして、透明な感じのする美しい笑顔を作ってみせると、阿佐緒は私を見て、もう一度、自分を確かめようとするかのように小さくうなずいた。

乾いた一陣の風が吹き、ゆるやかなドレープのある阿佐緒のドレスが一瞬、ぴたりと身体に貼《は》りついた。それまで隠されていた豊かな身体の線が、はっきりと確認できた。眩《まぶ》しいほどの美しい線であった。

「ああ、ごめん、ごめん」阿佐緒は笑った。「あんまり類子が懐かしいものだから、一人で喋っちゃって。類子はどうなの？　さっきからあなた、全然、紹介してくれないのね。あそこにいる彼は誰？　恋人でしょ？」

能勢はその時、広場のベンチに座り、菖蒲園《しょうぶえん》のほうに視線を流しながら、煙草《たばこ》を吹かしていた。花のない菖蒲園では、数人の職人たちが、庭の手入れをしているのが見えた。

私は「ううん」と言って笑ってみせた。「勤め先の友人なの。ちょっと用があって会ったついでに、天気がいいから、って散歩してただけ」

「あやしいわね」

「恋人やフィアンセだったら、とっくに紹介してるわ」

阿佐緒は大きな瞳《ひとみ》をいたずらっぽく輝かせ、つと私の腕を取るなり、「座らない？」と言って近くのベンチを指さした。

私たちはベンチに腰をおろし、互いに改めて顔を見合わせ、微笑み合った。バッグから煙草を取り出し「吸う？」と聞くと、阿佐緒はそれに飛びついた。袴田には喫煙を禁じられている、という話だった。

「もっと早く会ってれば、披露宴にも来てもらえたのに」阿佐緒がさも旨《うま》そうに煙を吐き出しながら言った。「八月中だったら、なんとか調整がついたのよ。なにしろ、袴田は派手にやるのが好きで、招待状を送ったのは三百人。信じられる？　私が招待したのは、前のクラブで働いてたホステスとか、ママさんとか、時々、店に来てて親しくなった歌手の卵とかね、そういう人ばっかりで、数も少ないのに、袴田のほうはすごいのよ。参議院議員とか、大手企業の重役とか、お医者の仲間とか……」

私はその時、ふいに袴田という苗字《みようじ》に記憶があることに気づいた。「袴田さん、ってひょっとして、有名なお医者さんの袴田さん？　マスコミによく取り上げられてる……ええと、名前のほうは何ていったかしら……」

「亮介」と阿佐緒は煙を吐き出しながら言った。いくらかぞんざいな口調の中に、身内を謙遜《けんそん》するような響きがあった。

袴田亮介は精神科医として世間に名を知られている男であった。日比谷《ひびや》に贅《ぜい》をこらした診療所をもち、時間をかけた治療は丁寧で熱心だが、一日に数人の予約しか受け付けず、法外な診療費を請求するということでも有名だった。そのため彼の患者には政治家、企業経営者、芸能人など、特殊な職業の人間、もしくは決して明かされたくない秘密を持っている人間しかいない、という揶揄《やゆ》したような記事をどこかの雑誌で見かけたこともあった。

「さっき会った時、気づかなかったわ。それだったら盛大な結婚式になりそうね」私は言った。

「疲れると思うわ。今からうんざり。しかもね、私はウェディングドレスを着たかったのに、だめだって言われて。文金高島田よ、類子。この私がよ。試着してみたんだけど、ちっとも似合わないの。いやんなっちゃう」

私は微笑んだ。「大丈夫よ。阿佐緒は何だって似合うじゃないの」

「今着てる服も似合ってる?」

「もちろん。すごく素敵よ」

「田舎臭い感じがしない?」

「とんでもない。どこかのお金持ちの、お上品な若奥さんって感じだわ」

「老《ふ》けて見えないかしら」

阿佐緒ほどの美貌《びぼう》をもった別の女友達から、同じ質問を受けていたとしたら、厭味《いやみ》に聞こえていただろう。だが阿佐緒は真剣だった。真剣に私に向かって、自分自身の女としての価値を問うているのだった。

「相変わらずね」私は笑った。「老けて見えるどころか、今ここにいる阿佐緒を見て、振り向かない男はいないわよ」

阿佐緒は手にした煙草の灰をそっと地面に落とすと、つと私を見て「類子」と言った。

「類子ったら、昔とちっとも変わってないのね」

「どうして?」

「類子はいつも私を安心させてくれてたもの」

ほんとのことだからよ、と私は言った。「安心させようと思って、嘘《うそ》をついてたわけじゃないわ」

「優しいのね」

そう言うなり、照れくさくなったのか、阿佐緒は急に前を向き、服装に似合わない、はすっぱな小娘のような表情を作って、短くなった煙草をくわえた。

「披露宴には招待できなかったけど、十一月にね、うちでちょっとしたパーティーをやるの。それには絶対、来てちょうだい」

「何のパーティー？」

「新築記念のパーティーよ。袴田がね、今、三島由紀夫の家とそっくりな家を建てさせてるところなのよ。類子は三島由紀夫って知ってるわよね。ほら、小説家で、お腹を切って自殺して、首がころん、って……」

私が笑いをこらえながらうなずくと、阿佐緒は、短くなった煙草をくわえたまま、やおら持っていた白いハンドバッグの中をまさぐって赤い革表紙の手帳とボールペンを取り出した。「類子の連絡先、ここに書いて。招待状、出すから」

私は言われるままに手帳にマンションの住所と電話番号を書き、手渡した。阿佐緒は見るともなしに手帳を眺めながら、あまり可笑《おか》しくなさそうにくすくす笑った。

「袴田ってね、本ばっかり読んでるの。難しそうな本ばっかり。その中でも三島由紀夫の本が大好きなのよ。私は小説なんか読むのは大嫌いだし、三島由紀夫だって週刊誌のグラビアで見ただけ。だいたい、三島由紀夫の家がどんな家なのかもよく知らないの。三島が死んだ時にね、袴田は突然、三島の家と同じ家を建てよう、って思ったんですって。類子、見たことある?」

「三島の家? 本物は知らないけど、写真で何度か見たことがあるわ」

「どんな家なの? 袴田から聞いたんだけど、あの人の使う言葉、難しすぎてよくわかんないのよ」

説明するのに苦労した。〝ヴィクトリア王朝ふうの家〟とか〝ロココ装飾の家〟などという言葉を使って、阿佐緒が理解してくれるとは思えなかった。

私は、「きれいな白い壁の洋館ふうの家よ」と答えた。「きっと阿佐緒も気にいるわ」

「作家の家とそっくり同じ家って聞いて、私ったら、旅館みたいな家を想像してたの。日本的な感じのする家よ。全然、違うんですってね」

「違うどころか、三島由紀夫の家には和室は一つもなかったんじゃないかしら」

私がそう言うと、阿佐緒は「私、畳の部屋も好きなのに」とつぶやいて、橙色《だいだいいろ》に塗られたふっくらとした唇を不服げに突き出してみせた。

三島と聞いて、秋葉正巳のことを思い出さないはずはなかったし、事実、思い出してはいたはずである。だが、その時の私は、それよりもむしろ、能勢のことが気にかかっていた。

能勢は、ちょうど私たちが座っていたベンチの正面のベンチで、煙草をくわえながら、顎《あご》を突き出すようにして空を見ていた。背もたれのないベンチに両手をついて、足を大きく広げ、胸をそらせている。そのせいでシャツの胸が少しはだけ、厚い胸板がくっきりと盛り上がっているのが見えた。

信じられないことに、そんな能勢を見て、私は重く疼《うず》くような欲望を覚えた。私はあのころ、フェロモンにひかれて走り寄って行く小動物そのものだった。飽きもせずに能勢の身体《からだ》を求め、そのことが滑稽《こっけい》であるとも、無意味で恥ずかしいことであるとも思わなかったのだ。

「そろそろ行かなくちゃ」阿佐緒は、美しい金色の鎖のついた小さな楕円《だえん》の腕時計を覗《のぞ》きながら言った。「あんまりぐずぐずしてると、袴田に叱《しか》られちゃう。会えてよかった。ほんとにすごい偶然だったわね。十一月には必ず来てね。それまでにも電話するかもしれない。いい？」

もちろん、と私は言った。

だが、その後、袴田邸の新築記念パーティーの招待状が郵送されてくるまで、阿佐緒は連絡を寄越さなかった。むろん、私も阿佐緒に電話をかけなかった。あまりに突然のことで、うっかり、阿佐緒が今、どこに住んでいるのか、すでに袴田と同居しているのかどうか、どこに電話をすれば連絡がつくのか、聞くのを忘れていたからだ。

た。阿佐緒が小走りに去って行くのを見送ってから、私は能勢の座っていたベンチに行った。誰？　と聞かれ、かいつまんで阿佐緒のことを教えてやった。

能勢はほとんど聞いていなかった。代わりに能勢は、ベンチの上で私の腰を抱き寄せた。どこか粘つくような手つきだった。

漣《さざなみ》のように押しよせてくる、あの覚えのある欲望の渦が私の中に広がった。あたりを行き交う人の気配がなくなったのを確認し、私は大きく身体を伸ばして能勢の首に両手をまわした。

耳もとに唇を這《は》わせると、能勢はわずかに身体を硬直させながら、小声で「ばか」と言った。「誘惑するな。そんなことをしたら、またきみのマンションに戻る羽目になるじゃないか」

「そうしたくないの？」

「今日はこれで帰る。さもないと……」

「さもないと？」

「……僕は廃人になるかもしれない」そう言って能勢は薄く笑った。

菖蒲園の裏を回り、花のない藤棚や梅林の一角を通り過ぎてから、私たちは再び白糸の滝の前に戻った。鯉に食パンをやっていた親子連れは、まだ同じところに立っていた。ぱくぱくと大きな口を開けてパンを食べ続ける鯉《こい》の群れがよほど面白いのか、あたりには人垣ができていた。

池の端には、咲き始めたばかりの一群れの真紅の曼珠沙華《まんじゆしやげ》の花があった。穏やかな秋晴れの午後、鯉に餌《えさ》をやる家族団欒《だんらん》の風景から、そこだけが浮き上がっているかのように、花の姿はどこか不吉な感じがした。

能勢と並んで庭園の出口に向かいながら、私はふと、三島由紀夫が死の直前に残した作品『天人五衰』の中に、小石川後楽園でのシーンがあったことを思い出した。生涯《しようがい》をかけて、輪廻《りんね》転生の夢を紡《つむ》ぎ続け、老境に入った本多繁邦《しげくに》が、美しい孤児、安永透を養子に迎える。その透が、百子《ももこ》という名の、自分に少女趣味的な無垢《むく》な愛情を注いでくる育ちのいい美しい娘を存分に痛めつけたい、傷つけてやりたいという不可思議な衝動にかられ、彼女と共に小石川後楽園を歩きまわるシーンである。

確かあれは秋の日が舞台になっていたはずだ、と思い出し、私はその日、部屋に戻ってから『天人五衰』のページを繰ってみた。秋と言っても九月の初旬ではなく、そこに描かれていたのは明らかに十月に入ってからの、秋たけなわの風景であった。閉園まぢかの夕暮れ時である。「明るいのに、どこからか暗さが迫っていた」という描写があって、その後に三島由紀夫は次のように続けていた。

「僕らは何か一言二言言葉を交わしたけれども、ほとんど顔を接しているのに、地獄の遠くから呼び合っているような気がした」……。

自分と能勢が、庭園のベンチの上で、顔を接し合っていた時も同じだった。息がまざり合うほど近くにいて、互いの身体に触れ合っているというのに、私たちは地獄の遠くから手を伸ばしていたに過ぎなかったように思われた。肉欲に殉じるあまり、私たちは二人とも、自分たちが地獄の底で求め合っていたことすらわからなくなっていたのかもしれない。そう思うと苦々しい気持ちに襲われた。

だが、不思議なことに、私は能勢と会っている時以外、彼のことはほとんど考えなかった。能勢との情事を思い返して、身体を火照《ほて》らせてしまうということもなかった。

ベッド脇《わき》にあるサイドチェストの引出しに入っている避妊具の小箱も、あるいはバスルームのメディスンボックスの奥に、白いホーローのコップに入れて立てかけられている能勢専用の歯ブラシも、彼がどこかのスーパーで買って来た薄茶色のタオル地のパジャマも、私にとっては数多くの他の日用雑貨品と同じものでしかなかった。

能勢と会わずにいる時の私の身体は、欲望を知らない少女のそれのように、さらさらと慎ましく、乾いていた。私は毎朝七時に起き、勤め先の学校の図書館に行き、膨大な数の本に囲まれながら本の整理をし、何も考えず、空いている時間には本を読み、家に戻ってシャワーを浴びて、また本を読んだ。ほとんど人と会うこともなく、その必要性も感じなかった。

日曜日は一人で町に出て、喫茶店に入り時間をかけて、コーヒーを味わった。そして書店めぐりをし、財布の許す範囲内で新刊本を買い求め、好きな映画を観《み》て、映画館で食べきれなかったポップコーンを公園の鳩《はと》にばらまき、電車に乗って帰って来た。

そんなふうにして一週間が過ぎていき、土曜日になるとまた能勢が現れる。玄関先で能勢を出迎えた途端、私はその一週間の間、自分がさまよった幾多の物語の世界、映像の世界、そして現実の世界を完全に忘れ去る。

ごうごうと音をたてるようにして、烈《はげ》しい肉欲が私を支配する。その瞬間、私は能勢を愛していると感じる。事実、心底、能勢がいとおしくなり、愛してる、愛してる、離さない、もうどこにも行かないで、などと繰り返す。

能勢からも同じ言葉が返ってくる。行かないよ、行くもんか、類子、類子、きみだけだ……。

だが、互いにその言葉には嘘がある、と知っている。時間がくると、能勢は下着をつけ、服を着て帰って行く。私は裸の身体にガウンをまとい、玄関先まで見送りに出る。

その時だけ、少し寂しい気持ちになる。虚無感、孤独感が私のまわりに靄《もや》のようにまとわりつく。

だが、能勢がドアの外に出て行き、靴音が遠のいたことを確かめてからドアに鍵《かぎ》とチェーンをかけ、電気を消し、寝室に戻って五分もたたないうちに、私はもう能勢のことは忘れている。好きな音楽をかけ、煙草を吸い、スタンドの明かりの下、能勢の匂《にお》いのしみついたシーツにくるまりながら、読みかけの本を読み始めると、私はまもなく本来の私に戻る。そして、ああ、次の土曜日までの一週間、またこんな静かな暮らしが始まるのだ、と半ば寂しく、それでいて、半ばほっとしたような気持ちで考える。

——それが一九七八年、十一月十四日までの私であった。

3

三島由紀夫が東京馬込に、ヴィクトリア朝風コロニアル様式の白亜の館《やかた》を建てたのは一九五九年のことであった。

新築当初は、週刊誌や雑誌のグラビアで取り上げられ、世間の話題をさらっていたようだが、当時小学生だった私に、そのころの記憶は残されていない。雑誌か何かで馬込の邸宅の写真を目にしたのは、かなり後になってからである。

蔦《つた》の絡《から》まった煉瓦《れんが》造りの重厚な建物でもなく、かといってアメリカのホームドラマなどで見かける、芝生とプールがついた、窓の大きな明るいウェスタン・スタイルの建物でもない。それはどう見ても、観念としてとらえた西洋の美を日本人が徹底してなぞってみせたような、ひどく人工的な匂いのする家だった。

文士の家とも思えない、装飾過多の金ぴかの家、などという悪評があったようだが、写真で見る限り、私にはとてもそんなふうには思えなかった。庭に立つ竪琴《たてごと》を抱えたアポロ像も、二階の窓からせり出したバルコニーも、室内に置かれた猫脚のロココ調家具も、大理石のテーブルも、背の高い燭台《しょくだい》も、すべて主《あるじ》の計算通り、あるべきところに収められている、といったふうである。そこにはけばけばしさや絢爛《けんらん》豪華さとは似ても似つかない、死に向かう静けさのようなものだけが感じ取れた。

三島は終始、死ぬことへの焼けつくような思いにとらわれながら生きた作家だと聞いている。死に陶酔し、否応《いやおう》なく死に向かって疾走してしまう自分を隠蔽《いんぺい》するために、彼は人工の鎧《よろい》で身辺を固める必要があったのではないか。そうしなければ、作品を書き続けていくことすら、できなくなっていたのではないか。

一九七〇年のよく晴れた十一月二十五日の朝。紺碧《こんぺき》の空の下、楯《たて》の会の制服に身を包んだ三島は決然と死に赴いた。迎えに来た同志の車に向かって背筋を伸ばし、虚空《こくう》を睨《にら》むようにしながら、彼は模倣した西洋そのものといったあの家の、おそらくはガラスのはまった玄関の白い装飾扉を開けて外に出て来たのであろう。彼の後ろで閉じられた扉は、その時を最後に、永遠に彼の手によって開かれることがなくなった。家はその瞬間、それまでそこにこめられていた一切の情念を消し去り、時の流れを止め、沈黙の中に凍りついた。

そんな三島由紀夫の姿を目撃したわけでもないのに、時を経た今、私の想像の中ではいつも、最後の日の三島由紀夫の姿が袴田や秋葉正巳の姿と重なる。

三島の堅固な美意識における、最初で最後の具体的な砦《とりで》……それが三島邸であったとしたならば、袴田邸はいったい何のためにあったのだろう。何かを隠蔽するための砦であったのなら、袴田亮介は何を隠蔽する必要があったのだろう。そしてまた、その邸《やしき》の中で、生きた美術装飾品のようにして扱われていた阿佐緒は、袴田にとって何だったのか。そんな阿佐緒を思いつめ、観念の中での歪《ゆが》んだ思慕を増殖させ、袴田邸に出入りしていた秋葉正巳は、あの邸の空気をどんな気持ちで吸い込んでいたのだろうか。

私は今も、それらの問いに対する答えを出せずにいる。

私の記憶の中の風景にはただ、三島由紀夫の精神、三島由紀夫の透徹した美意識だけを借り衣《ぎ》のように着込んだ袴田亮介という男が、秋葉正巳の容姿を借りて、あの奇妙な、文士の家を模倣した邸の中に潜んでいるに過ぎない。

阿佐緒から、袴田と連名で新築記念パーティーへの招待状が送られてきたのは十月中旬の、秋めいた日のことだった。

招待状は、純白の厚手の美しい横長の封筒に入っていて、赤い蠟《ろう》で封緘《ふうかん》されてあった。袴田邸完成を記念して、新居でささやかなガーデンパーティーを催す旨《むね》が短く記されてあり、「性別を問わず平服で結構ですが、タキシード、イブニングドレス、ジーンズ、ミニスカート、いずれも大歓迎いたします」という、冗談めかした一文が添えられていた。司会者抜き、各種挨拶《あいさつ》抜きのざっくばらんなパーティーだということで、中途退席はもちろんのこと、午後一時から三時までの間なら、いつ出席しても自由だという。格式にとらわれない、風変わりなパーティーであることだけはすぐにわかった。

何か、阿佐緒からのメッセージが入っていないものか、と何度か封筒を覗いてみたのだが、何もなかった。私は同封されていた返信用葉書の、出席という文字に大きく丸印をつけ、「当日、お目にかかるのを楽しみにしています」と書き添えてから投函《とうかん》した。

袴田の家系は俗に言うエスタブリッシュメント――支配者階層の最たるものであった。祖父は元銀行頭取で、次男だった父親、袴田惣二郎《そうじろう》は、病院長を経て医学博士になり、彼に嫁いだ女もまた、名家の出身であった。

惣二郎は艶福《えんぷく》家で、結婚後も頻繁《ひんぱん》に浮名を流していたが、そのうち、綾乃《あやの》という若い新進舞台女優と真剣な恋におちて、スキャンダルになった。その綾乃と惣二郎の間に生まれたのが、袴田亮介である。

惣二郎は亮介を認知し、袴田姓を与えた。だが、女優をやめ、二号のようにして暮らさざるを得なくなった綾乃はその後、病に倒れ、亮介が六つの時に他界した。

綾乃の死後、亮介は惣二郎に引き取られ、惣二郎の自宅で他の異母兄弟たちと共に暮らすことになった。継母はおとなしい女で、継子いじめはしなかったが、かといって愛してもくれず、亮介に対する言葉づかいは常に、よその家の子供に対する言葉づかいと同じであったという。

父、惣二郎だけが、彼を溺愛《できあい》し、彼の教育のために惜しげもなく金を使った。彼は異母兄弟たちと同じように個室を与えられ、同じ条件、同じ教育環境の中で成長した。医者になるように父親から勧められ、どうせなるなら、と精神科の医師になることを自ら望むようになったのも、そうした複雑な環境に育てられた彼が、常日頃、精神の見えざる歪みを自覚していたせいかもしれない。

もとより成績のよかった亮介は、東京帝国大学の医学部を優秀な成績で卒業してから、東大病院精神科に勤務した後、フランスに留学した。帰国後、三十七歳の時に、惣二郎の助力もあって、日比谷に精神科専門の袴田クリニックを開業した。

父親、惣二郎の血を受けなかったのか、女性に関してはオクテだったらしく、四十歳になった年にやっと、軽い鬱《うつ》病の治療でクリニックに通っていた若い女性患者と恋愛し、結婚した。女性患者といっても、その人は高名な美術館館長の娘で、家柄も申し分なく、誰からも祝福される結婚だった。

だが、その妻は八年後、乳癌《がん》におかされて死亡。子供にも恵まれなかった。

——これらが、当時、私の袴田について知っていた知識のすべてだった。といっても、ほとんどが阿佐緒から聞いた話か、もしくは、正巳が父親から聞きかじってきた話、あるいは袴田亮介に関する記事が掲載されている雑誌や新聞で私がたまたま、知ったものばかりである。

袴田本人とは、ほとんど会話らしい会話を交わした覚えがない。阿佐緒の家を訪ねることが多くなってからも、私は袴田と食事を共にしたこともなければ、お茶を一緒に飲んだこともなかった。せいぜい、挨拶をし合うのが関の山だったのだが、それも袴田がゆっくり家にいることが少なかったせいだろう。

患者が医師を選ぶのではなく、医師が患者を選ぶ、という傲慢《ごうまん》な診療方針をやめなかった袴田は、反面、自分が選んだ少数の患者のためには、異様な熱意をこめて治療にあたった。緊急を要する際には、深夜になってからでもクリニックに出向いて行ったし、早朝、患者から電話でたたき起こされても文句ひとつ言わない。本来なら休診日にあたる日曜日と祝日にも、患者の容体次第では休日を返上し、患者が要請する場所に赴くこともあった。

邸に遊びに行った私が、たまに廊下や階段の途中などで袴田とすれ違うと、袴田は愛想よく目を細め、小石川後楽園で初めて会った時と同じ、例のあの、大好きな人間との再会に胸躍らせてでもいるかのような、まっすぐな視線を投げては「やあ、いらっしゃい」と言うのだった。

りではない。彼が私の名を呼んでくれたことがあっただろうか。青田さんでもいい、類子さんでもいい。私という人間にも名前がついているのだということを思い出してくれたことがあっただろうか。

袴田にとって私は、妻である阿佐緒の昔からの友人、というカテゴリーに入れてしまいさえすれば、それで終わりなのだった。

だが、袴田は私にとって、決して苦手な相手ではなかった。正巳は手紙の中で、袴田のことが嫌いになれない、と繰り返し書いていたが、私もまた同様だった。

いつ会っても袴田には、見事に抑制され尽くした何かが感じられた。何か凄《すさ》まじいものを通り越してきた人間は、決まって最後には、達観した穏やかな精神世界を見せてくれるものである。だが、袴田は達観とは無縁の人間であった。

そこには、徹底した自己隠蔽を続けるための、鎧の重みばかりが感じられた。彼は自分がまとった堅固な鎧に美しい装飾を施し、鎧であることを見破られないようにしながら生きるのが好きな人種だった。

精神科医だというのに、彼は人間の精神というものを憎悪《ぞうお》していた、と私は思う。ぐちゃぐちゃに錯綜《さくそう》した、不可解な、もつれた糸のような精神の治療にあたりながら、彼は始終、反吐《へど》が出るような思いにかられていたのではないだろうか。

中でもとりわけ、情緒、神経、感受性といった手合いは、袴田にとって馬の糞《ふん》にも劣るものだったはずである。彼は実在としての美しか認めようとしなかった。目で見て、匂いを嗅《か》いで、手で触れることのできるもの……たとえそれが、死んだもの、無機質のものであったとしてもいいのだった。少なくともそれらは、精神や感受性などと名づけられた愚かしいものよりも遥《はる》かに強烈に彼を魅了したはずなのである。

袴田は正巳に、こんなふうに言ったことがある。

「こうやって見ると、きみは完璧《かんぺき》に美しい青年だ。だが、残念ながら、美を台無しにしているところがあるね」と。

凍《い》てつくような二月の晩だった。阿佐緒と正巳と私と連れ立って飲みに行き、深夜になって、酔いつぶれた阿佐緒を送り届けた時のことである。玄関を入るなり、床に倒れこんでしまった阿佐緒を抱き上げようとして、正巳が彼女の腕に手をかけた直後、奥から袴田が出て来たのだった。

挨拶もそこそこに、正巳は袴田を見た。「どういう意味でしょう」と彼は問い返した。かすかな刺《とげ》が感じられた。

正体不明に酔いつぶれた阿佐緒を一瞥《いちべつ》すると、袴田は駱駝《らくだ》のようにもぐもぐと口を動かした。険しかった表情が、溶け始めた砂糖のようにやわらいだ。「怖い顔をしなさんな。私はね、きみのことを美しい青年だ、と言っただけだよ」

それはどうも、と正巳は袴田を見据えたまま言った。「ですが、おっしゃる意味が僕には……」

「美しいと言われると、きみは怖い顔をする。能力をほめずに、きみは美人だ、と言うと怒りだす馬鹿《ばか》な女もいるが、きみまでそうだったとは思わなかったね。え？」袴田は目を細め、束の間《つかのま》、子供をあやそうとするかのように正巳を見つめると、喉《のど》の奥で短く笑った。最後の「え？」という言い方に、かすかな媚《こ》びが感じられた。

阿佐緒が正巳に腕を取られたまま、左右に大きく身体《からだ》を揺らしながら、小さなおくびをもらした。袴田は正巳に手を差し出し、阿佐緒を手渡すよう、指先で指示した。正巳が袴田に阿佐緒を渡すと、阿佐緒は袴田の胸の中に倒れこみ、甘える子猫のようにその首すじに鼻をなすりつけた。

「精神だよ」と袴田は阿佐緒の酒臭い息から逃れるように顔をそむけながら言った。「こんな言い方は失礼かもしれないがね、私にはきみの脆弱《ぜいじゃく》な精神が、せっかくのきみの美を殺しているように見えるんだ」

正巳は無表情のまま立っていた。袴田はふいに険しいような、痛々しいような笑みを浮かべ、「言い過ぎたかな」と言った。「人の精神ばかり覗《のぞ》きこんでいると、ろくなことを考えなくなる。気を悪くしないでほしい」

それでも正巳は表情を変えなかった。袴田は「うう」とかすかに唸《うな》るような声を発したかと思うと、年齢にふさわしくない腕力を見せて軽々と阿佐緒の身体を抱き上げた。

「世話をかけてすまなかった。あとは私が部屋まで運ぶ。熱いコーヒーでもお出しすべきなんだろうが、あいにく家政婦はもう部屋に引き取ってしまったものでね」

「おかまいなく」と正巳が言った。

「ではここで失礼するよ」袴田はそう言い、私たちに背を向けた。

ひどく冷えこむ夜だった。外に出た正巳が私と肩を並べて歩きながら、「精神」とつぶやいた時、吐く息が白くもやもやと彼の顔にまとわりついたのを覚えている。

おかしな言い方、突飛な想像かもしれない。だが、あえて言おう。正巳と袴田には共通点があった。それは確かだった。

阿佐緒という一人の女性を介して、偶然にせよ、彼らは様々な意識の断片を、知らず共有し合っていたような気がしてならない。そしてそれは、彼らが共通して愛読していた作家、三島由紀夫の幾多の作品に表現された、三島由紀夫ならではの、特有の美意識、美学に共通するものでもあった。私は今も、そんなふうに考える。そしてそう考えていくと、私があれほど恋い焦《こ》がれた男、秋葉正巳の謎《なぞ》がとけてくるのである。

4

袴田邸の新築記念パーティーが行われたのは、一九七八年十一月十五日だった。雨天決行、と招待状には書かれてあったが、その日は前日から続く見事な秋晴れであった。

住所は川崎市多摩区のはずれ、宮前区との境界線にあたる一角であった。

小田急線の向ケ丘遊園駅で降りれば、徒歩でさほどの時間もかからなかったが、それでも生田緑地を横に見て歩く道は寂しく、私は一度もその方法で袴田邸に行ったことがない。それよりも田園都市線の鷺沼《さぎぬま》駅か宮前平駅から、タクシーを使って行くほうが便利であった。

とはいえ、東名高速を利用して川崎インターチェンジで降りれば、せいぜい十分ほどの距離でもあった。正巳の車で、正巳と一緒に袴田邸を訪れることが多くなってからは、最寄りの駅からタクシーを使うこともなくなった。

袴田邸は、生田緑地に隣接した、田園風景そのものといった小高い丘の上にそびえていた。生田緑地に沿ってうねうねと曲がる、急な坂道を上って行ったところから、さらに未舗装の道を入った行き止まりの角地。装飾をほどこした黒い鋼鉄の門扉《もんぴ》越しに見える白亜の建物は、確かに写真で私が知っていた三島由紀夫の家そっくりだった。だが、敷地は実際の三島邸の二倍、いや三倍はあったのではないかと思う。

門から邸内へまっすぐに伸びている真新しい石畳のアプローチは、車一台、楽に通ることのできる広さだった。アプローチの右横に沿うようにして、いかめしい石造りの勾《こう》欄《らん》があり、その勾欄の向かって右側が邸内から出入りできる庭、左側が歩道と同じ石畳を敷きつめた、ちょっとした広場になっている。広場には、石畳と同じ石材で作られた細長い石のベンチが置かれていた。

あのパーティーが行われた日は、今を盛りとばかりに、朱に染まった大きな楓《かえで》の木が、ベンチの頭上高く左右に枝を伸ばしていた。ベンチでくつろいでいる人は誰もおらず、始終、はらはらと散りしきる落ち葉だけが、冷たそうな石の表面を充たしていた。

どこを見回しても、夥《おびただ》しい光に満たされた日であった。万物の輪郭という輪郭をくっきりと際立《きわだ》たせる秋の澄みわたった空と、光と、紅葉した樹木に囲まれ、白亜の袴田邸は何か儀式めいて荘厳《そうごん》な感じがした。

広場の奥、邸《やしき》と並ぶようにして建っているのが大きな車庫だった。車庫の二階は住居になっており、車庫の中から出入りするようになっている。ひとめで、袴田の使用人夫妻の住まいと知れたが、とはいえ、それも使用人向けの安普請《ぶしん》とはとても思えない、邸の外壁とよく似た瀟洒《しょうしゃ》な色合いの、洒落《しゃれ》た小住宅であった。

だが、すっくとそそり立つ美しい白壁の塀の外には、ゆるい傾斜をみせる雑木林が広がっていた。邸の裏手も同様で、木々の茂みはそのまま生田緑地につながっていた。敷地の前の未舗装の道は、斜面に作られた段々畑に向かって畦道《あぜみち》のように細く長くうねりながら山裾《やますそ》に向かって伸びており、眺望は絶好とはいえ、そうしたのどかな牧歌的風景と、贅《ぜい》をこらしたヴィクトリア調の館《やかた》はどこかなじんでいないようにも思われた。

次々と車で乗りつけて来る着飾った招待客たちは、門扉の前で車から降りると、声高に笑いさざめき合いながらアプローチを辿《たど》って行った。石畳の広場は、駐車用に開放されていたが、車で来た客たちはほとんど全員、中に駐車するのを面倒がって、外の路上に縦列駐車した。そのため、門扉の外にはずらりと車の列ができ、野次馬なのか、それとも詰めかけたマスコミ関係者なのか、数人の男たちがうろつく中、雇われたとおぼしき二人の制服姿の警備員が、宮殿の衛兵さながら、門扉の両脇《りょうわき》に立ち、あたりに険しい目を向けていた。

山の一角を造成したに違いない敷地は、もともと無数の背の高い木々で囲まれていたはずである。だが、袴田の趣味なのか、あるいは袴田が三島由紀夫の趣味をそのように解釈していたのか、木々はどれも丁寧すぎるほど丁寧に刈り込まれ、枝を落とされて、どこか人工的な、そっけない箱庭のような様相を呈していた。

硝子《ガラス》のはまった玄関ドアは両開きで、テラスに通じる他の出入口と同様、円形の破風《はふ》窓がついていた。開放されたドアの前では、黒のスーツに黒い蝶《ちょう》ネクタイをつけた使用人とおぼしき男が、来客たちを出迎えていた。客が手渡す招待状を素早く確認し、客が薄手のコートやケープ、手荷物などを手にしているのを見てとると、さっと受け取って、玄関脇のコート用クローゼットにハンガーで吊《つ》るす。あまり表情のない男だったが、てきぱきとした動作は、教育の行き届いたホテルの給仕人を思わせた。

宮前平の駅前からタクシーで乗りつけた私が、門の傍で車を降り、アプローチを辿って玄関前まで歩いて行くと、その男は「いらっしゃいませ」と低い声で言うなり、いささかも揺るぎのない丁重なまなざしで私を見て、差し出した招待状を受け取った。

「青田類子様ですね。こちらでお荷物をお預かりしますが、何かございますか」

「いえ、別に何も」

若いのか中年なのか、年齢が推し量れない男だった。肌をつややかに光らせ、七三にきちんと分けられた髪の毛は獰猛《どうもう》な感じがするほど若々しく黒いのに、どこか疲れているような、物憂《ものう》く陰気な老いのようなものを感じさせる。水をたたえたようによく光る黒い大きな瞳《ひとみ》と太い眉《まゆ》。鼻梁《びりょう》は高くしっかりとしていて、美しい顔立ちではあったが、どこにいても、その場の空気をヴェールのように身にまとい、そっと人目を逃れていきそうになる男でもあった。

「先に中をご覧になられるのでしたら、こちらでお履物をお脱ぎいただきますが、いかがいたしますか」

見ると、玄関を入ったところに小さな立札が立っていた。そこには、〝内観ご希望の方は、係の者にお申しつけください。ただし、一階部分に限らせていただきます〟と書かれてあった。

内観という言葉が、観光地の寺社仏閣を連想させた。私が答えに窮していると、男は冷やかな微笑を浮かべつつ、私の答えを聞くまでは身動きひとつしない、と決意したかのように背筋を伸ばして立ったまま、こほん、と乾いた咳払《せきばら》いをした。

その時、家の奥で人の気配がした。「類子」と阿佐緒の声があたりに響きわたった。

「いいのよ、水野さん。その人、私の友達だから、私が案内するわ」

阿佐緒は芥子色《からしいろ》の、ウェストをしぼったデザインの、どちらかというと少女じみた七分袖《そで》のドレス姿だった。あでやかにふくらんだスカートの下には、本格的なペチコートをはいていたらしい。玄関の奥から私目がけて小走りに走って来る阿佐緒のスカートの裾がかすかに上がり、幾重にも重なった白いレースが覗いて見えた。

小石川後楽園で再会した時、大人びたシニヨンに結っていた髪型は、その日も同じだったが、後《おく》れ毛《げ》が一本もなく、ひっつめたようになっているのが一層、彼女の顔の小作りの美しさを引き立てていた。

まるで等身大に成長した、美しいバービー人形を見るような思いだった。私は笑顔を作り、ハイヒールをサンダルのようにつっかけて飛び出して来た阿佐緒の歓迎を受けた。

「おめでとう。素晴らしい家ね」

「でも、なんだか堅苦しくって。ジーパンにトレーナーで、そのへんに寝っ転がっていたい気分」そう言うと、口ほどにもなく阿佐緒はうっとりとした目で自分の着ているものを眺めまわし、思いついたように「あ、紹介しておくわね」と言って黒いスーツの男を一瞥した。

ちょうど来客の波が途切れていた時だった。男はコートクローゼットの扉の中を確認しようとしていた手を止め、ちらりと阿佐緒のほうを振り返った。

「こちら、水野さん。袴田の運転手兼秘書なの。袴田とのつきあいは私の百倍くらい長いのよ。前の奥さんの時からだから。ね、そうでしょ？」

阿佐緒がそう言うと、水野と呼ばれた男は型通り私に会釈《えしゃく》をした後、客のものとおぼしき薄手の白いショールを丁寧にハンガーに掛け直して再びクローゼットの中に戻しながら言った。「お言葉ですが、それは違います。私がこちらにご厄介になって十年になりますが、それは前の奥様が亡《な》くなられた後のことですので」

阿佐緒は露骨に不服そうに「そうだったかしら」と言った。水野はクローゼットの扉を閉め、阿佐緒に向き直り、黙ってゆっくりと瞬《まばた》きをしながら、「そうでございます」と言った。諭すような言い方だった。

阿佐緒はいきなり私の腕を取ると、玄関の外に出て、石畳の歩道をゆっくりと歩き始めた。

「苦手なの、あの人。にこりともしないでしょ。何を考えてるんだか、全然、わかんなくって。人のこと小馬鹿《こばか》にしてるみたいな話し方するし」

「十年も前から袴田さんの秘書をやってるのね」

「そう。今年で四十歳くらいになるのかな。昔は、国会議員の専属運転手だったのよ。その議員さんが袴田の患者だったんで、そんなところから知り合って……それにしても何が気にいったのかしらね。袴田は水野を夫婦で雇ったの。奥さんは初枝《はつえ》さんっていうんだけど、初枝さんのほうは家政婦さんね。私が来るまでは食事も全部、初枝さんが作ってたらしくて、袴田は初枝さんの味に慣れちゃったみたい。だから今も食事は全部、初枝さんが作ってるの。でも、私ができるお料理なんて、タカが知れてるし、毎日毎日、食事の支度をするのも面倒だから、ちょうどよかったかもしれない」

阿佐緒は紅葉した楓の下のベンチまで私を連れて行くと、「きれい」と言って木を見上げた。「結婚式とか新婚旅行とか、引っ越しとか……この一ケ月、馬鹿みたいに忙しかったから、この木がこんなに紅葉してるなんて知らなかった」

木々の梢《こずえ》をそよがせるようにして風が吹き過ぎ、楓の葉が舞い落ちた。門の外では、相変わらずざわざわと人の気配がしていたが、外塀が高く、外から邸内を覗きこむことができないような造りになっていたので、どんな人たちが家の前に人だかりを作っているのか、私たちの居た場所からはわからなかった。

「来てくれて嬉《うれ》しい」阿佐緒は改まったように言って、私に向き直った。その美しい顔に、楓の木が作る影がまだらに落ち、阿佐緒は何故《なぜ》か、泣いているように見えた。

「結婚式も派手で、この家も何もかも派手で、毎日毎日、お客がたくさん来て……。でも、そのわりにはね、なんだか寂しくって。どうしてなんだろう」

「疲れてるのよ」私は言った。「少し瘦《や》せた？」

「うん。少し」

阿佐緒は、路上で蠟石《ろうせき》遊びをする孤独な少女のように、ふいにスカートを広げて広場にしゃがみこむと、そこに落ちていた楓の葉を集め始めた。

「昔の仲間はみんな、遠ざかっていっちゃった。玉の輿《こし》にのったような女には用はないんだって。今日も類子が来てくれなかったら、私、ひとりぼっちだった」

「何言ってるの。袴田さんがいるじゃないの」

「まあね」

「阿佐緒ったら、不満ばっかり」私は笑ってみせた。「昔とちっとも変わってない」

私たちの傍を、到着したばかりとおぼしき、着飾った夫婦連れが足早に通り過ぎて行った。夫妻は阿佐緒に向かって会釈をした。阿佐緒は慌《あわ》てて立ち上がり、操り人形のようなぎくしゃくとしたお辞儀を返した。

「バチがあたるわよね」阿佐緒が言った。「こんなことぼやいてたら、ほんとにバチがあたる。しっかりしなくちゃね。あら？」

阿佐緒はいきなり、手にした赤い楓の葉を数枚私に押しつけると、私の背後に視線を泳がせた。その目を追って、私も振り返った。

私はその日、あたりさわりのないスーツ姿だった。ストライプ模様が入ったクリーム色のジャケットに、同色のタイトスカート、胸もとに小さなリボンがついた白いシルクのブラウス。上下ワンセットになったスーツはパーティー用と決めていたせいか、選ぶ手間が省けて楽だったが、それでも阿佐緒と比べると、着ているものの色合いもデザインも、それどころか存在そのものさえかすんで見えるような気がして惨《みじ》めな気持ちにかられた。

急に私を襲った、そんな場違いな惨めさの中で、私は秋葉正巳と二度目の再会を果たしたのだった。

警備員に案内されるようにして門から中に入って来た正巳は、私たちを見て、ふと足を止めた。切れ長の澄んだ目が大きく見開かれたかと思うと、次に柔らかなゴムを連想させるような唇に、それとはわからないようなかすかな笑みが浮かんだ。その笑みは次第に形を成していき、やがて彼はひとり納得したかのような足取りで私たちに近づいて来るなり、澄んだ声で「やあ」と言った。彼の視線が束《つか》の間《ま》、儀礼的に私の上をさまよった。恥じらいをこめた、それでいて困惑したような、そんな複雑な表情だったが、彼は笑みをくずさずに両肩を大きく上げて、深く息を吸った。そして、私から視線をはずして改まったように阿佐緒の正面に立つと、軽く一礼した。

「今日は本当におめでとう」

「久しぶり」阿佐緒が言った。

何故、正巳がそこにいるのか、阿佐緒に向かって、おめでとうなどと言っているのか、わけがわからなかった。私はただ、ぼんやりと二人を見比べていた。二人は似合いだった。私は再び、ひどく場違いな感情に襲われた。

「高校の時以来だものね。ほんとに久しぶり」阿佐緒は繰り返した。

正巳はうなずき、美しく伸びた睫毛《まつげ》を瞬かせながら、鼻の下を人さし指で軽くこすった。「おやじが風邪をひいてね。お祝いごとなんだから、欠席するのも失礼だ、おまえが行け、って言われて。……僕みたいなのが来て、かまわなかった？」

もちろんよ、と阿佐緒は言った。「だって私、秋葉君にも招待状、出したじゃない。お父さんと連名で」

「いや、封筒にはおやじの名前しか書いてなかった」

「嘘《うそ》でしょ」

「ほんと」

「わあ、いけない。私が間違えたんだわ。ごめんね」

正巳は短く笑ってから、「結婚、おめでとう」と言った。付け足しのようにも、あるいはまた、精一杯、痩せ我慢しているようにも聞こえる言い方だった。

袴田が、どういうルートで秋葉造園を知り、三島邸を模した家屋の造園設計を依頼したのか、その時、阿佐緒から細かく説明されたはずなのだが、あまりよく覚えていない。確か、現実の三島邸を建てた建設会社、S建設に出入りしていた関係者の紹介によるものだったと記憶している。

実際、当時の秋葉造園は受注した仕事を完璧《かんぺき》にやり遂げるばかりではなく、昔かたぎの正巳の父親の頑固な職人気質が功を奏して、施主《せしゅ》の間で静かな評判を呼んでいた。袴田は三島邸を模した家を建てようとした時に、家のみならず造園にまで細かなこだわりを見せたに違いなく、そんな矢先に、当時評判になっていた秋葉造園の名を耳にして、依頼することを決めたのかもしれなかった。むろん、秋葉造園のひとり息子が、妻になったばかりの阿佐緒のかつての中学の同級生、神社の境内で接吻《せっぷん》し合ったボーイフレンドだったということは知らずに。

「類子にこのことを言うのをすっかり忘れてた」と阿佐緒は無邪気に笑った。「この家の庭を作ったのは秋葉君のお父さんだけど、秋葉君もかなり手伝ってくれたのよ。なかなかの腕だ、って袴田もほめてたわ」

「おうちの仕事を継いだのね」私は正巳を見上げて聞いた。

彼は深緑色のダブルのジャケットに淡い鼠色《ねずみいろ》のズボンをはき、ネクタイをしめていた。伊豆で会った時の食い入るような、怖いようなまなざしを思い出させる鋭い視線をちらりと私に投げ、彼はもう一度、それが癖なのか、大きく息を吸うと、「人生、何が起こるかわからないね」と言い、薄く笑った。

事実上、秋葉家を支配していた正巳の祖母が死んだのが五年前。父親も相前後して病に倒れた。都内の私立大学法学部を卒業しようとしていた正巳は、父の代わりに職人たちと仕事に出ることが多くなり、そうこうするうちに、父親の病気が癒《い》えてからも、家業から離れることができなくなってしまったのだという。

「この楓《かえで》は僕が植えたんだよ」ベンチの上を見上げながら、正巳が誰にともなく言った。「山に自生してたやつなんだけどね。親父が枝ぶりを気にいったもんだから、持ち帰って育てたんだ。こんな迫力ある楓、そうざらにはないと思うよ」

私は阿佐緒から押しつけられた楓の葉を指先で弄《もてあそ》びながら、「そうね」と言った。

五メートルほどの丈があっただろうか。楓の木は左右に自在に枝を伸ばし、それはまるで、大地を踏みしめながら天を仰ぎ、自慢げに空に向かって両手を開く人の姿に似ていた。

現役で東大に合格し、首席で卒業して、人も羨《うらや》む出世街道をまっしぐらに突き進んでいくに違いない、とかつて誰もが信じていた正巳である。そんな彼が、おそらくは土にまみれながら、美しく成長した楓の木を掘り起こし、運び、新たに植え、満足げにその枝ぶりをほめたたえていることが私には信じられなかった。

肉体労働で培《つちか》われた筋肉や、固く引き締まった腹部が、彼の着ているものを通して見えるようだった。実際、彼は伊豆で会った時よりもいっそう逞《たくま》しくなっており、ほどよく灼《や》けた肌も瑞々《みずみず》しく、それでいて何か底知れない苦しみや悲しみを漂わせてもいた。私は彫刻芸術における青年像を連想した。苦悩と背中合わせになった、途方もない官能……。

水野がつかつかと歩み寄って来たので、私たちの会話は途切れた。水野は、「奥様」と阿佐緒を呼んだ。「先生がお庭でお呼びです」

阿佐緒は「奥様」などと呼ばれている自分が信じられない、とでも言いたげな、心細いような顔をしてうなずくと、私たちに「じゃ、また後でね」と言った。

踵《きびす》を返して邸《やしき》に戻って行く阿佐緒の後ろを、水野が追った。阿佐緒が勾欄《こうらん》からそのまま庭に入って行くのが見えた。水野は落ちつきはらった足取りのまま、玄関の奥に消えていった。庭ではすでに、大勢の来客たちが思い思いの飲物を手に、談笑し始めていたが、袴田の姿は私のいるところからは見えなかった。

「元気だった？」正巳は阿佐緒を見送っていた視線を戻し、私に聞いた。

私はうなずいた。

「奇遇だね。こんな所で会うなんて」

またうなずく。

彼は晴れわたった空の下、眩《まぶ》しげに目を細めて私を見下ろし、何か言いたげに口を開いた。だが続く言葉はなかった。

私の頭の中では、伊豆での記憶が渦を巻いていた。だが、彼に伊豆を思い出させるようなことは何ひとつ、口にするつもりはなかった。三島由紀夫が市ヶ谷で自決した日の夜、正巳の家に電話をしたことも言わなかった。

今さら、という思いがあった。阿佐緒は正巳と再会して、ほんの束の間、甘酸《あまず》っぱい感傷に浸ったかもしれない。少女時代に気持ちを動かされたことのある異性との再会には、誰しもそんな感傷がつきまとう。まして、その異性と一時期にせよ、深く関わったのであればなおさらである。

だが、私には浸るべき感傷のかけらもなかった。私と正巳の間には何もなかった。厳密な意味で言えば、何かが起こったためしもなかった。伊豆でのあの馬鹿げた一幕と、その後、正巳から送られてきた一通の詫《わ》び状、そして彼が性的不能者であるという秘密を打ち明けられたということを除いては。

「家が完成する前、一度だけ、中を見学させてもらったことがあるんだ」正巳は私ではなく、邸のほうを見つめながら言った。「二階が袴田さんの書斎になってるけど、一階には書庫があってね。多分、もう、書庫は本でいっぱいなんだろうな」

「見学できるのよ」

「そう？」

「ただし、一階だけね」

ふうん、と正巳は言った。「見て来ようかな」

「本好きは変わってないみたいね」

「そのぐらいしか楽しみがない」

正巳はそう言うと、ほんのいっとき私を見つめた。息苦しくなった。私が目をそらそうとした時、彼は「行ってくる」と聞き取れないほど小さな声で言うと、素早く私から離れていった。

庭では早くも宴たけなわになっている様子だった。小さな丸テーブルと椅子《いす》がテラスと庭の何ケ所かに無造作に置かれ、どのテーブルも客で塞《ふさ》がっていた。

中央には、サンドイッチやカナッペなど軽食の載った台が設けられており、テラスではその日のために雇われたのであろう給仕人が、カクテルや水割り、ソフトドリンクなど、客の要望を受けた飲物を作っていた。

阿佐緒が袴田と並んで、客の間をぬうように歩きながら、にこやかに挨拶《あいさつ》を交わし始めた。袴田は金ボタンが四つついた紺色のダブルのジャケットを着ていて、遠目にも若々しく、年齢がかなり離れているとはいえ、二人は似合いの夫婦に見えた。

袴田が冗談を飛ばすのか、時折、あたりに女客の笑い声が響きわたった。皿にあたるフォークの音、グラスをテーブルに置く音が反響し合った。

どこかで鳥がけたたましく鳴いた。乾いた冷たい風が吹き、邸を囲む木立の枝という枝を揺すっては、浜にうち寄せる波のような音をたてた。あたりを鬱金色《うこんいろ》に染めている秋のもの静かな太陽が、石畳のアプローチに長い影を伸ばし始めた。

私はゆっくりと石畳を歩き、邸の玄関から中に入った。水野の姿はなく、初老の女客が二人、調度品の数々をほめそやしながら、カナッペの載った小皿片手に、ひそひそと誰かの噂話《うわさ》を交わし合っているだけだった。

5

袴田邸の調度品、装飾品は語るに尽くせぬほど数多くあった。中でも私の記憶に強烈に焼きついているのが絵画である。

居間の天井は吹き抜けになっていて、そこから二階に上がる階段が延びていたが、階段脇《わき》の壁はもちろんのこと、居間の奥のダイニングコーナー、階段を上り切ったところにある、手すりのついた広々とした踊り場、他にも化粧室の中、トイレの一角に至るまで、大小さまざまの額入りの絵で埋め尽くされ、その過剰さは本物の三島邸に勝るとも劣らなかったのではないかと思われる。

そのほとんどが、十七世紀から十八世紀にかけてのロココ時代に描かれた絵であった。ワットオの『恋の遊宴』とプッサンの代表作『リュート弾きと酒神の騒宴』。それだけは後で正巳に教えられ、はっきり記憶に刻まれた。

二枚の絵は、居間から伸びている階段脇の壁に掛けられていた。ワットオの絵に描かれていたのは、恋の絶頂期にある幸福な男女が集う田園風景であった。絵には暖かな風が吹き、澄んだ水の香り、触れ合う彼らのたてる衣《きぬ》ずれの音、小鳥の声が満ちている。世界はここにしかなく、恐ろしいこと、悲しいこと、虚《むな》しいことは一切起こるはずもない、我らの恋もまた永遠に続くのだ、と信じ、声高らかに宣言しているような絵で、その純朴な稚気が強く印象に残っている。

また、木陰で男女が入り乱れて酒に酔い、踊っている情景を描いたプッサンの絵も、そこに漂う華やいだ気高さ、誇らしさがワットオのものとよく似ていた。本物だったのか、模写だったのか、それとも複製だったのか、そのあたりのことは聞きそびれた。だが、複製だったとしても、いぶしたような色を放つ金色の重たげな額縁に収められたそれらの絵は、本物以上に仰々しく邸の白壁を飾っていた。袴田亮介という男の趣味を思い返す時、私は真先に、壺《つぼ》や骨董品《こっとうひん》や陶器の置物ではない、あのどこか優しげな風合いの、袴田に似つかわしくなかったとさえ言える二枚の絵を思い出す。

私は一人で居間を見てまわり、階段の下に「ここから先は内観を御遠慮願います」と書かれた札が立っているのを横目で見ながら、書庫を探した。正巳がいることを知っていながら、書庫に行こうと思ったのは、気分を直して彼と今いちど、単なる昔の仲間として話がしたいと思ったからに他ならない。

伊豆での出来事にこだわっている自分が馬鹿《ばか》げて見えた。あの出来事に関する限り、彼は丁重に詫びてきて、自分もまたそれを受け入れたはずであった。心の準備のない、思いもよらなかった再会だったからといって、いつまでもそのことにこだわり続けるのは、どう考えても滑稽《こっけい》だった。

書庫はテラスとは逆の北向きの、邸の裏側にあたる部分にあり、すぐに見つけることができた。薄暗い狭い廊下の突き当たり。隣は納戸《なんど》になっていて、未《ま》だ整理されずにいるらしい引っ越しの際の段ボール箱が山積みされているのが、引き戸の隙間《すきま》から覗《のぞ》いて見えた。

中に正巳がいることがわかっていたから、私はドアを軽くノックした。はい、と中から正巳のくぐもった声が聞こえた。

十五畳ほどの、思っていたより遥《はる》かに小ぶりの書庫だった。とはいえ、天井が高いせいか、広々として見える。図書館のように整然と並べられた書棚はすべて作り付けで、壁際《ぎわ》以外の書棚は、転倒防止用の金具で天井からじかに留められていた。窓は、横長の開閉式の窓が二ケ所。外からの光はほとんど届かず、天井に据えられた青白い蛍光灯《けいこうとう》の明かりが室内を不自然なほど隅々まで充《み》たしていた。

私は一瞬、自分が勤めている図書館の、世界史関係の書物だけが並べられている入り組んだ狭い一角を思い出し、そこからさらに、連鎖反応式に能勢のことを思い出した。その年の五月、能勢と私は、偶然ではあったが、人目を避けるようにしてその一角の書棚の前に立ち、青白い蛍光灯の光の中で、一緒に肩を寄せ合いながら、本を探していた。そのひとときが、互いの肉体に溺《おぼ》れていくきっかけを作ったのだった。

「さすがね」私は書棚を見て歩きながら言った。「ほとんどのジャンルが揃《そろ》ってる」

書庫には私たち以外、誰もいなかった。スリッパをはいていない足に、ストッキングを通して床の冷たさがしみわたった。正巳は出入口近くの壁際の書棚の前に立ち、熱心に本の背表紙を眺めながら、私の称賛の声に軽くうなずいてみせた。

「私ね、今、図書館に勤めてるのよ」

「司書になったの？　へえ。すごいな。どこの図書館？」

「学校司書なの。学校の図書館で働く専任の司書教諭よ」

「結婚は？」

「ううん、まだ」

秋葉君は？　と思わず聞き返しそうになって、私は慌《あわ》ててその言葉を飲みこんだ。

正巳が誰かと結婚するはずはなかった。正巳は、あらゆる女を夢中にさせる魅力の持主ではあったが、彼女たちの結婚の対象にはなれなかった。少なくとも周囲に祝福されて結婚し、子供を作り、波風のたたない家庭生活を営みたいと願っている女たちにとって、正巳はほとんど用のない男だったのだ。

私は自分が眺めている書棚のほとんどが、三島由紀夫の作品で占められていることに気づいた。

「三島ね」私は天井を振り仰ぎながら言った。「これだけ集めると、壮観ね」

うん、と正巳はうなずいた。私たちはしばらくの間、黙ったまま三島由紀夫の作品集で埋め尽くされた書棚を眺めまわしていた。

函《はこ》入りの上製本や選集、全集はもちろんのこと、各作品はすべて、文庫化されたもの、後になって装丁を変えて出版されたものなどと一緒に、同じ棚に並べられていた。三島由紀夫に関する評論集や、三島が出演した映画のシナリオまで揃っていた。即《すなわ》ちそこは、三島由紀夫コレクターがかき集めた、三島由紀夫の宝庫であった。

私がすでに読んだもの、持っているものもあったが、そうでないもののほうが圧倒的に多かった。当時の私にはさすがに、古書店をまわって高価な初版本を手に入れるだけの経済的な余裕はなかった。私がもっていた本のほとんどは文庫本だった。

一方、袴田が所有している三島の本はすべて、四六判の函入り上製本であった。日に焼け、煮しめた紅茶のような色になった背表紙がずらりと一列に並んでいる書棚からは、時空を超えて過去に舞い戻る、不思議な砂の音が聞こえてきそうな気がした。

正巳はつと手を伸ばし、私の目の前の棚にあった黒い背表紙の、ぶ厚い四冊の函入り上製本を静かに撫《な》でた。三島由紀夫が、自決する直前までかかって書き続けた〝豊饒《ほうじょう》の海シリーズ〟の四作――『春の雪』『奔馬』『暁の寺』『天人五衰』――であった。

「昔、きみと『春の雪』の話をしたね」正巳は言った。

胸の奥に、迸《ほとばし》るようにして記憶が甦《よみがえ》った。「秋葉君の好きだったシーン、その時、聞いたわ。確か、主人公の松枝清顕《まつがえきよあき》が、恋する聡子《さとこ》さんと一緒に人力車に乗るシーンが好きだったのよね。雪の日で、二人はそこで初めてキスをするっていう……」

「よく覚えてるな」正巳は微笑《ほほえ》んだ。わだかまりのありそうな微笑み方だった。彼もまた、八年前の伊豆での一件を気に病んでいることはすぐにわかった。

私はまっすぐ書棚を見つめたまま、笑ってみせた。「私にとって、三島由紀夫と秋葉君って、ほんとに縁がある」

正巳が黙っていたので、私は横に立っていた彼を見上げた。「電話したのよ、あなたの家に。三島が死んだ日の夜」

「三島が死んだ日って……七〇年の十一月二十五日のこと？」

「そう」

「知らなかった。誰が電話に出た？」

おばあちゃん、と言い、私は再び書棚に視線を戻した。「電話があったことを伝えてほしい、って頼んだんだけど、忘れちゃったみたいね」

「悪かった」正巳はいまいましそうに言った。「あのころ、祖母は僕のまわりにいた女の子たちに対して、陰険なふるまいをしてたみたいなんだ。後で知って愕然《がくぜん》としたよ」

「じゃあ、私からの葉書も見てないのかな」

「葉書？」

「ああ、やっぱり」私はくすくす笑った。「でも、いいの、そんなこと。たいした内容の葉書じゃなかったし……。三島が死んだことで秋葉君とまた話がしたくなって、なんとなく書いただけだから」

そうか、と彼は小さくうなずき、「悪かった」ともう一度、言った。

彼はやがて、何かを振り切るような、決然とした仕草で『天人五衰』を書棚から取り出した。函をはずし、奥付のページを開きながら、「僕はね」と言った。「この本の初版本を買って、読んだ時、きみのことを思い出したよ。ええと、初版発行日は七一年の二月か。確か僕がこれを買ったのは三月だったと思う。急に会いたくなって、電話しようとしたんだけどね。どうしてだろう。勇気がなかった」

「何のために勇気が必要だったの？」

彼は開いた本を手にしたまま顔を上げ、私を見て、少しいたずらっぽく笑った。「きみは冷たく電話を切ってしまうかもしれない。そうされた時、落ち込まずにいるための勇気さ」

誰が耳にしても、気のおけない間柄の男女の軽口としか聞こえない、あっさりとした言い方だった。

「あなたを振った恋人じゃあるまいし」私は、軽口に調子を合わせるつもりで、手にしたままでいた楓《かえで》の葉を指先でくるくる回しながら言った。「でも、三島由紀夫を思い出すと、私も秋葉君を思い出したわ。それはほんとよ。あれからもう八年たつのね」

正巳がそっと私の手から楓の葉をつまみ上げた。「これ、僕が植えた楓かな」

「石のベンチのところにあった楓よ。さっき阿佐緒が拾ったの」

「僕が植えて、阿佐緒が拾って、きみが持ってる。なんだか不思議だね。中学時代が戻ったみたいだ」

三角関係でもないのに、と言いかけ、喉《のど》まで言葉が出そうになってやめた。三角関係どころか、私たちはその時、それぞれ離れてぽつんと並ぶ、三つの点でしかなかった。その先もまた、ただの三つの点として、つかず離れず、大人の常識の範囲内で関わり合っていられたら、私たちの人生のドラマは大きく塗り換えられていたことだろう。

書庫のドアに静かなノックの音があった。悪いことをしていたわけでもないのに、私も正巳もはっと居ずまいを正してドアを注視した。

水野がドアの向こうから顔を覗かせ、私と正巳を一瞥《いちべつ》すると、「失礼いたしました」と言った。「話し声が聞こえたものですから……」

「ここは入ってはいけないところでしたか」

私がそう聞くと、水野はめっそうもない、という表情を作って、「とんでもない」と言った。「先生ご自慢の書庫です。どうかごゆっくり」

下がって行った水野は、書庫のドアを閉めていかなかった。わざと閉めなかったのか、それとも、うっかりしていただけなのか。いずれにしても、まるでそうすることが袴田家におけるしきたりであるかのような、かすかな皮肉の感じられる行為であった。

「鉱物みたいな男だな」正巳はぽつりと言い、『天人五衰』を函に入れて、書棚の元あった場所に戻した。

私たちは書庫を出てから一緒に庭に行き、袴田に挨拶をして、パーティーの輪に加わった。二時半を過ぎるころから、風が少し冷たくなった。阿佐緒が私のところに来て、七分袖《そで》の腕をさすりながら、「寒い。鳥肌が立っちゃう」と言った。

本当に寒かったのか、それとも、結婚式以来、ずっと続いていた度を越した緊張感のせいか。阿佐緒は強いカクテルばかり飲んでいて、酔いのせいで目の縁が赤かった。風邪気味だという老夫婦が途中から家の中に入って行ったが、それ以外の客人たちは全員、庭にとどまって騒々しく飲み食いし続けた。

私の見る限り、誰もが阿佐緒に話しかけ、誰もが阿佐緒を話題にし、そして誰もが袴田の財力に驚嘆の声をあげながら、その酔狂を陰であざ笑っているようだった。袴田はと言えば、終始、威風堂々たる態度で客人たちに接し、冗談を飛ばし、握手を求められれば右手を差し出し、会話の合間にがつがつと皿の中のものを食べ、グラスをあけ、煙草《たばこ》を吸い、時折ふと、自分がしていることに酔いすぎて自分が誰なのかわからなくなったような、少年のような心細い目をしながら、完成したばかりの邸を見上げて、忘我の表情をしてみせた。

邸の前に広がる段々畑や雑木林が西日を受け、金色にきらめく中、ゆっくりと下りてくる舞台の緞帳《どんちょう》のように、庭には影がさし始めた。それはこぼれたインクのように、少しずつあたりに広がっていき、やがて太陽が西の雑木林の向こうに大きく傾くと、庭のみならず邸は、ふいに秋の影にのみこまれた。

最後まで残っていたのは私だけだった。秋葉正巳はいつ帰ったものか、阿佐緒が私のところに来て「秋葉君は？」と訊《たず》ねた時、すでに彼の姿は見えなくなっていた。

パーティー会場でほとんど何も口にしなかったらしい阿佐緒は、客人が帰ってしまうと、しきりと空腹感を訴えた。私は阿佐緒から、水野の妻である初枝を紹介され、阿佐緒が初枝に作らせたという海苔《のり》を巻いた小さなおにぎりと豆腐の味噌汁《みそしる》を御馳走《ごちそう》になった。邸の台所にあった丸椅子に座り、阿佐緒と向かい合わせになりながら、それを食べていた時、袴田がやって来た。袴田は私たちを見、私たちの食べているものを見て、無言のまま台所を出て行った。

袴田が完璧《かんぺき》な洋食党で、阿佐緒が庶民的な日本の食べ物を間食代わりに、ダイニングテーブル以外の場所で口にするのを極端に嫌っていることを、私はその時、初めて知った。

第四章

1

水野の妻、初枝は色白の下ぶくれでほんの少し受け口の、目の細い女だった。背丈も手足も顔も、何もかもが小さい。よく見れば端正な目鼻だちをしているのだが、その造作の極端な小ささが存在感を希薄にしているところがあった。

何か聞かれれば、ひとつひとつ、むしろはきはきと澄んだ声で丁寧に応答するのだが、それ以外、初枝は一切、無駄口をたたかなかった。いつも何か、胸に秘めたものを大切そうに温めながら人目を避けて生きているようにも見え、実際、初枝は必要のある時以外、私たちと目を合わせることすらなかった。

袴田は美に対して人並みはずれたこだわりをもつ男だったが、少なくとも華美なもの、品格の劣るもの、否応《いやおう》なく人目をひく派手なものをことごとく嫌った。もしも初枝が楚々《そそ》とした控えめな雰囲気《ふんいき》を漂わせる女でなかったなら、水野と共に夫婦で袴田に雇われることはなかったかもしれない。たとえ、住み込みで水野を雇い入れたとしても、初枝のことが気にいらなければ、袴田は彼女に家事を任せることはなかったに違いない。

初枝は水野よりも二つ年下で、当時、三十八だった。年齢のわりには贅肉《ぜいにく》のない身体《からだ》つきで、蝶《ちょう》結びにされたエプロンの紐《ひも》が揺れるほっそりとしたウェストは、後ろから見ると少女のそれのようだった。

肩まで伸ばした髪の毛を首の後ろでひとつに束ね、後れ毛はヘアピンで無造作に留めていたと記憶している。薄化粧はしていたが、身なりにはかまわないほうだった。初枝が白いブラウスと黒っぽいスカート以外のものを身につけていたのは見たことがない。だが、その仕草はしなやかだった。細い身体を無駄なく動かしながら、もくもくと家事に励んでいる後ろ姿には、確かに、何か隠された不思議な色香のようなものが垣間見《かいまみ》えることがあった。

初枝と袴田との間には、自分の知らない関係があったのではないか、と阿佐緒は早くから疑っていた。そしてその猜疑心《さいぎしん》は、アルコールの力を借りると凶暴な妄想《もうそう》を帯びるのが常だった。

「袴田は今も私に隠れて、こっそり初枝さんと関係を持っているのかもしれない」

阿佐緒は何度も、私や正巳相手にそう言った。酔えば酔うほど、それは断定口調になっていき、しまいには今、この瞬間、自分がいないのをいいことに、袴田が邸《やしき》の暗がりのどこかで、水野の目を盗んで初枝を抱いている、抱きながら、いやらしい声をあげているに決まっている、などと言いだす始末だった。

かつて私が知っていた阿佐緒は、決してエキセントリックな女ではなかったし、あけすけな話を好む女でもなかった。人が口ごもるような事でも平気で口にはしたが、それは少女の露悪趣味にも似て、聴き手を驚かせるためのちょっとした冗談のようなものでしかなかった。

一人の若いお手伝いの娘が、阿佐緒の兄と父と両方と関係したことにより、一家離散になったという体験ですら、阿佐緒にかかると、まるでテレビの三文ドラマの脚本だった。自分の悲劇に酔っているようでいて、決して酔わないのが阿佐緒であり、同時に、自分が手にいれた幸福に対して、格別に酔いしれることもなく、いかなる運命も淡々と受け入れてしまうのが阿佐緒であった。

それでも、そんな阿佐緒にも、何か烈《はげ》しいもの、常軌を逸してしまうほどの想像力が隠れ潜んでいたと見える。袴田と結婚したことにより、環境が一変して、それまで隠されていた性格の一部が肥大化して表れたということだったのかもしれない。

阿佐緒が初枝に対して抱き始めた妄想は、後に起こる悲劇の引金になるのだが、私は最後まで、それほどの事態に発展することになるとは思っていなかった。飲めば飲むほど、冴《さ》えわたるような青い顔をし、袴田との結婚生活について、愚痴とも不満ともつかない話を繰り返していた阿佐緒を思い返すたびに、私は深い後悔の念にかられる。

当時の私は、阿佐緒は私や正巳の気をひこうとするために、そんな話を大げさに語っているに過ぎないのだろう、としか思っていなかった。阿佐緒の私生活の不満は、正巳のそれとは完全に次元の違う種類のものでしかなかった。私は阿佐緒が結婚生活の寂しさをもらしてくるたびに、それを聞くことによって生じるに違いない正巳の苦悩を思って、むしろそちらのほうがいたたまれなかった。私は阿佐緒ではなく、正巳を見ていたのだ。初めから私は、正巳しか目に入っていなかった。

それにしても、あのころすでに私たちは、袴田という奇怪な男を中心にして、逃れがたい法則、変えがたい秩序の中にあらかじめ組みこまれてしまっていたとしか思えない。私たち自身が、緻密《ちみつ》に計算された複雑な幾何学模様と化していた。そして、何かに憑《つ》かれたように狂おしく、一枚の布の上に次々と不可解な模様を編みこんでいったのも、また、私たち自身であった。

袴田邸新築記念パーティーの後、私と正巳と阿佐緒の間には、手紙や電話といった通信手段を別にすれば、約一ケ月半の空白があったことになる。

どちらからともなく誘い合わせて、私たち三人が再び顔を合わせたのは、暮れも迫った十二月二十六日だが、その直前、私にはちょっとした出来事があった。クリスマスイブの三日前に、能勢の妻が第二子を出産したのである。

ほぼ予定日通りであったのだが、私は能勢の妻の出産予定日がいつだったか、すっかり忘れていた。図書館にやって来た生徒たちが、声高に「昨日、能勢先生に二人目の赤ちゃんが生まれたんですって」と噂《うわさ》し合っているのを耳にし、ああそうか、もうそういう時期だったのか、と改めて思い出す始末であった。

能勢は、私が噂話を聞いた日の翌日、私の部屋にやって来た。黙っているのも不自然だったので、私は「おめでとう」と言った。能勢は「馬鹿《ばか》」と小声で言い、情けないような、困惑しきったような奇妙な表情を浮かべると、私を抱きくるんで「会いたかった」と囁《ささや》いた。

生まれたのは男の子だった。私が「あなたに似てる?」と訊《たず》ねると、お愛想で聞いたに過ぎないというのに、彼はもう一度、「馬鹿」と言って、照れ笑いを隠そうとするあまりか、ひどく滑稽《こっけい》な目をして私を睨《にら》みつけた。

少し早いクリスマスを二人で祝おう、と彼は上等のシャンペンを持って来ていた。私たちはそれを飲み、互いの身体を愛撫《あいぶ》し合い、いつもと寸分違わない昂《たかま》りと共にベッドになだれこんだ。

気のせいか、能勢の身体は甘ったるい匂《にお》いを発散していた。彼の胸に鼻をこすりつけながら、なんだかお乳くさい、と私が言うと、能勢は、はっと身体を離し、罪悪感にかられたような顔つきで、「ごめん」と言った。「さっきまで新生児室にいたからかもしれない。先にシャワーを浴びればよかった。浴びてこようか」

いいのよ、と私は言い、笑った。「そんなつもりで言ったんじゃないわ。ちょっとからかっただけ」

能勢は笑わなかった。沈みこんでいく表情と共に、私の腰にあてがわれていた彼の手の動きが止まった。サイドテーブルの明かりの中で、彼の目だけが水のように光って見えた。

私は微笑《ほほえ》みを浮かべたまま、能勢の首に両手をまわし、耳朶《みみたぶ》を軽く嚙《か》んだ。軽い前戯の中で私にそうされると、こちらが気恥ずかしくなるほど興奮することもあったのに、その時の能勢は固く身体を閉ざしたままでいた。

私は能勢の上に乗り、彼の上半身に唇を這《は》わせた。むっとする熱気も湿りけも何もたちのぼってこない、かわいたままの、静かにおし黙った身体が、シーツの中ですまなそうに身じろぎした。

「ごめん」と能勢は言った。間の抜けた笑顔が彼を包んだ。「どうしたんだろう。なんだか今日は……」

私はそっと身体を離し、ベッドに起き上がった。サイドテーブルから煙草《たばこ》を手に取り、一本くわえて火をつけた。裸のまま立ち上がり、窓辺まで行って、椅子《いす》に座った。そして長い間、硝子《ガラス》越しに中庭にある冬枯れの桜の木を見ていた。

自分が泣いていることに気づいて驚いた。にじみ出る程度だった涙はやがて滂沱《ぼうだ》の涙に変わっていき、気がつくと私は、嗚咽《おえつ》を押し殺しながら泣いていた。

誓って言える。私は能勢が結婚していることや、能勢の妻が二人目の子供を出産したこと、彼が乳くさい匂いをさせて私の部屋を訪ねてきたことに対して、怒りや悲しみや疎外感《そがいかん》など、何ひとつ感じてはいなかった。私にとって、初めから能勢は私ではない、他の誰かと結婚生活を送っている男であった。その誰かとの間に、能勢は堂々と何人でも子供を作ることができたし、そのことに対して私は不満を抱いたことはなかった。第一、そんなことは私にとって、心底、どうでもいいことだったのだ。

私がその時、沈みこむような悲しみを覚えたのは、能勢が私を抱くことができなかったからであった。それ以外、何の理由もなかった。

会うたびに狂ったように肌を合わせ、飽きずに歓喜の声をあげていた能勢は、少なくともその瞬間、私に対する肉欲のためだけに生きている男でなければならなかった。妻の出産後、愛人の部屋に来て、そのことを気に病んだために不能に陥るような、俗的な悩みに囚《とら》われた退屈な男であっては決してならないのだった。

「類子」能勢は爪先立《つまさき》つようにして私の傍にやって来ると、後ろから私の身体をくるみこむようにして抱いた。「ごめんよ。泣かないでくれ。ちょっと疲れてただけだ。すぐに元気になる。ほんとだよ」

私は涙を拭《ふ》き、微笑みかけ、泣いたことを詫《わ》びた。泣いた理由を、抽象的な言葉を使って彼に説明しようとは思わなかった。能勢に対して言葉は不要だった。能勢は交わる相手であり、語り合う相手、理解し合う相手ではなかった。

私は下着をつけ、あたりに脱ぎ散らかされてあったセーターを頭からかぶった。そしてキッチンに立ち、チーズを切り、オリーブの実と一緒にクラッカーに載せ、冷蔵庫にあったビールと共にベッドに運んだ。レコードをかけ、室内の明かりを全部消し、窓という窓のレースのカーテンを開け放った。

各部屋の灯《とも》す明かりに照らし出された、立ち枯れた桜の木が、硝子越しに迫って見えた。映画館のスクリーンでも眺めるつもりで私たちは黙って桜を眺め、ビールを飲み、クラッカーをつまんだ。

二缶目のビールを飲み干し、クラッカーの屑《くず》をベッドにまき散らしてからトイレに立った能勢は、豪快な放尿を終えて戻って来るなり、何か怒ったような、殺意でもこめたような真剣な目をしていきなり私に挑みかかってきた。

悲しみが私の中から一挙に遠のいた。能勢は狂ったように烈しく私を愛撫し始めた。

それは交合のための交合であった。快楽のための快楽であった。それ以外の何ものでもなかった。

彼は獣のように私を求めた。私もまた彼を求めた。

愛してるよ、類子、と能勢は囁いた。愛してる、愛してる、類子だけだ、類子だけだ……そう囁き、声をあげ、咆哮《ほうこう》し、まさに獣そのものになりながら、彼は果て、私も果てた。

その数日後に、私と阿佐緒と正巳は六本木で会い、食事を共にしたのだった。

クラブでピアノ弾きの仕事をしていたころ、阿佐緒がしょっちゅう通っていたというその店は『クララ』という名で、南欧料理という看板を出していたわりには大衆的な店だった。古ぼけたビルの地下一階。造りもののポトスやアイビーの蔓《つる》を惜しげもなく天井と壁全体に這わせ、籐《とう》製の折り畳み式スクリーンで各テーブルを囲っている。その安っぽい秘密クラブめいた演出が、かえって店の品位を落としているようにも見える、そんな店だった。

年末のかきいれ時だというのに、店には私たち以外、客は誰もいなかった。阿佐緒は「今日は私の奢《おご》りよ」と言い、一品食べ終えるごとに、中年の店主を親しげにテーブルまで呼びつけては、次の料理、次の飲物を新たに注文した。

かつては女装して、同じ店名で六本木にゲイバーを開いていたという店主は、店を変え、髭《ひげ》をたくわえ、黒いスーツに身を固めても、性癖だけは変えられないらしかった。しきりと小指をくねらせるように動かしながら、メニューを一つ一つ説明していたが、彼は初めから明らかに正巳のことを意識していた。

「ねえ、こちらはアリサちゃんとどういうご関係？」

昔の源氏名で訊ねられた阿佐緒は、もうそういう呼び方はしないでね、とやんわり釘《くぎ》をさしてから、正巳を店主に紹介した。「中学時代の同級生なの。秋葉正巳君。今はお父さんと造園屋さんをやってて、今の袴田の家の庭も造ってくれたのよ。ハンサムでしょ？　気にいった？」

阿佐緒がそう聞き返すと、店主は演技なのか、それとも本当にそうなってしまったのか、頬を赤く染めながら「よろしく」と正巳に向かって腰をくねらせながら会釈《えしやく》した。

「クララって呼んでくれます？　それにしても、いいご体格ね。聞いちゃおうかしら。身長はどのくらい？」

「百八十を数ミリ超えるくらいかな」正巳は愛想よく答えた。

「百八十！」クララという店主は大げさに胸に手をあて、歌劇に熱狂する少女のように目を瞬《まばた》いてみせた。「素敵。でも、あたしなんかだめね。きっと、もててもてて、大変なんでしょうから。アリサちゃんはもう結婚しちゃったから対象外だろうし。あ、わかった。こちらの彼女が、今の恋人ってわけか」

ただの客相手のお愛想にすぎない、とわかっていた。そうでも言わなければ、居合わせた客の中で、私だけが話題にのぼらなくなると思い、気をつかってそう言ってくれたにすぎない、とわかっていた。だが、私は正巳がその言葉にどう応じるのか、気になった。

正巳は素早く私に視線を走らせると、非のうちどころがないほど社交的な笑みを浮かべてこう言った。

「彼女のことは、これから口説こうと思ってたところなのに。ばらしちゃだめですよ」

「あ、そうかそうか、そうだったのね。ごめんごめん」クララは豪快に笑い、持って来た熱いおしぼりを私たちに配り始めた。

その晩の正巳は、細いチャコールグレーのコール天のズボンに卵色のざっくりとしたセーター、という気取りのない恰好《かっこう》をしていた。やわらかなセーター越しにはっきりと見て取れる彼の肉体の逞《たくま》しさは、クララのような立場の人間でなくとも、誰もが目を奪われたに違いない。全身に無駄なく張りめぐらされた、美しい筋肉。快楽や放蕩《ほうとう》を連想させる、青年らしい過剰な性のエネルギー……。造園の仕事で鍛え上げられたその肉体には、疲れを知らない生命力がみなぎっているように見えた。

クララは正巳におしぼりを手渡そうとしながら、露骨に正巳の下腹部を覗《のぞ》きこむなり言った。「あら、こちら、大きなおしぼり持ってそうね」

一瞬の間があった。最初に笑いだしたのは阿佐緒だった。阿佐緒は笑って笑って、笑い続けた。気が狂ったかと思われるような笑い声は長く続き、しまいに彼女は両手で顔を被《おお》いながら、目尻《めじり》にたまった涙を拭いた。

「いやだ、クララったら。何てこと言うの。品のない」

「失礼しました」クララは笑いをこらえるようにしながら言った。「だって、この方、ほんとにとっても素敵なんだもの。さぞかし立派なものをお持ちで、夜な夜なフルに活用してるんだろうなあ、と思うと涎《よだれ》が出そうになって、つい見ちゃった。下品なこと言って、ごめんなさいね。気を悪くしないでね」

私は正巳を見てはいなかったし、正巳もまた私を見てはいなかったと思う。だが、私の耳は、正巳がくすくす笑った、そのいかにも邪気のなさそうな、健康的な青年らしい笑い声をとらえていた。

正巳の身体的な欠陥を知らずにいる人間たちの間で、正巳相手にこの種の罪のない軽い冗談、猥談《わいだん》めいた軽口がこれまでいったい何度、交わされてきたことだろう。それを平然と聞き、時にはそれ以上の猥雑な言葉を使って切り返し、腹を抱えて笑い合い、そうやって人々とリズムを合わせねばならなくなった時の、正巳の苦しさがしのばれた。慰めや励ましの決して届かない世界にこの人はいるのだ、と私は思った。そう思うと、どうしたことか、ふいに胸が熱くなった。

一方、阿佐緒は、純粋に自分の肉体をもてあましているように見えた。七色に光るスパンコールがまぶされた派手な黒いセーターにジーンズ、ショートブーツ、といういでたちの彼女は、自分を誘惑してくる男とホテルに行くために、初めからバッグの中に避妊具をしのばせている、遊び好きな若い女を連想させた。

阿佐緒はよく食べ、よく喋《しゃべ》り、よく飲んだ。ビールやワインを次々と空にし、テーブルの上のものをあらかた片づけてから、阿佐緒は食後のコーヒーを断って、ブランデーを注文した。

相変わらず客は私たちだけだった。店内には季節はずれの、けだるいボサ・ノバが流れていた。

正巳は車で来たことを理由に、ほとんど飲まずにいた。帰りは彼が阿佐緒を送っていくことになるのだろう、と私は思った。初めからそのつもりで車で来たのか。それとももっと別な意味があったのか。彼だけがひとり、酔いのもたらす軽口や饒舌《じょうぜつ》から逃れていた。

阿佐緒ほどではないにせよ、酔い始めていた私は、正巳の発散してくる冷やかな自意識が少し怖くなった。

彼は阿佐緒の少女じみた、とりとめのない退屈な話を熱心に聞き、何か聞かれれば熱心に答えたが、それはまるで、あらかじめ決められていたセリフのようにも聞こえた。台本通りに受け答えし、そうしている間に、この人はつぶさに、今、自分が目にしているものを観察しようとしている……そう思えた。

阿佐緒はうっとりとした目で私や正巳を等分に眺め、「今夜は楽しい」とつぶやいた。

「こんなに楽しい食事、久しぶりよ。袴田と一緒だとね、お行儀のことばっかり言われるの。ナイフの使い方がおかしい、とか、スープは音をたてて飲むな、とか、食べるのが早すぎる、とかね」

阿佐緒は、袴田邸における食事のもようを身振り手振りをまじえて私たちに語った。ダイニングテーブルは居間の奥にある。六人掛けの楕円《だえん》形をしたテーブルにつく時は、必ず端と端、それぞれ向かい合うようにして着席する。中央には蠟燭《ろうそく》に火を灯した燭台《しよくだい》が一つと季節の花を飾った銀器が一つ。正式なディナーのように皿やフォーク、ナイフがセットされ、食事が始まると、初枝が台所とダイニングを往復しながら、一つ一つ、恭《うやうや》しく料理を運んで来るのだという。

「初枝さん……か」阿佐緒はわずかに首を揺らしながら、吐き捨てるようにつぶやいた。「お給仕してる時、初枝さんはほとんど口をきかないわ。ほんと、おとなしい人なのよ。でも袴田は初枝さんに〝うむ〟とか〝ああ〟とか言って、お料理をほめるの。その時の初枝さんの嬉《うれ》しそうな顔ったら。顔を赤くしちゃって。袴田までにやにやしちゃって」

むから」

「それは一種のやきもちだな」正巳が笑いをにじませながら言った。「ずっと昔から、袴田さんがきみのではない、初枝さんの手料理を食べ続けてきた、ってことが寂しいんだよ、きっと。料理はきみが作ればいい。そうすればつまらないやきもちは焼かずにすむから」

阿佐緒はグラスの中のブランデーを飲みほし、「やきもちなんかじゃないわ」と言った。怒ったような口調だった。「あの二人、ほんとに何か変なのよ。袴田と初枝さんが並んでると、私なんかよりもよっぽど夫婦に見える。今度、うちに来たら、じっくり観察してみればいいわ。ほんとのこと言うとね、あやしいのよ、あの二人」

「何を馬鹿《ばか》なこと言ってるの」私は笑い飛ばした。「誰が見たって、初枝さんと阿佐緒とじゃ、比べものにならないでしょう」

「そういう問題じゃないわ。私よりも初枝さんのほうが好きだと思う人がいてもおかしくないでしょ」阿佐緒はふてくされたようにそう言うと、テーブルの上に落ちたパン屑を指先で一ケ所に集め始めた。その目が潤《うる》み、小鼻がふくらんだかと思うと、阿佐緒は集めたパン屑の上に大粒の涙を落とした。

テーブルは対面式の四人掛けで、阿佐緒の隣に正巳が座り、私は阿佐緒の正面だった。私は正巳を見た。正巳も私を見た。私たちは黙ったまま、互いに目をそらした。

すでに十一時をまわっていた。どこに行ったのか、店主のクララの姿も見えなくなっていた。ボサ・ノバのメロディだけが相変わらず店内を充《み》たしていた。

阿佐緒は大きく鼻をすすり上げると、「もう一年が終わるのね」と言った。そして、何を思ったか、つと甘えるように隣に座っていた正巳に身を寄せ、力を抜いて彼の肩に顎《あご》を載せた。溶けたアイスクリームが、ぐにゃりとくずれた時のような、危なげな感じがした。

幼なじみか、もしくは近所の気のおけない異性に対する他意のない親しみの表現……。そう解釈することも可能だった。

だが、阿佐緒のその仕草は、正巳に底知れない快楽を与えたに違いなかった。そう考えると、私は突然、奇妙にもの悲しい気持ちにとらわれた。それは嫉妬《しっと》にも似た悲しみだった。

再会後、初めて書いてよこした手紙の中で、阿佐緒に対しては、未《いま》だに好意を持ち続けている、と正巳は私に打ち明けてもいた。決して交合することのできない阿佐緒と、想像の中で何度も何度も、数えきれないほど何度も交合し、抱擁し合ってきたのであろう正巳にとって、生身の阿佐緒の一瞬の肌の匂いがどれほど凄《すさ》まじい快楽を生むことになるか、想像を絶した。

美しく官能的な女の肌を間近にしながら、出口のない欲望をわきあがらせる彼の姿を見たくはなかった。彼の欲望は表現する手段を失ったまま、澱《おり》のように沈殿していく。

彼はその澱を黙って受け入れるしかない。そんな正巳の姿は、できることなら知らずにいたい、と私は思った。それは思いがけず烈《はげ》しい感情だった。私はうろたえ、とまどった。

「正巳と結婚すればよかった」阿佐緒は、呂律《ろれつ》のあやしくなった口調で言った。冗談とも本気ともつかない口ぶりだった。「ね？　類子。そう思わない？　あのまんま、正巳とつきあって、高校を出てすぐ結婚しちゃえばよかった」

正巳は静かに笑いながら「僕をふったくせに」と言った。「しかも手紙一本で。いまさら、よくそんなことが言えるね」

「どうしてそんなこと、したんだろう」阿佐緒は焦点の合わない目を宙に泳がせた。「正巳のこと、好きだったのよ。なのになんでそんなことをしたんだろう。全然、覚えてない。ああ、正巳と結婚しちゃえばよかった。袴田なんて、全然、だめ。あの人、私よりも初枝さんのほうが好きなのよ。信じられる？　結婚してから私のこと、一回しか抱いてないんだから。たったの一回。早く子供が欲しくて欲しくてたまらないのに、たった一回じゃ、できっこないじゃない。ううん、年のせいなんかじゃないの。私が淫乱《いんらん》だから、抱く気がしなくなるんだって。はっきりそう言われたのよ。ひどいでしょ？　私はただ、彼にちょっと甘えてみたいだけなのに。だからあの人、陰で初枝さんを抱いてるのよ。初枝さんみたいにおとなしい、受け身の女の人じゃなけりゃ、あの人、だめなのよ」

私は場違いな興味にかられて訊《たず》ねた。「阿佐緒が積極的になると、袴田さんは拒否するの？」

阿佐緒はうなずいた。「彼はね、冷感症の女が好きなの。ベッドで感じて声をあげたりするのはもってのほか。まして女のほうから誘ったら、絶対にだめなのよ。ねえ、正巳。あなたとだったら、すぐに子供ができたわよね。私、子供が欲しいの。たくさん欲しいの」

阿佐緒は烈しく上半身を揺らせながら、正巳の腕に両腕を回し、さめざめと泣きだした。正巳は目を伏せ、阿佐緒に絡《から》みつかれていないほうの手で、静かに阿佐緒の着ていた黒いセーターの袖《そで》を撫《な》で続けた。私は喉《のど》が詰まるような思いでそれを見ていた。

阿佐緒はかなり烈しい、たちの悪い酒乱だった。言っていることは次第に支離滅裂になり、やがて暴れ出し、意識を失うのが常だった。以後、私たちは幾度となく阿佐緒の酒乱につきあわされ、面倒をみる羽目になる。だが、アルコールの力を借りて日頃の鬱《うっ》憤《ぷん》を晴らしているだけとは思えない、何か凄絶《せいぜつ》なものが、常に阿佐緒のまわりには漂っていた。

私は、それを見るのが辛《つら》かった。阿佐緒が抱えている悲しみの深さ……子供が欲しいのに、作るきっかけすら与えられない、という欠落感は、いつも私に正巳が引きずってきた欠落感を思い出させた。

阿佐緒は最後まで、袴田との間に赤ん坊を作り、ありふれた家庭生活を営む夢を追い続けた。そして正巳は最後まで、失われた性的な誇りを追い続けた。

その点において、二人はどこか似ていた。形こそ違え、二人とも、目指す官能は観念の中にしかなかったのである。

2

『クララ』を出たのは、零時を過ぎてからだった。もう一軒、知っている店に寄って行こう、と阿佐緒は言ったが、言ったそばから意識が朦朧《もうろう》とし始めたらしく、立っているのもおぼつかないありさまだった。私と正巳は左右から阿佐緒の腕をとり、なだめたり励ましたりしながら、近所のビルの駐車場に停めてある正巳の車まで連れて行かねばならなかった。

年末の、慌《あわ》ただしさだけが塵《ちり》のように残された街のあちこちに、人々が渦を巻いていた。酔漢が奇声を発し、華やいだ色合いの美しいコートを着た若い娘が、電信柱に両手をつきながら嘔吐《おうと》している。何がおかしいのか、身をよじらせて大声で笑い合っている中年男のグループがいるかと思えば、闇《やみ》にのまれていくかのように、固く抱き合いながら小径《こみち》の奥の暗がりに消えていくカップルもいた。

阿佐緒はひとしきり、私たちの介助を身悶《みもだ》えするようにして避け、「触らないでよ。うっとうしい」と言い続けたが、そう言いながらも私たちのどちらかが身体《からだ》を離すと、追いすがるように手を伸ばしてきて、石畳に爪先《つまさき》をとられ、何度も危うく転びかけた。正巳が彼女の腕を取って、引きずるように連れ歩いたが、そうすればしたで、阿佐緒は今度は正巳にすがりつき、「だっこして、だっこして」と幼児のような声をあげてねだるのだった。

正巳は苦笑を浮かべつつも、黙りこくった。私も黙った。寒い夜だった。凍《い》てついた夜の寒さの中で、私たち三人の口から吐き出される息だけが、闇を白く染めた。

正巳の車は、美しい空色をしたフォルクスワーゲンだった。ぶつぶつとひっきりなしに何かつぶやいている阿佐緒を後部座席に寝かせ、私は助手席に座った。

車中、何を話しただろう。後部座席の阿佐緒が眠りに落ちておとなしくなってから、私たちはいろいろな話をしたはずだ。なのにはっきり覚えていない。

袴田の新築記念パーティーで再会し、その後、手紙のやりとりをしたとはいえ、そうやって狭い車中で隣同士に座っていると、奇妙な照れくささばかりが先に立った。私はそれを隠そうとするあまり、どうでもいいような話ばかりを繰り返し、正巳もまた、それに応じた。

実際、個人的な話はできなかったし、するつもりもなかった。いくら阿佐緒が眠りこけていたとしても、まだその時点で、私と正巳の間には拭《ぬぐ》いがたいよそよそしさがあった。

無理もない。八年前の伊豆の記憶に目をつぶろうとすればするほど、私たちは互いにそのことを強く意識し合うことになった。互いにその話題が出るのを避け、恐れていることがわかっていて、どうしてしみじみと過去の共通の思い出話にふけることができただろう。私たちがあの時、安心して交わし合えた唯一《ゆいいつ》の思い出話は、中学校時代の話に限られていたのだが、それですら、後に正巳の身に起こる悲劇の前ぶれとしか思えなくなって、私は素直に応じられなかった。

袴田邸に着いたのは、深夜一時を少し回った時刻だった。都心よりもさらに一、二度、気温が低かっただろうか。邸《やしき》の周辺は乾いた冷たい冬の風が吹き荒れ、凍てついた空にちかちかと星が瞬《またた》いていて、ゆるやかな段々畑の向こうには、まばらに広がる町の灯が見えた。

私が先に車から降り、門にとりつけてあるインターホンのボタンを押すと、男の声が応対に出た。水野だった。

阿佐緒の帰りを待って、まだ自室に引き取っていなかったらしい。水野は黒いスーツに白いシャツという、秘書らしい姿で門までやって来ると、中から鍵《かぎ》を開けてくれた。

阿佐緒は泥酔《でいすい》したまま眠りこけていて、叩《たた》いても声をかけてもいっこうに目を覚まさない。正巳が自分の肩に阿佐緒の手を回し、抱えるようにして車から引きずり出そうとした。

正巳の力で難なく引きずり出せたはずなのだが、途中から水野が音もなく正巳に近づいて来て、「私が」と言った。

正巳は初めて水野に会った時、「鉱物みたいな男」と形容したが、その印象は私の場合も同様で、以後、変わることはなかった。水野には人間的な反応というものが皆無だった。阿佐緒の泥酔ぶりを苦笑するでもなく、身体を気づかうわけでも、眉《まゆ》をひそめるわけでもない。彼はただ、それが自分に課せられた、その日最後の仕事であるに過ぎない、と言わんばかりに、阿佐緒を丸めた絨毯《じゅうたん》のように抱え上げると、玄関に向かってすたすたと、アプローチを大股《おおまた》で歩き去って行った。

後部座席には、阿佐緒のショルダーバッグが転がったままになっていた。私は慌ててそれを摑《つか》み、水野の後を追った。

玄関先に袴田の姿があった。薄手のセーターにズボン、その上から、ひと目で上質なものとわかる濃紺のベルベットのガウンを羽織っていて、袴田は水野を見、阿佐緒を見、ついで私を見ると、苦虫をかみつぶしたような笑みを浮かべてみせた。

正巳が私に追いついた。彼ははずむ息の中、袴田に向かって一礼した。「少し度が過ぎたみたいです。申し訳ありません」

奥から初枝が走り出て来て、水野に手を貸しながら、阿佐緒のはいていた靴を脱がせ始めた。遅い時間だったのだが、初枝はまだエプロンをつけており、つい今しがたまで洗いものでもしていたのか、手の甲には水滴の跡があった。

私は初枝に向かって阿佐緒のショルダーバッグを手渡した。初枝は黙ってうなずきながらそれを受けとった。

阿佐緒が目をさまし、顔を歪《ゆが》めて口を開けた。泣いているのか、笑っているのか。ひゅうひゅうと喉を鳴らしながら、合間に水が飲みたいと連呼する。水野が落ちついた足取りで奥に引っ込んで行ったかと思うと、コップに水をいれて玄関まで戻って来た。

阿佐緒は初枝の手で水を飲ませてもらいながら、ふいにそれが初枝である、ということに気づいたかのように、「いらない」と言うなり、初枝の手を邪険に払った。コップが危うく初枝の手から落ちそうになった。冷たい光をたたえた床に、透明な飛沫《しぶき》が飛んだ。

「私は正真正銘の酒乱を妻にしたようだ」袴田は笑みをふくんだ口調でそう言い、水野に阿佐緒を二階の寝室まで連れて行くように命じた。

水野は低い声で「はい」とうなずくと、再び阿佐緒を軽々と抱き上げた。それは、聞き分けのない子供を後ろ向きに抱き上げ、尻《しり》を叩いて折檻《せっかん》しようとする時の仕草を思わせた。

阿佐緒は水野の背を両手で打ち、烈しく足をばたつかせた。阿佐緒が着ていた黒いセーターの裾《すそ》が大きくめくれ上がった。脇腹《わきばら》から背中にかけての肌が露出し、玄関の明かりを受けて白く輝いた。なめらかな美しい、豊満さを感じさせる肌だった。

この肌は、結婚後、袴田によってまだ一度しか愛されたことのない肌なのだ、と思うと、不思議な気持ちがした。その肌は少なくとも、誰かによって愛撫《あいぶ》されるにふさわしい肌だった。日ごと夜ごと。袴田でなくても、他の誰かに。彼女を愛したいと強く願っている誰かに。

私は目をそらした。

袴田が目を細めて私と正巳を交互に見た。「わざわざ遠くまですまなかったね。コーヒーを入れさせよう。飲んで行きなさい。それともお茶がいいかな。初枝さん、このお二人を客室にご案内して、何かあったかいものを……」

「もう遅いですから」そそくさとスリッパを差し出そうとした初枝を制し、正巳が言った。「こちらこそ、遅くまで阿佐緒さんを引き止めてしまって、すみませんでした。ここで失礼します」

袴田は無感動に言った。「礼儀正しいんだな」

「いえ、本当に……もう遅いので」

「そうか。それじゃあ、引き止めないよ。きみも少し飲んでいるんだろう? 運転は気をつけたほうがいいね」

正巳はにこりとしてうなずくと、「よいお年を」と言った。

袴田も同じ言葉をつぶやくように言い、言い終えるとすぐに、私たちなど初めからそこにいなかったかのようにあっさりと背を向けた。まもなく階段を上がっていくスリッパの音がした。二階の踊り場のあたりで、水野と何かひそひそ話している声が聞こえ、ドアを開ける音がし、閉める音がし、まもなく何も聞こえなくなった。私と正巳は連れ立って外に出た。

車庫の上に建っている水野夫妻の部屋に明かりはなかった。窓の外の物干しに、取りこみ忘れた花柄模様のタオルが一枚、まるで干したまま凍りついてしまったかのように固くこわばって揺れているのが見えるばかりだった。

初枝がポーチまで見送りに出て来た。おやすみなさい、と私は言った。おやすみなさいませ、と初枝は言い、ぎくしゃくとしたお辞儀を返した。ヘアピンでまとめきれなくなった後れ毛が、初枝の首のまわりでふわふわと浮き上がっていて、私はその時初めて、初枝の髪の毛に、ゆるい天然のウェーブがついていることを知った。

邸の門を出て、車に乗り込んだ途端、正巳は言った。

「まるで見当はずれの妄想《もうそう》だな」

「え？　何が？」

「阿佐緒だよ。初枝さんと袴田さんがあやしいって彼女は言うけど、僕にはとてもそうは思えない。あやしいとしたら、むしろ水野さんのほうだ」

「阿佐緒と水野さんがあやしいの？　まさか」

「違うよ。あやしいのはね、本当は袴田さんと水野さんなのかもしれない」

私が驚いて正巳を見ると、正巳は手早くイグニションキイを回し、力をこめてギアを入れた。

袴田と水野とが、同性愛の関係にあるのかもしれない、という仮説は、その時の私にとって突拍子もないものであった。そしてそれ以上に、私は正巳の歪んだ感受性……人の見そうにないもの、人が聞きそうにないものを見て聞いて感じてしまう、彼独特の観察眼に、ふと畏《おそ》れのような気持ちを抱いた。

「どうしてそう思うの？」私は意気ごんで聞いた。

「そんなに真剣に聞くなよ」彼は薄く笑った。「ただの想像なんだから」

すぐに帰る気になれなくなったのは、何も袴田と水野の仲を想像して好奇心にかられたせいではない。まして酔った勢いでもなかった。酔いは完全に醒《さ》めていた。醒めているどころか、頭の中は妙に冴《さ》え冴《ざ》えとしていた。

「どこかでゆっくり、煙草《たばこ》を吸って行きたいな」私は言った。

今から思えば、不器用きわまりない、経験の浅い少女のような誘い方であった。言った瞬間から、その言葉の持つ露骨で品のない響きに自己嫌悪《けんお》に陥ったほどである。

ゆっくり煙草が吸える場所なら、いくらでもあった。幹線道路沿いに皓々《こうこう》とネオンを灯している、相応のホテルの小部屋。あるいはまた、五反田の私のマンション……。

だが、当然のことながら、あの時の私には、正巳を誘っているという自覚は皆無だった。私はただ、彼と一緒にいたい、一緒にいて話をしていたい、と思っただけだった。ほんの十数分でいい、正巳と二人きりになって、彼の胸の奥につかえているであろう、過去のわだかまりを消すために、静かな会話を交わしたかった。少なくとも彼とは早急に、その種の会話を交わすことが必要だ、と私は考えていた。

正巳は「わかった」と言い、邸の前の道で車を大きくUターンさせた。ヘッドライトの明かりの中で、勢いよく闇が崩れ、前に広がる段々畑が、破かれた写真の断片のように細切れに切れて見えた。

未舗装の道を出た車は、生田緑地と隣接している道路を走り、急な坂道を降りきってから、再び未舗装のゆるやかな坂を上がり始めた。当時、新興住宅地として急激な開発が進められていた地域ではあったが、見るからに真新しい建売住宅が数軒、ひとかたまりになって立ち並んでいる他は、闇にのまれた造成地が薄明かりに照らしだされているばかりの寂しい道であった。

正巳は黙ってハンドルを握り、私もまた、黙りこくったまま、窓を充《み》たしてくる夜の闇を見ていた。正巳がどこへ行こうとしているのか、わからなかったが、不安はなかった。どうして不安など感じる必要があっただろう。私はすでに、あの時から……いや、正確に言うと、袴田邸新築記念パーティーで正巳との再会を果してから、自分が正巳に烈《はげ》しく惹《ひ》かれていくであろうことに気づいていたのだ。

対向車とすれ違うのがやっと、というほど狭い道を走っていた車が、四、五分も走らないうちに、ふいに開けた場所に出た。

タイヤが小石を踏みつぶす音がした。ヘッドライトが、地面の枯れ草や冬枯れた木々の茂みを照らし出した。

車は、前進と後退を繰り返してから静かに止まった。ハンドブレーキが引かれ、ライトが消された。私は目を見張った。

そこに見えたのは、冬の研ぎ澄まされたような闇に瞬く、静かな光のパノラマだった。行き交う車のテイルランプが、うねうねとした赤い線を作りながら四方に伸びている。点在する街灯や民家の灯がそれに連なり、遠くなればなるほど光の数は多くなっていって、彼方《かなた》の空は光で埋め尽くされている。

星のごとく瞬きを繰り返す明かりもあれば、黒い台紙に張りつけられた金色のシールのようにびくとも動かない明かりもあった。青い光、橙色《だいだいいろ》の光、大きな光、儚《はかな》げな光……。天空に散らばる星がそれらの光と融合し合い、丸く巨大な宇宙を作り、宇宙はその時、私と正巳の眼前にだけ、音もなくひっそりとあった。

「きれい」と私は言った。「どうしてこんな場所を知ってたの？」

「夏に袴田さんの庭を作りに行って、帰るのが遅くなったことがあったんだ。急いで帰ろうとして近道を探してたら、道に迷っちゃってね。その時、偶然、ここに迷いこんだ」

「都会の夜景は何度も見たけど、ここの夜景はそれとも違うのね。かといって田舎の夜景とも違う」

「上等な箱庭を見下ろしてるみたいな気分になるだろ。ちっぽけなくせに、きらきらしててさ。あんなにきらきらしてるくせに、何も音がしない」

「素敵だわ」

「誰にも言わないでおくつもりだったんだけどな」

私は聞いた。「阿佐緒にも？」

「阿佐緒と二人で、こんな所に来て、車を停めてても仕方がないじゃないか」

「どうして？」

ふっ、と正巳は笑った。大げさなほど自嘲《じちょう》的な笑いだった。「ロマンティックなムードにひたって、おずおずとキスをして、スカートの下に手を入れて……その先、僕はどうすればいいんだよ。……阿佐緒には馬鹿にされたくないし、何ひとつ、知られたくない」

正巳の言わんとしていることが、一瞬、電流のような速さで私の中をかけめぐった。だが、私はそれには応《こた》えなかった。膝《ひざ》の上のバッグを開け、煙草を取り出し、正巳に差し出して、それぞれライターで火をつけ合った。渦を巻く煙が車内を一巡し、消えていった。

正巳はエンジンを切った。あたりにしみわたるような静寂が広がった。

「言おう言おうと思ってたの」私は深呼吸をし、吐く息の中で言った。「昔のこと。私、ちっとも気にしてないのよ。こだわってもいない。だからと言って忘れたわけでもないの。怖いくらいによく覚えてる。昨日のことみたいに」

正巳は黙って前を向いていた。冷えていくエンジンが、かすかな金属音をたてるのが聞こえた。

「でも誤解しないで。気にしてるから覚えてるわけじゃなく、むしろ逆。本当よ。嘘《うそ》じゃない」

うん、と正巳は言った。「そう言ってもらえて、嬉《うれ》しいよ」

「東京に帰ってから届いた手紙もちゃんと読んだわ。秋葉君らしい手紙だった。言いたいことはすべて理解できたし……その……あなたの身体《からだ》に起こった出来事については、あの後も時々、考えたの。変ね。私は秋葉君とつきあっていたわけでもないのに」

正巳は車内の灰皿ポケットの蓋《ふた》を開け、煙草の灰を落としながら深くうなずいた。

「面白いことを教えようか。あれ以来、僕は一度も女を抱いたことがない」

何か言うべきだ、と思ったが、言葉が浮かばなかった。私は煙草の灰を灰皿に落とし、深く煙を吸い込んで、フロントガラスの向こうに広がる夜景に目を転じた。

「どうしてなのかわからない。女を抱いてセックスの真似《まね》ごとをしてみるのが怖くなったから、というわけでもないんだよ。かといって頭の中に広がる欲望の波が消えたわけでもない。それどころか、欲望がどんどん加速度的に広がっていってるのがわかる。僕の肉体はいずれ、欲望に食われてしまうんじゃないかと思ってるほどだよ。はけ口のない欲望さ。でも、いったん飼い馴《な》らしてみると、さほどでもない。こっちがおとなしくしてれば、欲望のやつも一応は礼儀をわきまえてくれるようになった。だからだろうね。何が何でも女を抱いてやる、っていう焦《あせ》りはなくなったし、そうなると、現実に女を抱いて試してみようという気も失《う》せてくる」

私がなおも黙っていると、正巳はつと私を見て、「きみは？」と聞いた。

「え？」

「きみはあれから、何度も恋をしてきたんだろうね」

「そうでもない」

「今は？」

「今？　いないわ。今いるのはただの……」

セックスフレンド、と言いかけ、私は言葉を飲みこんだ。それはテレビのワイドショーか週刊誌の中でのみ使われてしかるべき手垢《てあか》のついた言葉であって、少なくとも能勢を称してそう言い切るのは、能勢に対するばかりでなく、自分たちが作り上げた関係に対する冒瀆《ぼうとく》であるように思えた。

代わりに私は言った。「今いるのは……二人目の子供が生まれたばかりの既婚者なの。恋愛の対象っていうのとはちょっと違うみたい。彼の家庭に対する言い訳が効く限り、月に二、三度会うのよ。さっぱりした関係なの」

「彼とのセックスはいい？」

「いきなりすごいこと聞くのね」私は目をむいてみせた。「ドキドキしちゃうじゃない」

「秘密を握ってる男には、何を聞かれたって、怖くないはずだけど」

「いいわ、わかった。答えるわ。……セックスの相性は最高よ。これ以上の相性はないかもしれない」

「ふうん。妬《や》けるな」

笑うような話の流れではなかったはずなのに、私は何故《なぜ》か、可笑《おか》しくてたまらなくなった。私が肩を揺らせてくすくす笑うと、正巳もつられたように笑い出した。私たちは顔を見合わせ、それまで予期しなかったような親密な笑みを交わし合った。

正巳はフロントガラスに向かって両手を突き出し、手の平と甲とを交互に裏返しにした。

「この手……」と彼は言った。「この手がさっき、六本木で阿佐緒の身体に触れたんだぜ」

正巳は微笑《ほほえ》み、シートのヘッドレストに両手を回して大きく背筋を伸ばした。シートの上で衣《きぬ》ずれの音がした。彼は言った。「……感じたな。あれは官能の極致だった」

官能というものを観念的にしか語らないはずの彼が、あるいはまた、観念的に語るしか方法のない彼が、じかに触れ、じかに体温を感じた阿佐緒の肉体に対して、私は一瞬、烈しい嫉妬《しっと》を覚えた。同時に、阿佐緒の肉体に触れた彼の手から目をそらすことができなくなった。私は長い間、ヘッドレストに押しあてられた彼の手を見ていた。

節くれだってはいるが、大きな、美しい手だった。土や木々の枝や葉をいじる手であると同時に、それは女の肌を愛撫《あいぶ》するにふさわしいと思える手だった。にもかかわらず、同時にその手は、女と快楽を分かち合うために使われたことのない手でもあった。

ずっとこうしていたい、という私の思いは、複雑に入り乱れた。目の前にいるこの美しい男が見ているものは、自分ではない、別の女の肉体であることはよく分かっていた。

そのことに嫉妬しながらも、同時に、彼の口から紡《つむ》ぎ出される言葉のすべては私の耳にいとおしく響き、私の胸を焦《こ》がした。

午前三時をまわるころ、私たちは高速道路に乗り、年の瀬の、酔客を乗せたタクシーとは逆の都心方向に向かって帰途についた。

五反田の私のマンションの前まで車で送ってもらい、ドアを開けて外に出ようとした私に、正巳は右手を差し出した。「おやすみ。楽しかったよ。正月はどうしてるの？」

「明後日から札幌に帰るわ。戻って来るのは四日」

「向こうでは何を？」

「わからない。どうせ炬燵《こたつ》でお酒を飲んで、本を読んでるだけだわ、きっと」

「僕と似たようなもんだな。よいお年を」

「あなたも」

会話が終わっても、握手は続いていた。固い、粘つくような握手だった。

胸苦しくなった。私は自分から手を離し、蓮《はす》っ葉《ぱ》に見えるほど陽気に背伸びをして、「バイバイ」と大きく手を振った。正巳はクラクションを軽く鳴らしてから、走り去った。

驚いたことに私の部屋の玄関の鍵《かぎ》は開いていた。おそるおそるドアを開けると、皓々と明かりが灯《とも》されたままになっている三和土《たたき》に、見慣れた靴が見えた。

ストライプ模様のパジャマに着替えた能勢が、胸の前ボタンを全部はずしたまま、大の字になってベッドで眠っていた。私の気配に気づいて目を覚ました彼は、熱のある子供のうわ言のような言い方で、妻が明日、退院することになった、と言った。正月に入ることだし、しばらく会えなくなるから、せめて今夜だけ、と。

私は唐突に抱きすくめられ、ベッドの中に引きずりこまれるなり、服を脱がされた。眠りのさなかにいた彼の身体は火照《ほて》っていた。

どこに行っていたのか、彼は何も聞かなかった。半ば眠っている人が無意識にするように、彼はおし黙ったまま、烈しくシーツをこすりながら私の身体を愛撫し続けた。

手を伸ばし、ベッドサイドの明かりを消すと、あたりは闇《やみ》に包まれた。疲れきっていたはずの肉体に、思いがけない速さで火がともった。その火は次第に大きく燃えひろがって、やがてごうごうとうねるような炎を上げ始めた。

暗闇の中で自分が能勢ではない、秋葉正巳の幻と交合しているのだと気づいた時、私の昂《たかま》りは頂点に達した。

3

あのころの阿佐緒は、始終、酒に酔い、乱れて人の手を煩《わずら》わせてばかりいた。そんな阿佐緒の記憶が頭に焼きついているせいか、素面《しらふ》のまま、真剣に眉《まゆ》を寄せ、不器用に言葉を選びながら心情を吐露してきた時の彼女の姿は、思い出の中でかえって痛々しく、切ない。

年が明け、一九七九年になって最初の日曜日。阿佐緒から電話があって、家に遊びに来ないか、と熱心に誘われた。

二番目の子供が生まれたばかりの能勢は、その前日の土曜日も姿を見せておらず、私は一人だった。ちょうど観《み》たい映画があったので、出かける支度を始めた矢先のことである。阿佐緒の誘い方には、珍しくどこか沈みこむような、心なし陰鬱《いんうつ》な響きがあった。私は映画をとりやめにし、袴田邸を訪れた。

今にも雪が降り出しそうな、うすら寒い午後だった。袴田はテレビ番組に生出演するために、前日から水野を従えて京都に出かけており、あくる日の月曜日まで戻らない、という話だった。

したがって、邸《やしき》には阿佐緒と初枝しかいなかった。私は吹き抜けになっている一階の居間に通された。

さほど広くはないが、円形破風《はふ》窓のついている観音開きの細長い硝子《ガラス》窓が、吹き抜けの空間に似合っている美しい居間だった。窓の向こうに、勾欄《こうらん》が並ぶ石造りのテラスが見え、テラスのさらに向こうには、枯れた芝草に被《おお》われた灰色の冬の庭が見えた。

大きな大理石のマントルピースの中では、ガスストーブが青い炎を上げながら燃えており、私や阿佐緒が黙りこむと、その、しゅうしゅうと間断なく続くガスの音と、暖炉上に置かれた陶器の置き時計が時を刻む音しか聞こえなくなった。静かな、寂しすぎるほど静かな午後だった。

まもなく初枝が紅茶と菓子を運んで来て、ロココ調の大理石のテーブルに並べ始めた。学校の制服のようなプリーツの入った鼠色《ねずみいろ》のスカートに白いフリル付きの胸あてエプロンをつけていた初枝は、年齢不詳の素朴な田舎の女のように見えた。

阿佐緒は煙草《たばこ》に火をつけながら、大きく足を組み、初枝に向かって「袴田には内緒よ」と言った。初枝はポットの紅茶を二つのティーカップに注ぎ入れながら、柔らかな笑みを浮かべて「はい」と言った。

何を考えたか、阿佐緒はつと、煙草のパッケージを初枝に差し出した。ひどくぞんざいな手つきだった。「どう?」

「は?」

「初枝さんも吸わない?　袴田がいないから、いくら吸っても平気よ」

初枝は手にしたガラスのポットを注意深くテーブルに戻し、もう一度、微笑んだ。

「せっかくですが私は……」

「煙草ぐらい吸えるんでしょう？　吸わないの？」

「若いころ、何度か吸ってみたことはあるんですけど、体質に合わないらしくて。気分が悪くなってしまってだめでした」

「そう。やっぱりね。袴田が初枝さんを気に入るわけだわ」そう言って、阿佐緒は私を見つめ、軽く肩をすくめた。「あの人、とにかく煙草を吸う女が大嫌いなんだもの」

初枝はソーサーにスプーンを添えて、私たちに手渡しながら可笑しそうに言った。

「煙草を吸わない女の人はたくさんいます。私だけじゃありません」

「そりゃあそうだけど、ともかく袴田は初枝さんのこと、大のお気に入りなのよ。お料理も上手だし、よく気がついてくれるし、言うことない、って、いつもそう聞かされてるわ」

言外にこめられていた阿佐緒の皮肉に気づいたのか、気づかなかったのか、初枝は薄く化粧をした色白の顔を、束の間《つかま》、上気させたように綻《ほころ》ばせた。そして、「おそれいります」と言うと、私と阿佐緒に向かって遠慮がちな、静かな会釈《えしやく》をした。

確かに楚々《そそ》とした非のうちどころのない仕草ではあったが、どう見ても私にはそれが、よく躾《しつ》けられた控えめな使用人のやることとしか思えなかった。

だが、阿佐緒は、初枝が居間から出て行くなり、「見た？」と囁《ささや》いた。

「何を？」

「きれいになったでしょ、あの人。変に色っぽくなったのよ。歩き方や喋《しゃべ》り方、目の使い方、お辞儀の仕方、全部」

「そう？　別に変わったようには見えなかったけど」

「後でよく見てちょうだいよ、類子。そのつもりで見てみれば誰にだってわかるわ」

「そうかな。前から初枝さんって人は、ああいう感じだったじゃないの」

「ううん、全然違うわよ。太ったってわけじゃなさそうなのに、なんとなく身体がふっくらしてきたしね。そのくせ、ウェストなんかは相変わらず細くて、そのわりには、胸はなんだか大きくなったみたいで……」

　そこまで言うと、阿佐緒はふいに言葉をとぎらせ、私から視線をはずすなり、硝子戸のほうに首を向けた。彼女の指の間に優雅にはさまれた煙草から紫煙がたちのぼり、古風なシャンデリアに照らし出された、どこか小寒い感じのする天井に向かって、ゆるゆると消えていった。

「まさかね」と彼女は窓を見たまま、低い、しんと冷たい声で言った。「まさかあの人……妊娠したわけじゃないわよね」

「妊娠？」

「袴田よ。袴田との間に、赤ちゃんができたのかも……」

　一拍おいて、私は吹き出した。阿佐緒が悲しそうな目をして私を見た。

「どうして笑うの？　可能性はあるでしょ？」

「ないわよ、全然。あり得ない。傍にあなたみたいに魅力的な妻がいて、どうして袴田さんがあの人と関係を持つ必要があるっていうの」

「初枝さんが冷感症だからよ。袴田好みだからよ」

「いい加減にしてよ、阿佐緒。初枝さんが冷感症なのかどうか、確かめたことがあるの？」

「それはないけど」

「じゃあ、どうして初枝さんが冷感症なんだ、って決めつけるの」

「袴田があの人のことを好きだから……」

私は紅茶を口にふくみ、ゆっくりカップをソーサーに戻してから、阿佐緒を見た。

「ねえ、阿佐緒。何か夢中になれるような趣味をもったほうがいいと思うな。なんにもしないで家にいるから、一つのことばっかり考えて、囚《とら》われて、そんな妄想《もうそう》にかられるようになるんだわ」

「妄想？　ほんとにそう思う？」

私は大きくうなずいた。「恥ずかしい妄想よ。あんまり他の人には言わないほうがいいわね。頭がおかしくなった、と思われるのがオチだから」

そう言ったものの、反面私は、一抹《いちまつ》の得体の知れない居心地の悪さに襲われてもいた。

袴田と阿佐緒の結婚生活に何らかの原因で亀裂《きれつ》が走っていたのならともかく、彼と阿佐緒とは少なくとも表面上は、結婚以前と変わらない良好な関係を保っていた。阿佐緒の分析通り、冷感症の女を好む男だったとしても、袴田が初枝を追いまわし、果ては孕《はら》ませてしまうなどということは、常識からいってまず考えられなかった。

だが、今ごろになって私は或る確信をもって思い返す。袴田は、誰とも肉の交わりを持とうとしなかったのではないか、と。阿佐緒とも、初枝とも、他の女たちとも。それどころか、彼のそれまでの人生に、誰かと健康的な性愛を交わしたひとときはなかったのではないか、と。

彼にとって性愛の悦《よろこ》びは、他の多くの感情と同様、鼻もちならないほど生臭いものであったのではなかろうか。彼は、性愛をすら分析可能な精神のごとく、一つの公式にあてはめ、美しい小箱におさめて整然と整理し続けていたのではなかろうか。

同時に彼は、否応《いやおう》なく小箱からこぼれ落ちてしまうもの、分類不可能なものはすべて、惜しげもなく捨て去ったのだ。化け物のように肥えていく、生身の人間の感受性を袴田は何よりも恐れ、嫌悪《けんお》した。問題は初めから、袴田の異様に歪《ゆが》んだ、並みはずれた尊大な美意識の中にこそあったのかもしれない、と今になって私は思う。

初枝の妊娠が妄想だと言下に決めつけた私の意見に安心したのか、阿佐緒は笑みを取り戻し、私に菓子をすすめた。私たちはしばらくの間、黙って灰色の庭を眺めながら紅茶をすすり、チョコレート菓子をつまんでは煙草に火をつけたりしていた。

階段の脇《わき》の壁に、プッサンとワットオの絵が金縁の額に入れて掛けられていた。室内にあるすべてのものが定規で計ったようにきちんとあるべき場所に置かれていた。無駄なものはひとつもなかった。あらゆるものが整然と、綻びひとつ見せずに片づけられ、飾られ、ひっそりと収まっていた。居間全体が、いや、邸全体がどこか不健全な時代錯誤の中にあった。

「お父さんが欲しかった」阿佐緒はぽつりと言った。「赤ちゃんは今でも欲しいわ。喉《のど》から手が出るくらい。それはほんと。でも、それが無理なら、せめて父親がね、欲しかったわ。袴田と出会った時にね、この人なら死ぬまで私の相手をして、私だけを見て、私だけを躾けて、私だけを叱《しか》ってくれるかもしれない、って思ったのよ。あの人、本当にそんな感じのする人だったの。すごく嬉《うれ》しかった。死んだ父は、類子も知ってるけど、お金の勘定ばっかりしてるような人だったもの。袴田みたいな父親ができたら、どんなに嬉しいだろう、って心のどこかで思ってたのよ。プロポーズを受けた一番の理由はそれだったのにね。……現実はなかなかうまくいかないものね」

「阿佐緒を躾けたり、叱ってくれる、っていうことで言えば、袴田さんは父親みたいなところがあるじゃないの」

ううん、違う、と阿佐緒は首を横に振った。「どう説明すればわかってもらえるかしら。……そう、袴田にとって私は犬とか猫とか馬とか、そういうもんなのよ。彼は私の飼い主みたい」

阿佐緒は決して、何かひとつのことについて自分の考えたことを的確な言葉で表現するのがうまい人間ではなかった。だが、その時の阿佐緒が言わんとしていることは、私にはよく理解できた。それどころか、袴田についてそれ以上に的確な描写は、阿佐緒の他には誰もできなかったろうと思う。

実際、袴田は阿佐緒の父親のようにふるまっていたのではなかった。彼は阿佐緒に行儀作法を教え、彼が編み出した独自のしきたりを教え、厳しく躾けたが、そこには常に、馬や犬を躾ける時の飼い主のような冷たさがつきまとっていた。

「でも変ね。いろいろ言ってるけど、私、この結婚が失敗だったって思ったことないのよ」阿佐緒が椅子《いす》の中で、ふいにくつろいだ姿勢を取り、私に向かって笑いかけた。「だってそうじゃない。袴田は私を救ってくれたんだもの。お金の問題じゃないのよ。もっと別なところで袴田は私を助けてくれたんだわ。あのまんま一人でいたら、今頃、どうしていたかわからない。私、みなしごみたいなものだったしね。弱い人間だから、誰かに守られてでなけりゃ、生きられない。そう思うとね、感謝の気持ちでいっぱいになるの。素直になれるのよ」

言葉通りには受けとれない独白だった。そう言いながら、阿佐緒の表情には、隠しきれない陰鬱さが漂っていた。何か大きな不幸を通り過ぎてきた人の見せる陰鬱さではない、それは、不幸のさなかにある人が見せる、行き場のない陰鬱さのように思えた。

「春になったら、車を買ってもらうことにしたのよ」阿佐緒は冷めかけた紅茶を飲みほすと、突然、背筋を伸ばし、晴れやかに自慢げに声を張り上げた。「MGのスポーツカー。二人乗りのやつ。袴田はね、そういう車が嫌いで、外車のセダンを買ってやろう、って言うんだけど、私はああいうお上品な車は苦手。ベンツとかBMWなんて全然、趣味じゃないわ。一度でいいから、オープンにしたスポーツカーで高速道路を突っ走ってみたかったの。車が来たら、類子、真先に乗せてあげるわね。夏になったら、正巳と三人でキャンプに行こう」

私はまぜっ返した。「二人乗りの車なんでしょう？　どうやって三人でキャンプに行くの？　正巳をトランクルームに閉じこめるつもり？」

阿佐緒はしばらく前から秋葉正巳のことを「正巳」と呼び捨てにしていたが、私が彼を呼び捨てにしたのはあの時が最初だった。その親しげな呼び名が、すんなりと自分の口から出たことに、私自身、驚き、気恥ずかしい気持ちにかられた。

阿佐緒は笑った。「だったら、その時は正巳の車と二台連ねて行けばいいわ。重たい荷物は全部、正巳の車に乗せちゃって、私と類子はびゅんびゅん飛ばすの。正巳のワーゲンじゃ、私の車には追いつかないわよ、きっと。いい気味」

菓子をつまみ、指先についたチョコレートの粉をジーンズの膝《ひざ》のあたりに拭《ぬぐ》いつけると、阿佐緒は突然、両手を打ち鳴らして「そうだ」と言った。「正巳をここに呼ぼうか」

「今から？」

「今日は日曜日だし、彼、仕事は休みで家にいるはずだもの。呼び出してやるわ。寒いから出かけるのはいやだ、なんて言うかもしれないけど、何が何でも出て来い、って言ってやる」

「大雪だろうが何だろうが、阿佐緒が電話したら、飛んで来るわよ」私はからかった。

充分、察しがついていたはずだったのだが、阿佐緒は気がついていないふりをした。

「あら、どうして？」

「わかってるくせに」

「何よ。何の話？」

「正巳はね、未《いま》だに阿佐緒への思いを断ち切れないでいるんだから。阿佐緒のためだったら、火の中、水の中……よ」

「どうしてそんなことが類子にわかるのよ」

正巳から受け取った手紙の中に、阿佐緒への思慕が切々と綴《つづ》られていた……ということを教えてやろうとして、咄嗟《とっさ》に私は口ごもった。そんなことは言うべきではない、とするモラリストめいた気持ちの中に、自分があの秘密を正巳と共有していることの悦びが潜んでいた。その一点において、私は阿佐緒よりも、遥《はる》かに正巳と近しいところにいた。その場所だけは阿佐緒に譲りたくなかった。

私は笑ってごまかした。「どうして、って……そう聞かれても困るけど。ただ、なんとなくそんな気がするだけ」

「気がするだけじゃ、はっきりしたことなんか、わかんないじゃない」

「でも、もし本当にそうだったとしたら、どう？　まんざらでもないでしょ？」

どうかしら、と阿佐緒は言って、おどけたような顔を作り、両目をぐるりと回してみせた。はにかんだような笑いが、後に続く言葉をかき消した。

阿佐緒ははずんだ足取りで部屋の片隅まで行った。そしてロココ調の、優雅な猫脚のついた電話台の上の受話器を手に取るなり、ちらと私を振り返った。「でもね、私だって正巳のことは好きなのよ。大好きよ」

稚気にあふれる言い方だった。そこにあったのは、美しい男友達に向けた親愛の情だけだった。それ以外の隠された感情は一切、感じられなかった。

正巳は自宅にいた。阿佐緒は居丈高な命令口調で、すぐにこっちにいらっしゃい、と言った。「類子もいるのよ。いい？　すぐに来てよね。雪？　それほどでもないじゃないの。平気よ。来るのよ。わかった？　ね？」

女王のようにふるまっているように見えて、阿佐緒にその種の演技はさほど似合わなかった。阿佐緒の男に対する媚《こ》びには、常に哀れさのようなものがつきまとった。何を喋っていても、どれほど高飛車を気取っても、彼女の中には常に「私を愛して。私を抱いて」と繰り返す、一羽の寂しい鸚鵡《おうむ》が棲《す》んでいた。

受話器を下ろした阿佐緒は、あら、と言って窓のほうを指さした。

冬ざれた庭に、次から次へと、白いものが舞っているのが見えた。風のない日だった。あたりの木々はそよとも動かず、厚くたれこめた雪空が、硝子《ガラス》窓のすぐ外、手を伸ばせば届くところまで降りて来たように感じられた。


正巳が空色のフォルクスワーゲンを運転して邸《やしき》に到着したのは、それから一時間ほどたってからである。迎えに出ようとした初枝を引き止め、阿佐緒は赤いフードつきのショートコートを羽織るなり、外に飛び出して行った。

すでに暮れ始める時刻になっていた。思いがけず強く降りしきる雪は、早くもあたりを白く染め始めていた。邸の周りを囲んでいる冬枯れの雑木林は、白い点描画の中の風景のように現実感を失って見えた。

門から邸内に入り、石畳の上に静かに車を停めて降りて来た正巳に、阿佐緒は「ねえ、お願い。少しだけ運転させて」とねだった。

正巳は舞い落ちる雪を指さして「冗談だろ」と言った。「途中で何度も、チェーンを巻こうかどうしようか、ってひやひやしたんだよ。東名だって、あと少し積もったら閉鎖だぜ。何もこんな時に……」

「長いこと運転してないんだもの。春になったら袴田に、車を買ってもらう約束をしたの。今から慣れておかないとだめなのよ」

「こっそり袴田さんの車を借りればいいじゃないか」

「だめよ。水野さんが許してくれないもの」

何年運転してないんだ、と正巳が聞いた。七年くらい、と阿佐緒が答えた。

正巳はけたたましい笑い声をあげた。「七年もハンドルを握ってない人間がこんな日に運転したら、どうなるか、わかるだろう？　だめだめ。この車、まだ買ってから間もないんだ。壊されたくない」

「運転の仕方くらい、しっかり覚えてるわよ。この庭のアプローチを行ったり来たりするだけだったらどう？　ここなら安全でしょ。外には出ない。約束する。もちろん正巳が隣に乗っててくれなきゃ困るけど。ね？　正巳、いいじゃない、ね？」

白い息を吐きながら、両手をコートのポケットに入れ、少女のようにぴょんぴょんと飛びはねてみせた阿佐緒の、前をはだけた赤いコートの奥で、二つの乳房が重たい果実のごとく揺れるのが見えた。中学時代の阿佐緒がそこにいた。

根負けしたのか、正巳は苦笑しながらフォルクスワーゲンの運転席に阿佐緒を座らせ、自分は助手席に乗った。やがて車にエンジンがかけられ、ヘッドライトが灯《とも》された。

何度かのエンジンストップを繰り返した後、車はゆっくりと、だが、不器用にすべり出した。降りしきる雪の中、一台の車に乗った二人の姿だけが、奇怪なほどくっきりと私の視界に浮き上がった。

阿佐緒は難しい顔をしてハンドルを握っている。すぐに情けない音をたてて車が停まる。阿佐緒が笑う。正巳が天をふり仰ぐようにして呆《あき》れた顔をする。再び車にエンジンがかけられる。タイヤがすべり出す。

玄関ポーチのあたりまで行って、今度はUターンにかかる。またエンジンが停まる。二人の笑顔がライトの中に浮き上がる。

その時、雪の中に佇《たたず》んだまま、二人の様子を見守っていた私は、ふと三島由紀夫の『春の雪』の中にあった、あの美しいシーン……雪の降る日、主人公の松枝清顕が、愛する聡子を一台の俥《くるま》に乗せ、どこまでもどこまでも雪の中を走らせる、あの情景が甦《よみがえ》った。一枚の膝掛けの下で、二人の膝頭が触れ合う。彼はそこだけが暖かい膝掛けの中に手を入れて、聡子の指を握る。雪片が彼の眉《まゆ》にあたる。瞼《まぶた》を伝ってゆく冷たさを感じながら、彼は雪を切るようにして走り続ける俥の中で、生まれて初めて、聡子の唇に自分の唇を重ねるのである。

フォルクスワーゲンの運転席と助手席が、一瞬、ライトの煌《きらめ》きのせいで見えなくなった。私は、正巳と阿佐緒が、雪を映す光の中、手を取り合い、唇を寄せ合って、そのまま雪の彼方《かなた》に車ごと疾走していく幻影を見たように思った。

4

その晩、私と正巳は、袴田邸で夕食を供された。初枝はあらかじめ阿佐緒から注文を受けていたようで、献立はすべて和風であった。六人掛けの細長い楕円《だえん》の美しいダイニングテーブルには、魚の塩焼きや野菜の煮びたし、煮つけなどが彩《いろど》りよく並べられた。テーブルの上に燭台《しょくだい》はなく、膝にかけるナフキンもなかった。自宅で気取らずに食事をするのは何て楽しいんだろう、と言いながら、旺盛な食欲を見せる阿佐緒に、私は彼女の暮らしの不自然さを思った。

袴田はどれほど忙しい日でも、夕食だけは阿佐緒と二人、自宅でとっていたようだった。だが、仕事の都合上、どうしても帰宅時間が大幅に遅れることがある。そんな時は、九時十時まで阿佐緒は食事をとらずに、空腹を抱えたまま夫の帰りを待っていなければならない。

空っぽの胃に、濃厚なソースのかかった西洋料理はもたれ、油っこさをごまかそうとして飲み続けるワインもついつい度が過ぎてしまう。そんな日の夜は消化不良を起こして、怖い夢ばっかり見るの、と言い、阿佐緒は笑った。

食事の後、初枝を手伝って食器を台所に下げてから、私たちは階段を上がりきったところにある二階ホールまで行った。ＮＨＫ教育テレビで九時から始まる、袴田の出演する対談番組を見るためである。

袴田邸において、テレビ受像機というものは重要な場所を占めてはいなかった。あれだけの広さの邸にあって、テレビが置かれていたのは私の知る限り、二階踊り場にあるホールだけである。しかもテレビ自体は、新築と同時に買い換えられたものではない、明らかに型の古いものであり、生活上、必要には違いないので、致し方なく家具の隙間《すきま》に忍ばせている、といったふうであった。

垂れ流される情報やくだらないメロドラマ、程度の低い笑いを強要してくる各種低俗番組などを袴田が嫌っていたことは阿佐緒から聞いて知っていた。だがその反面、電波を利用して自分自身をドラマティックに演じてみせることをこよなく愛していたのも、また袴田だった。

袴田がテレビ出演を引き受ける時、常にそこには厳しい条件があった。彼のみを対象にしたインタビューか、もしくは対談以外の番組には決して出演しない。その際のインタビュアー、対談相手も高名な教養人でなければならなかった。また、よほどの条件が整わない限り、民放局の制作する番組には見向きもしなかった。彼が好んで承諾するのは大半がＮＨＫの、しかも夜の落ちついた時間帯に放送される品のいい番組に限られた。

「未だに袴田がテレビに出てるのを見る時、どきどきするのよ」阿佐緒が言った。「あ、何だか変な顔して映ってる、とか、おかしなことを言わないかしら、とか。私が心配することなんか何もないのに、変ね。恥ずかしくて見ていられなくなることがあるの」

二階ホールからは、手すり越しに吹き抜けが見え、その下の暖炉のある居間が見下ろせた。一階の居間と同様、そこにもロココ調の家具が置かれていた。二脚あった肘《ひじ》掛《か》け付の長椅子の一つに私と正巳が並んで座り、もう一つの長椅子に阿佐緒が座った。

レースのカーテン越しに、窓の外の雪明かりが見えた。三人が三人ともふと同時に口を閉ざすと、ホールの角に置かれていたコーナーキャビネットの上の古い置き時計が、思いがけず大きな音をたてて秒を刻んだ。

静けさを追い払うようにして、阿佐緒がテレビのスイッチを入れた。間の抜けたような邦楽が流れ出した。「〝シリーズ日曜対談〟袴田亮介・沢村善三、冬の京都にて語る」という字幕が大写しにされた。

沢村善三というのは、袴田よりも一回り年上の高名な作家である。文壇の重鎮でもあり、袴田同様、時折、好んでその種のテレビ番組に出演していた。モーリヤック、フローベールなど、フランス心理小説の影響を受けた作品が多く、なるほど、装飾の多い、くせのある華麗な文体は、袴田好みとも言えた。

冬の京都で、由緒《ゆいしょ》ある禅寺の座敷に向かい合わせになり、作家と精神分析医が食後のひとときを堪能《たんのう》している、という設定で行われた対談だった。その中で、私の記憶に残されている袴田の言葉は数知れない。

「世に言う教養趣味というものに、僕は首を傾《かし》げるところがあるんですよ。もちろん僕も絵を蒐集《しゅうしゅう》したり、好事家《こうずか》よろしく稀覯《きこう》本なんかを集めてみたりすることは好きですがね。ですが、教養におぼれることは断じて拒否したい。何かをやろうとする時、僕はそうすることが愉快だからやってるに過ぎないんです。不愉快なものは、それがどれほど価値があるものであっても興味を持ちません。快か不快か、僕の選択の基準はそこにしかない」

ほう、と着流し姿の沢村善三が穏やかにうなずく。「明快ですな」

「僕はね、イデオロギーというのも信用しないんです。いや、信用しないというよりも、僕自身、これまでイデオロギーに生きようと思ったことが一度もなかった、と言ったほうがいいかもしれません。不遜《ふそん》な言い方ではありますがね、僕は人間の精神そのものを信じていない。僕が信じるのは、人間の外側だけです」

「それは面白いご意見ですな。精神科医というお仕事をお持ちでありながら、精神を信用しないというのは、実に興味深い。その理由は何なのでしょう」

カメラがぐるりと座敷をすべるようにして回り、袴田の顔を正面から捉《とら》えた。彼は言った。「三島由紀夫も書いていますね。キリスト教が精神を発明するまで、人間は精神なんぞ必要とせずに誇らしく生きていた、とね。三島がギリシア人を敬愛したのは、ギリシア人が外面を信じる人種だったからです。それは偉大な思想である、と彼は言っている。あまりにも有名になりすぎてしまったフレーズですが、僕もまったく同感だ。思想というのは、本来、そうあるべきものです。精神が思想を作るのではなく、外側が思想を生み出していくのですからね」

「あっけらかんと？」

「そうです。まったくその通り。あっけらかんと、です」袴田は笑った。形のいい大きな歯が、なめらかに光った。「気がついたらそうなっていた、という赤ん坊のような素直さでね。それこそが人間の誇りというものでしょう。精神に頼ると、ろくなことになりません。人の精神は矮小《わいしょう》なものです。矮小で、そのくせ図々《ずうずう》しく、論理性から遥《はる》か遠くかけ離れたものでしかない。僕は仕事柄、そのことをいやというほど知っている。理解していただけるかどうか……。そのことを知っているからこそ、治療にあたる意欲がわくのです。精神に歪《ゆが》みを抱えた患者さんたちに対して、深い愛情を感じることができるのです。精神をはなから偉大なものだと信じていたとしたら、僕は自分の仕事に絶望して、とっくの昔にやめていたことでしょうね。そうでなかったら、くたびれ果てて、青息吐息になりながら精神科の門をたたいていたかもしれない」

沢村が咳《せき》をするように烈《はげ》しく背を揺らして笑った。袴田もそれに合わせるようにして笑った。屈託のない、少年のような笑い声だった。

カメラは時折、思い出したように禅寺の、淡い照明を受けた簡素な庭を映し出した。雪が間断なく舞っていた。冬の闇《やみ》に包まれた、美しい庭である。二人の男の言葉が途切れると、座敷に置かれた風雅な火鉢の上で沸き立つ鉄瓶の湯の音が、やわらかく画面を充《み》たした。

「どうして」と阿佐緒はくぐもった声で言った。視線は画面に向けられたままだった。

「どうして袴田は私なんかと結婚したのかしら」

「きれいだからだよ」間髪を入れずに正巳がそう言った。ふざけているのか、真面目《まじめ》に言っているのか、私にはわからなかった。

阿佐緒はぐいと顎《あご》を引き、正巳を睨《にら》みつけるようにすると、「それだけ?」と聞いた。

「それがすべてだよ」正巳はきっぱりと言った。「それじゃいやなの?」

「いやよ、そんなの。きれいな女の人だったら、世の中にいっぱいいるじゃないの」

「袴田さんは美についてうるさい人だ。わかるだろう? 彼にとっては阿佐緒だけが完《かん》璧《ぺき》だったのさ」

嘘《うそ》、と阿佐緒は言い、顔を歪めた。「私のどこが完璧なの。頭も悪いし、親は借金にまみれて死んじゃったし、いいとこなんか何もない。袴田の親類たちにも馬鹿《ばか》にされてるのよ。育ちの悪い無教養な女だ、って。どこの馬の骨かわかりゃしない、って」

「そんなことは関係ない」正巳は静かに言った。「頭なんか、袴田さんは信じちゃいないんだ。今もそう言ってたじゃないか。袴田さんが価値を与えるのは美しいものだけなんだよ。そしてね、彼の言う本物の美は必ず外面に表れる。内面じゃない。外側にだけある。そう信じてる人なんだろう、きっと。だから、きみみたいな人を妻に選んだんだよ」

わからない、とふいに阿佐緒はつぶやいた。手放しで泣きだそうとする時の子供のような言い方だった。「馬鹿なのね、きっと。私、みんなの言うことがわからないの。袴田の言うことも、全部、わからない。外国語を聞いてるみたいな気持ちになることもあるわ」

弱々しい笑みが阿佐緒の口もとを包んだ。それは、虫歯の痛みを我慢して笑おうとする人の笑みに似ていた。

「わからないんだったら、わからないままでもいいさ」正巳は取り繕ったような笑みを浮かべて言い、煙草《たばこ》をくわえて火をつけた。「きみはね、いるだけでいい。そんなこと、全然、わかろうとしなくたってかまわないんだ」

阿佐緒は寂しそうに微笑《ほほえ》むと、さりげない仕草で立ち上がり、テレビのスイッチを消した。ちょうど大写しになっていた袴田の顔が、ぶつんと音をたてて画面を被《おお》う闇の中に紛れていった。

あたりは再び静寂に満たされた。古い置き時計の秒針の音が響いた。一階の居間のガスストーブは燃え続け、絶え間なく、しゅうしゅうというガスの音をたてていた。

「コーヒーでも飲まない？」

私や正巳の答えを待たずに、阿佐緒は背筋を伸ばし、階段の手すりに手をかけた。

「ね？　飲むでしょ？」

そして、そのまま何かから逃れるような慌《あわ》ただしさで、階段を駆け降りて行った。まもなく、「初枝さん、初枝さん」と呼ぶ阿佐緒の声が遠くに聞こえた。廊下を小走りに走る気配があった。やがて音は遠ざかり、ドアが閉まるかすかな音以外、何も聞こえなくなった。

私は正巳を見た。正巳も私を見た。私たちは意味もなく微笑みを交わし合ったが、それだけだった。

邸には、それとはわからぬほどうっすらと積もった、埃《ほこり》のようなよそよそしさがあった。早くここから出たい、と私は思った。

一階居間に戻り、言葉少なに三人でコーヒーを飲んだ。曇った窓硝子《ガラス》に庭園灯の黄色い光が滲《にじ》み、雪が物音をかき消して、一切は静寂の中にあった。

先にいとまを告げたのは私である。雪は未《ま》だ降りしきっており、タイヤにチェーンを巻く必要があった。正巳はコートを着て外に出て行った。二十分ほどたってから戻って来た彼は、全身から雪の匂《にお》いを放ちながら、弾む息の中で、送るよ、と私に向かって言った。

雪は三センチほど積もっており、依然、やむ気配はなかった。阿佐緒はセーターに毛糸のショールをはおり、玄関ポーチまで見送りに出て来た。寒そうにセーターの腕をこすり合わせながら、爪先《つまさき》立つようにして立っていた阿佐緒が、一言も「寂しいから泊まっていって」と私にもらさずに済んだのは、初枝が彼女の後ろにいたからだろう。初枝の前で、気弱な面を見せたくない、と思っていたに違いない阿佐緒は、女主人らしい余裕を見せて車の中を覗《のぞ》きこむなり、「気をつけるのよ」と言った。「類子をよろしくね。ちゃんと無事に送り届けてね」

正巳は、玄関ポーチのすぐ手前で停めていた車をゆっくりとUターンさせた。冷えきった車内で、ヒーターは最強になっていた。ヒーターの、ごうごうと唸《うな》る風のような音の中、私は窓を開けて手を振った。

阿佐緒の後ろに立っていた初枝が、その時ふいに、慌てたようにアプローチに走り出て来た。

「門の鍵《かぎ》を開けるのを忘れていました。少しお待ちを」

「大丈夫です。こちらでやりますから」

私の言葉が聞こえなかったのか、初枝は雪の中を走りにくそうに走り、門の前まで行くと、大きく門扉《もんぴ》を開け放った。雪が初枝の髪の毛を白くまだらに染めた。プリーツの入ったスカートの裾《すそ》が踊り、その下で、細いが健康的な足がしなやかに動いた。

降りしきる雪の中、初枝は車に向かって、黙って深々とお辞儀をした。

闇に仄白《ほのじろ》く映える雪は、袴田邸を世界の果ての孤立した宮殿のように見せていた。あたりの雑木林は闇に埋もれ、前に広がる段々畑は白く染まって、畑というよりは砂の斜面のように見えた。斜面の先には何もなく、ただ白いものが闇を狭め、闇を閉ざすようにして降り続いているだけだった。

車が邸《やしき》の前の道に出ようとした時、私は後ろを振り返った。玄関ポーチの下、黄色い明かりを受けて立っている阿佐緒の姿が見えた。そのシルエットは黒いこけしを思わせた。

身動きのとれない孤独がそこにあった。孤独、という言葉を聞くと、私は今も、あの雪の日の晩の阿佐緒の立ち姿を思い出す。捨て去られた子供のように、心細そうに、阿佐緒はぽつりと雪の中に立っていた。

阿佐緒ほど、素朴な愛情に飢えていた人を私は知らない。阿佐緒が身をふりしぼるような思いで求めていたのは、通俗的な家庭愛だった。新聞の家庭欄や女性雑誌の特集記事で好んで取り上げられる、類型的な〝温かい家庭〟という幻。その幻を彼女はただ一つの夢として追い続けていた。

だが、袴田は初めから阿佐緒とは程遠い、別の世界に生きていた。永遠に交わることのない二本の線は、交わらないがゆえに、袴田の酷薄な美意識を刺激したのだ。

阿佐緒は陳列ケースの中の美しい美術品と化した。誰からも手を触れられることなく、むろん、孕《はら》まされることもない。

阿佐緒は青磁の壺《つぼ》、螺鈿《らでん》細工の小箱、ワットオやプッサンの絵だった。

5

その晩、正巳の車でマンション前まで送られた私が、一瞬のためらいもなく、それどころか、そうすべきだと判断して彼を部屋に招じ入れることができたのは、ひとえに雪のせいだった。

東名高速道路は通行止めになっており、都心に向かう国道では、スリップ事故が相次いで起きていた。路肩のあちこちで、赤いライトを点滅させているパトカーが通行規制を行っていた。時折、危うく滑りそうになりながら蛇行運転を始める車もあった。街に人の往来は途絶え、車が残した路面の轍《わだち》には早くも新たな雪が降り積もっていた。

待っていてもやみそうにはなかったが、かといってほんの一時間後、車での走行が不可能になるほどの積雪を記録するとも思えなかった。深夜十一時。遅すぎず、早すぎるとも言えない時間帯。送ってもらった礼に、一杯の熱いコーヒーをごちそうするのに、何の不思議もない晩であった。

狭苦しいダイニングキッチンの椅子《いす》を正巳に勧め、彼が煙草に火をつけている間、私は暖房を入れ、寝室に散らかっていたものを手早くクローゼットに隠し、コーヒーを入れるためにやかんの水をガスにかけた。

正巳は私の部屋については何も感想をもらさなかった。彼はくつろいだ様子でベッドが置かれた一間きりの部屋を覗きこみ、本棚を見てもいいか、と私に訊《たず》ね、私がうなずくと部屋に入って、しばらくの間、書棚の本を眺めまわしては中のものを手にとったりしていた。

もしかすると、その時、能勢の持物が何か、部屋に残されたままになっていたかもしれない。そういったことに関心のある人間が見れば、そこに明らかに男性が通って来ている、とひと目でわかってしまうような何かが。

だが、私は気にとめなかった。そんなことよりもむしろ、私は正巳が私の書棚の中の何の本を取り出してページを繰っているのか、ということのほうが気になった。

コーヒーを入れ、揃《そろ》いのマグカップに注ぎ、砂糖とミルクを添えてダイニングテーブルに並べた。どうぞ、と声をかけたのだが、聞こえなかったのか、正巳は手にした文庫本に目を落としたまま、じっとしていた。

私は彼の傍まで行き、彼の手にしていた本の表紙を覗きこんだ。三島由紀夫の『禁色』であった。

「どうしてここにラインを？」彼はページの一ケ所を私に指し示しながら訊ねた。

厚手の本のほぼ初めのほうのページに、赤鉛筆で薄くアンダーラインが引かれてあるのが見えた。いつ引いたのかは覚えがない。だが、それは明らかに私が自分で引いたアンダーラインだった。

いきなり書棚から自分の本を差し出され、何故《なぜ》、ここにラインを引いたのか、何の意味があるのか、と問われて咄嗟《とっさ》に答えられるような人間は少ないだろう。その時の感興に乗ずるような言葉、文章だったから、という理由でラインを引く場合もあれば、日頃、自分が考えていたことに近い文章に触れ、その明晰《めいせき》さにうたれてラインを引く場合もある。

急に照れくさくなった。私が正巳の手から本を奪い取ろうとすると、正巳は笑い声をあげながら「いいじゃないか」と言って、『禁色』を頭上高く掲げた。

「どうしてここにラインを引いたのか、興味があるよ」正巳はそう言い、私から一歩離れると、乾いた咳払いをして、やおら三島由紀夫の文章を朗読し始めた。

「……精神的女性という手合は、女の化物であって、女ではなかった。俊輔《しゅんすけ》が恋し裏切られる女は、彼の唯一《ゆいいつ》の長所でもあり唯一の美でもあるところの精神性を、頑として理解しない女に限られていた。そしてそれこそは本当の女、正真正銘の女であったのである。俊輔は美しい女をしか嘗《かつ》て愛さず、己れの美に自足し、精神性によって何ら補われる必要を認めないメッサリイヌをしか愛さなかった。……」

私は静かにベッドに腰を下ろした。ベッドカバーの下のふくらんでいた布団が、私の重みで情けないほど深く沈んだ。

正巳は穏やかに微笑みながら、文庫本を手に、立ったまま窓辺に寄りかかった。窓の外に、闇を染めるようにして降りしきる雪が見えた。

「まるで阿佐緒のことみたいだね」

「え?」

「袴田さんにとっての阿佐緒を描写したら、こんなふうになるのかもしれない。さっきこの部分を目にした時、そう思ったよ」

私はベッドから腰を上げた。「確かにそうね」

「この本の俊輔という名前を袴田に置き換えてみるとよくわかる」

「そういうことを意識してラインを引いたのかどうか……。全然、覚えてないわ。気にいると、どこにでも線を引く癖があるのよ」

正巳からそっと本を取り、彼が朗読したページに目を落とした。私は首を横に振った。

「この線を引いたのは、阿佐緒と再会する前だわ。袴田さんのことも何も知らない時だった」

「へえ、そう？」

「『禁色』を初めて読んだのは、そうね、三島が死んで三、四年たってからだったと思う。読み返したかもしれないけど、二度めに読む時にラインを引くことはめったにないから、だから……」

だとしたら、と言いながら正巳は窓にもたれたまま、両腕を組み、いくらか身体を傾けながら面白そうに私を眺めまわした。「類子には凄《すさ》まじい予知能力があるのかもしれないね」

かもしれない、と答え、私はおどけて笑ってみせた。たった今、この人は私のことを類子と呼んでくれた——と少女のように強く意識しながら。

ダイニングテーブルに戻り、私たちは向かい合わせになってコーヒーをすすった。初め、話題は主に阿佐緒や袴田のことに集中していたが、やがては三島由紀夫の小説の話、三島が出演した映画の話などに変わっていった。

正巳は能弁だった。澄んだ声でよく喋《しゃべ》り、どうしても説得したい問題が持ち上がると、ひたと私を見据え、さらに澄みわたった美しい声で、身振り手振りも加え、正しい日本語、正しい文脈で語り続けた。

応じているうちに、時のたつのを忘れた。話はどんどんふくらんでいって、やがて青くさい文学論にまで発展した。私はコーヒーを新たに入れ直し、買いおいてあったチョコチップスクッキーを皿に盛った。コーヒーも皿もたちまち空になった。

私は相槌《あいづち》を打ったり、自分の意見を述べたりしながら三杯目のコーヒーを入れ、皿に殻つきピーナッツを山のように盛りあげた。テーブルの上に何を載せても、正巳は一瞥《いちべつ》すらしなかった。目の前に置かれたものは何でも口に運ぶという素直さと無関心さを露《あら》わにしながら、彼は次から次へと憑《つ》かれたようにピーナッツの殻をむき、新たな話題を提供し続けた。

私は自分の瞳《ひとみ》がかつてなかったほど輝いていたのを知っている。それはとめどもない言葉の洪水であった。口にしたいこと、聞かせたいことが嵐《あらし》のように胸の中で渦を巻いた。日頃、感じていたこと、考えていたこと、まとまりのつかなかったことなどを正巳に向かって口にした途端、それらが自分の中で鮮やかに、不思議なほど見事に整理されていくのがわかった。

それはおそらく、ただの知的な遊戯のようなものに過ぎなかったかもしれない。だが少なくとも、そこには気取りや、必要以上の抽象性はなかった。私も正巳も正直に具体的に自分の考えを述べた。そうすればするほど、互いが近づき、目に見えない糸で引き寄せられていくのがわかるような気がした。

だが、どれほど強く引き寄せられたとしても、ふたりの間に何かが起こるはずはなかった。私が彼の肉体上の問題……彼を絶望させ、彼をニヒリストに仕立てた例の問題を生々しく強く意識したのは、あの時が初めてだったと思う。

何も起こらないことがわかっている、にもかかわらず強烈に引き合っている、という事実が、私を不思議な熱っぽさにかりたてた。冬の夜、暖まった部屋の中に二人きりでいて、数歩先の隣の部屋にはベッドがある……なのに私たちには、何も起こるはずがないのだった。

自分たちの繰り広げている饒舌《じょうぜつ》なお喋りとは裏腹に、静かな、官能的な気分が私の中ににじわじわと広がった。それは能勢との間では決して味わうことのできない種類の官能だった。

私は冷蔵庫のドアを開け、中を覗きこみながら「ビール、飲む？」と聞いた。

彼は「いいね」と言い、くわえ煙草で煙に目を細めたまま、キッチンの造りつけの硝子戸棚からグラスを二つ取り出した。そして私が差し出した缶ビールのプルトップを勢いよく開けると、グラスに注いだ。

琥珀色《こはくいろ》の泡が噴き出し、テーブルにこぼれ落ちた。彼はかまわずに、グラスの一つを私に手渡した。私たちは顔を見合わせ、共犯者同士のように小さく笑い、グラスを重ね合わせた。

「楽しいな」正巳は言った。「きみとこういう話をしているのは楽しい」

「私もよ」と言い、私は目を伏せ、ややあって再び顔を上げた。彼はくつろいだ姿勢で椅子にもたれ、グラスを手に私を見ていた。

「面白い話をしてあげようか」

「なあに？」

「スタンプテストの話だよ」そう言って、彼はビールを一口飲んだ。形のいい唇にビールの泡をにじませたまま、正巳は私を見ていたずらっぽく微笑《ほほえ》んだ。「別名、ヤカンインケイボッキテスト」

私は聞き返した。「何のテストですって？」

正巳は手の甲で唇の泡を拭《ぬぐ》い、もう一度、大きな声でゆっくりと同じ言葉を繰り返した。「夜間陰茎勃起テスト。勃起能力を本当に失っているのかどうか確かめるために、そういうテストを受けさせられたんだけどね。おかしいんだよ、それが」

自分の唇に浮かべた笑みが不自然に凍りついたようになるのを意識しながら、私はできるだけ笑みを崩すまいと努力した。

正巳は私の顔色を窺《うかが》うようにして、それでも表情を変えずに屈託なく微笑んでいた。

決して自嘲《じちょう》的な微笑みではなかった。それは私相手に楽しげに自分の日常を語る時の彼の微笑と、寸分違わないように見えた。

「つまりこういうことだよ。人間の睡眠には、レム睡眠とノンレム睡眠とがあるってことは知ってるよね。簡単に言えば、レム睡眠が深い眠りで、ノンレム睡眠が浅い眠り。男はさ、そのレム睡眠期に無意識のうちに勃起することもある。まあ、類子は経験豊富らしいから知ってるだろうけど」

私は笑った。「別に私は経験豊富じゃないわ。でも、そのくらいのことは知ってる」

「やっぱりね」彼はからかうようにうなずいた。「それでさ、僕にもその可能性があることは否定できない、ってことになって、そのテストをやらされたんだよ。どうやるか、わかる？」

「何か機械を取り付けるの？」

「機械？　どんな機械だよ」

「わかんないわ。小さなリング状のもので、大きさが計れるようになってるような……」

「そんなもの、くっつけてたら痛くて勃起するものもしなくなっちゃうよ」

「じゃあ、何かゼリー状のパックみたいなものを塗るの？　女の人が顔に塗る美容パックがあるでしょ。あれを寝る前に塗っておく……」

言いながら笑いがこみあげてきた。私は両手で顔を被《おお》い、テーブルにつっぷして笑いをこらえた。

「じゃあ聞くけどさ、パックを塗ってどうやって勃起したかどうか、確かめるんだよ」

「乾けばわかるんじゃないの？」

「どうして」

「ごわごわになって剝《は》がれてくるから……」

「勃起しなくたって剝がれるだろう？」

「そう？　やったことないからわかんないわ」

「僕だってやったことないよ」

　私たちは顔を見合わせて爆笑した。笑いすぎて目尻《めじり》に涙が浮いた。息が苦しくなった。指先で目をこすりながら、私は正巳を促した。

「正解は何？」

「切手だよ。スタンプテスト、っていう呼び名があるのは、そのせいなんだ」

「切手を貼《は》って、破れるかどうか見るの？」

「うん、まあそれに近いかな。でも一枚の切手じゃないんだ。五枚続きの切手をね、寝る前にペニスの真ん中に巻きつけてテープで止めておく。それで朝起きた時、切手のミシン目が切れてるかどうか調べる。それを三日三晩続ける」

どうしてなのだろう。理由はよくわからない。正巳のその話を聞いて、私は咄嗟に能勢を想像した。能勢なら切手のミシン目の跡すら残らないくらい、びりびりに破ってしまうに違いなかった。

笑うような話ではないことは、充分わかっていた。正巳にとっては深刻すぎるほど深刻な話だった。だが私は、仲間と交わす罪のない猥談《わいだん》を聞いている時のように、笑いをおさえることができなくなった。

「ごめんなさい」と私は笑いで喉《のど》を詰まらせながら言った。「でもなんだか可笑《おか》しくて……」

正巳は静かに瞬《まばた》きを繰り返しながら私を見ていた。

笑ってくれて、と彼は聞き取れないほど低い声で言った。「嬉《うれ》しいよ」

ふいに笑いが止まった。私は彼を見つめ、唇を嚙《か》んだ。ごめんなさい、と繰り返したいと思いつつ、どうしてもその言葉が出て来なかった。

彼は肩をそびやかすようにしながら、私から目をそらし、思い出したように乾いたかん高い声で「ははっ」と笑った。「誰が考えついたのか知らないけど、原始的な方法だよね。でも、確かにわかりやすい。説得力がある。考え出したやつは偉いよ」

「それにしても、なかなかエロティックな検査なのね」

「エロティックなんかじゃない。滑稽《こっけい》だ」

「ううん、私はそうは思わない。印刷されてる切手のミシン目が、少しずつ少しずつ破れていくんでしょう？　ベッドの掛け布団《ぶとん》の奥の暗がりの中で。そこだけアップにして映像にしたら、官能シュールリアリズムの極致って感じになるわ、きっと」

「その場合、使う切手は、歌麿《うたまろ》あたりの美人浮世絵がいいな」

「法隆寺宝物殿の絵とか、鎌倉《かまくら》の大仏さまの絵でもいいかもしれない」

私たちはくすくす笑い合った。笑いながら、互いから目をそらさなかった。相手を攻め、さらなる度を越した冗談話、奇想天外な発想を互いに促しつつ、私たちの間には計り知れないほどの親密さが生まれようとしていた。

あなたの場合はどうだったの……そう聞きたかったが、答えは聞かずともわかっているような気がした。そして思った通り、彼はテストの結果については一言も口にしなかった。

この人とは、決して肉の悦《よろこ》びは分かち合えないのだ、と私は思った。そう思った途端、私の中に静謐《せいひつ》な炎が灯《とも》された。炎はたちまち音もなく燃え広がった。

腕時計を覗《のぞ》いたのは、彼のほうが先だった。もう午前三時になろうとしていた。

「帰る？」

正巳はうなずいた。「ずっと朝まで喋っていたいけど……」

「私はかまわないのよ」

「でも明日はきみも仕事があるんだろう？」

正巳は私の答えを待たずに椅子《いす》から立ち上がり、「ごちそうさま」と言った。「これ以上いたら、帰るのがいやになる」

私はベッドルームの窓を開け、外の様子を覗いた。雪明かりに映し出された冬枯れの桜の木が、黒々とした枝を伸ばしているのが見えた。雪は止《や》んでいた。

マンションのエントランスホールまで正巳を見送りに出た。管理人室の小窓には黄色いカーテンがおろされ、中は静まりかえっていた。建物の中にも外にも、人の気配は何ひとつなかった。

「おやすみ」正巳は硝子《ガラス》の自動ドアの手前で立ち止まり、私を振り返った。「また会おう」

その表情の中に、立ち去りがたいものを感じたのは、私のおめでたい錯覚に過ぎなかったのだろうか。思わず「泊まって行けば」と誘いそうになるのをこらえつつ、私は彼に向かって手をさし出した。

彼は私を見つめ、手を伸ばしてきて、一瞬、強く私の手を握り返した。自分が知っている唯一の正巳の肌、正巳のぬくもりは、この手の中にこそあるのだ、と思うといとおしかった。

硝子の向こうに見える町並みは、雪で汚れを洗い流されたかのように奇妙に冴《さ》え冴《ざ》えとしていた。彼はまもなく私から手を離すと、背を向け、青白く積もった雪の中へと足早に去って行った。

第五章

1

僕は物でありたい、とかつて正巳は私に言ったことがある。自分が物であると考えれば気が楽になる、人間だと思うから感情の収拾がつかなくなって混乱するのだ……と。物のように、岩のように、そこにある硝子《ガラス》のコップのようにして生きていたい、というのが彼の理想だった。それは彼にしかわからない自分の律し方であった。彼は自分を物にたとえ、物として扱うことにより、おそらくは深い絶望の淵《ふち》から這《は》い上がる方法を学んだのだ。

彼は手軽な隣人愛や友情、つまらないセンチメンタリズムよりも、人の中に巣食っている冷酷さ、非情にさえ見える言動を好んだ。流れにまかせた自然な生き方よりも、むしろ合理的な計算のもとに行動することを自分に課した。それこそが物に近づくために必要な第一歩だった。その点において、袴田と正巳は本当によく似ていた。

たとえそれが生きていくために、血反吐《へど》を吐く思いで彼が演じた必死のポーズだったのだとしても、正巳はほぼ完璧《かんぺき》に彼自身を演じきったと私は思う。私相手に、愚痴とも独白ともつかぬ、切ない打ち明け話をしてみせる時ですら、あるいはまた、叙情的な気分に浸っているように見える時ですら、彼はおそらく自分を物として扱う努力を怠ったことはないのだ。

そして私はそんな彼を受け入れた。物としての彼ではなく、物として生きざるを得なくなった彼の深い悲しみを受け入れ、理解し、共有すること——それこそが私にとっての愛と呼べる行為のすべてであった。

あの年の一月から二月の終わりにかけて、私は正巳と阿佐緒と三度、逢瀬《おうせ》を重ねた。会ったのは三度とも、例のクララというゲイが経営する六本木の南欧料理レストランだった。

食事をした後は、他の店に飲みに行った。車で来ていた正巳は素面《しらふ》のままでいたが、阿佐緒の飲み方は悲しい飲み方だった。前後不覚になるまで酔いつぶれ、言葉を失い、誇りすら失いかけた阿佐緒を私たちはなんとか正巳の車に乗せ、袴田邸まで送り届けた。

その際、車には私も同乗した。袴田の手前、自分一人で阿佐緒を送り届けるよりも恰《かっ》好《こう》がついていいだろう、と正巳が言いだしたからだった。

阿佐緒を送り届けた時、私が傍にいさえすれば、袴田にいらぬ猜疑《さいぎ》心《しん》を抱かれる心配はなくなる。猜疑心さえ抱かれなければ、おおっぴらにこれまで通り袴田邸に出入りし、阿佐緒とのつながりを保つことができる――彼はそう考えたようだった。

私は袴田が嫉妬《しっと》深い男、通俗的な独占欲を抱く男だと考えたことがない。少なくとも、妻が中学時代の同級生と飲みに出かけ、男に車で送られて帰ったからといって、いちいちそのことを気に病んだり、腹を立てたりする人間だとは到底、思えなかった。

だが、正巳は常に袴田の反応を気にしていた。袴田に不名誉な警戒心を抱かれることを恐れたのか、なりたくても間男にすらなれない宿命を背負っている彼が、袴田から間男扱いされることを恐れたのか。いずれにしても、その点において、彼は私よりも遥《はる》かに常識的だった。

私はその役割を受け入れた。彼のためではない。それはあくまでも自分のためだった。自分は正巳にとって、ただの便利な存在にすぎない――そうわかっていても、阿佐緒を家に送り届けた後、たとえ数十分のこととはいえ、車の中で正巳と二人きりになれることが私には何よりも嬉《うれ》しかったのだ。

袴田はいつも家にいて、玄関まで私たちを迎えに出て来た。水野夫妻はたいていその時間、自室に引き取っていたから、袴田邸のあのだだっ広い玄関ホールには袴田一人しかいなかった。ホールにはいつも皓々《こうこう》と明かりが灯《とも》されていた。あまりに明るいので、廊下の隅々、タイル張りの三和土《たたき》の隅々までがくっきりと、まるで澄んだ水で洗い上げたばかりのように清潔そうにてらてらと光って見えた。そんな中、袴田は、いかにも鷹揚《おうよう》に妻を出迎える理解ある夫、という表情を作りながら私たちに挨拶《あいさつ》し、酔いつぶれた阿佐緒を見て苦笑を浮かべた。

その快活な力強い口調とは裏腹に、袴田はいつもどこか、薄汚れた疲れを引きずっているように見えた。血走った目の下の、袋のようになった皮膚のたるみは不健康そうに脂《あぶら》ぎっていた。その浮き上がった脂に玄関ホールのきらびやかな光が乱反射して、まるで泣いた後のように見えることもあった。

袴田が正巳に向かって、何かの芝居のセリフのように「きみの精神がきみの美しさを台無しにしている」と言い放ったのもそんな時だ。

寒い晩だった。あの日の寒さはよく覚えている。凍りつくような寒さではない、鋭利なナイフの刃先で、ちくちくと肌を切られてでもいるかのような寒さだった。

きみの精神がきみの美しさを台無しにしている……袴田が放ったその言葉を正巳がどう受け止めたのかはわからない。私たちがその後、そのことについて話し合うことはなかった。

話す機会はいくらでもあった。遠ざけねばならないような種類の話でもなかった。いつでも話題に出すことができたはずだというのに、何故《なぜ》か私はその時の袴田の言葉を正巳の前で再び口にするのが怖かった。

その言葉には、袴田自身が表れていた。袴田がどのようにして他者を眺めているかが、その酷薄な一言に集約されていた。

袴田は正巳を見抜いていた。ろくに話もしたことがないというのに、そして、正巳の性的機能の欠陥については知るはずもなかったというのに、袴田という不思議な男は、正巳のすべてを見抜いていた。私は袴田に畏《おそ》れのようなものを覚えた。袴田のことを恐ろしい人間だ、と思ったのは、後にも先にもあの時だけだった。

寒いから少しあがって温まっていけばどうか、と袴田から誘われたこともあった。正巳はそのたびに理由をつけて断った。袴田はそれ以上、誘ってはこなかった。

挨拶をしてから正巳と並んで外に出る。あまりの寒さに、見上げた夜空に瞬《またた》く星が、一瞬、凍ったままこぼれ落ちてくるように見える。

勾欄《こうらん》の並ぶ門までのアプローチは、夜露が凍ったのか、歩くと少しすべるような感じがする。「すべる」と私が言うと、実際にはすべってなどいなかったというのに、咄嗟《とっさ》に正巳が私の腕を取る。

私は意味もなく短い笑い声をあげる。それが合図だったかのように、正巳は腕を放す。

それだけである。それだけなのに、その一瞬、コートを通し、セーターを通して私の腕に伝わってきた正巳のぬくもりはいつまでも熱く、それはやがて甘美な痺《しび》れに変わっていくのだった。

帰りの車の中で二人きりになると、私は饒舌《じょうぜつ》になった。いろいろな話題を提供するのは私のほうが先で、どちらかというと正巳は聞き役だった。

私が煙草《たばこ》をくわえると、彼は決まって「僕にもくれる？」と言った。私は彼の唇に煙草をくわえさせ、車内のライターで火をつけてやった。カーステレオのカセットからは、絶え間なく音楽が流れていた。正巳が自宅でテープに録音してきたLPレコードの曲だった。長く連なる高速道路の明かりが、やわらかな光の尾を作りながら私たちの傍を流れ去っていった。それは至福のひとときだった。

五反田が近づくにしたがって、何度、あがってコーヒーでもどう？　と誘おうと思ったか知れない。言葉が喉《のど》まで出かかって、息苦しくなったこともある。

だが結局、私はその一言を言い出すことができなかった。正巳が美化し、理想化し、観念の中で紡《つむ》ぎ続けている恋物語の相手は私ではなく、阿佐緒なのだった。嵐《あらし》でも大雪でもないのに、深夜、あがってコーヒーでもどう？　と女が男を誘うとしたら、そこにはふつう、一つの意味しか含まれない。

正巳は多分、そんな誘われ方をされたら鬱陶《うっとう》しく思うに決まっていた。通俗的なメロドラマの主人公にさせられそうになることを多分、彼ほど拒み、遠ざけていた男はいないのだ。

私は、五反田のマンション前まで来ると、いつも陽気に「ありがとう」と言った。エンジン音が低く地を這うように鳴っていた。勢いよく開けたドアから、冷たい冬の匂《にお》いが押し寄せてきた。

バッグを手に、シートをすべるようにして外に出ようとすると、決まって私の目の前にぬっと正巳の手が突き出された。

握手はあのころの私と正巳の、唯一《ゆいいつ》の肌の触れ合いだった。私は陽気さを損なうまいと努力しつつ、精一杯、さりげなさを装《よそお》って彼の手を握る。万感の思いをこめて「またね」と言うと、彼も同じ言葉を繰り返す。

どちらからともなく手を放し、私は車から降りて彼を見送る。正巳が前を向いたまま、手を振ってくれるのが、車のリアウインドウ越しにかすかに見える。私も手を振り返す。

だが、まもなく車は、光と闇《やみ》が混じり合う深夜の街並みに紛れて、見分けがつかなくなる。私は踵《きびす》を返してマンションのエントランスポーチの階段を上がり始める。

そんな時、私は決まって能勢を思った。正巳と会って正巳と多くの会話を交わせば交わすほど、正巳と別れた後、私はいつも能勢の身体《からだ》が恋しくなった。家に帰った時、いつかのように裸の能勢がベッドにいてくれればいい、と思った。黙って目をつぶったまま、ベッドに入って私を待っていてくれればいい、と思った。

だが、能勢は土曜の夜以外、来ることは稀《ま》れだった。鍵《かぎ》を開けて部屋に入ると、やはり思っていた通り、能勢が来た形跡は見当たらない。部屋は、私が朝出て行った時のまま、冷たい冬の空気の中に沈んでいるだけである。

現実の能勢を目の前にしていないというのに、能勢の肉体を求め、彼に対して異様な欲望を覚えるのは初めてのことだった。ふだんの私なら、能勢と会っていない時は、能勢のことをほとんど思い出しもせずにいられたのだ。

能勢のいない一人の部屋で、私は暖房をつけ、カーテンを閉じ、バスタブに湯を満たす。湯気のあがるバスタブに身を沈めながら、私は白昼夢でも見るようにして正巳のことを考える。その日、正巳と交わした会話のすべてを頭の中で再現しようと試みる。

正巳の声、正巳の口調、正巳の言葉が甦《よみがえ》る。まるで好きな作家の好きな作品の、或るページの一つの文章に、赤鉛筆でアンダーラインを引いてでもいるかのように、私は正巳の言葉に心の中で線を引く。線を引いては、繰り返し読み上げる。それは私の中の何かを揺さぶり、私の中の何かを引き出す。私の考え、私の思うことと彼のそれとが、ぴったりと重なり、ひとつになる。それを知ると、私は切ないような悦《よろこ》びに満たされる。

そしてそのまま時のたつのも忘れ、一時間も二時間も浸かりっぱなしでいて、気がつくとバスタブの湯はすっかり冷めてしまっているのだった。

2

何かが始まりそうだ、という強い予感が初めて私を満たしたのは、二月の最後の土曜日だった。

阿佐緒から私の勤め先の図書館のほうに電話がかかってきた。午後から袴田に内緒で、正巳に車の運転を教えてもらうのだという。夜は客と食事をすることになっているが、袴田が客人を連れて戻って来るのは早くても七時、それまでは気兼ねなくいてもらえる、よかったら来ないか、と誘われた。

弥生《やよい》三月のぬくもりを感じさせる、見事に晴れわたった美しい日だった。正巳に会える、と思うと、私の胸の中にたちまち温かなものが広がった。

土曜日の勤務は正午までである。私は学校の食堂で、学生たちと並んで簡単な昼食をとり、渋谷に出て、手みやげのケーキを買おうと百貨店に立ち寄った。

ショーウインドウに映った自分の、くたびれた焦《こ》げ茶色のコート姿にがっかりした。少なくともそれは、正巳に見せてしかるべき恰好ではなかった。

何か胸ときめくような春を思わせる色合いのスカーフを胸元に……と探し回っている

うちに時間が過ぎた。私が袴田邸に到着した時、すでに時刻は三時をまわっていた。私を迎えたのは初枝だった。正巳はすでに来ていて、阿佐緒と一緒に車で外に出て行った、という。

私は一人、いつもの居間に通され、いつもの椅子《いす》に腰を下ろし、阿佐緒と正巳が戻って来るのを待った。

せっかく買った桜色のシルクのスカーフは、正巳の目に触れないまま、初枝の手に渡った。初枝は私がコートと一緒に手渡したスカーフを見るなり、珍しく「きれいな色ですね」と話しかけてきた。

女同士の軽口がふと口をついて出た。「恋人からのプレゼントだったら嬉しいんだけど」

「違うんですか」

「残念ながら自分で買ったの。外があんまり春らしくなってきたでしょう？　きれいな色が欲しくなって」

本当にきれいな色、と初枝は改まったようにスカーフを眺め、慎み深く微笑《ほほえ》んだ。器用な手つきでハンガーにコートを掛けようとしている初枝の横顔には、私や阿佐緒の年齢の女にはない落ちつきが窺《うかが》われた。だが、それは一種の幸福な放心状態のようにも見え、私は幾度か阿佐緒から聞かされていた「袴田が隠れて陰で初枝と寝ている」という妄想《もうそう》を思い出した。

確かに見る者に、そんな途方もない想像を働かせるところが初枝にはあった。相変わらず身につけるものにこだわっている様子は見えず、髪形も化粧も何もかも素っ気なくて、女性らしい手入れのあとひとつ見えないというのに、春間近な光あふれる袴田邸の、どこか人工的な匂いのするロココ調の部屋にいる初枝は、何やら妖《あや》しげな衣をまとう淫《みだ》らな人形のように感じられた。

実際、あの日、居間は硝子《ガラス》越しにこぼれてくる光で眩《まぶ》しいほどだった。庭の枯れ芝には、餌《えさ》をついばみに降りてくる雀《すずめ》の姿が見えた。日が長くなったせいで、まだその時刻、邸《やしき》は陰日向《ひなた》のない、弾《はじ》けるような光の渦に満たされていた。

初枝が私のために運んで来てくれたコーヒーをテーブルに置いた時、外で車の音がした。窓越しに、正巳の水色のフォルクスワーゲンが石畳の上に静かに停まるのが見えた。

玄関のあたりで阿佐緒のかん高い笑い声が響いたと思ったら、阿佐緒はその笑い声を引きずるようにして小走りに私のいるところにやって来た。

「類子、聞いてちょうだい。正巳ったらね、中学時代、私の運動神経は猿並みだった、なんて言うのよ。どういう意味かわかる？　山の温泉に浸かってる時の猿みたいに、プールの時間になると、私はプールに浸かってただけなんだって」

「そう言えばそうだったわね」私は笑った。

プールの中で、かろうじて阿佐緒ができたのはバタ足だけだった。息継ぎができないものだから、クロールも平泳ぎもうまくいかない。独身だった体育の教師は、そんな阿佐緒に近づいて、個人指導よろしく息継ぎを教え始めた。

何かというと阿佐緒の身体に触れ、水の中で堂々とその腰のくびれに手を回したり、阿佐緒を無理やり水深の深い場所まで連れて行って手を離し、怖がって抱きついてくる阿佐緒を受け止めては、顔を赤く染めてひくひくと小鼻をふくらませる。当時二十五、六歳だったのだろうか。歌舞伎《かぶき》の女形になったら似合いそうな、妙に色の白い、それでいて獰猛《どうもう》な感じのする胸毛をたくわえた痩《や》せた男だった。

「危なく溝《みぞ》にタイヤを落とすところだったんだ」正巳は私に向かってうんざりした顔をしてみせた。「ウインカーを右に出せ、って言うと、ワイパーを動かしちゃうし、信号待ちのラインから三メートルもはみ出して停まるし……よくこれで免許を持ってる、って疑いたくなるよ」

「免許を持ってる、とは言ったけど、ちゃんと運転できるとは言ってないわよ」

くすくす笑ってそう言いながら、阿佐緒は私が差し出したケーキの箱を嬉しそうに受け取り、首から乱暴にむしり取った白いマフラーを床に放り投げると、箱を開けて「わあ、おいしそう」と少女めいた声をあげた。

形のいい腰の形を強調する細いジーンズに、ラウンドネックになった、丈の短い白いモヘアのセーター、同じ素材でできた同色のカーディガンを着た阿佐緒は、軽くウェーブのかかった髪の毛を肩のあたりに無造作に垂らしていた。彼女が動くたびに、そのやわらかそうな髪の毛先が、美しい形の鎖骨をくすぐるのがわかった。

彼女は「初枝さん」と奥に向かって女主人の威厳を演じてみせるような声で呼びかけた。そして、やって来た初枝に、これ類子からのいただきものよ、私たちにもコーヒーをお願い、と頼むと、息をはずませながら着ていたカーディガンを脱いだ。

あたかも観客に向かって乳房の豊かさをひけらかす舞台女優のようにして、一瞬、胸を大きくせり出してみせた彼女の身体に、正巳が露骨な射るようなまなざしを向けたのがわかった。それは中学生か高校生の、性の領域に関してはすべてが未経験な少年が、成熟した女の身体を見る時の目に似ていた。

だが阿佐緒が正巳の視線に気づいた様子はなかった。実際にハンドルを握って、車の行き交う外の通りを運転してきた彼女は、軽い興奮状態にあった。煙草をくわえ、勢いこんだ仕草で火をつけると、阿佐緒は私に向かって、身振り手振りを交え、その日、正巳と体験したささやかな冒険についての報告を始めた。

正巳は、一緒になって笑ったり、時折相槌《あいづち》を打ったりはしていたが、明らかに上の空だった。彼は両腕を組んで身体を斜めに傾けながら、硝子窓にもたれた。庭に視線を走らせ、芝生に降り立つ雀に気をとられているふりをしながらも、彼が全神経を阿佐緒に向け、阿佐緒の指先の動きのひとつひとつ、阿佐緒のたてる衣《きぬ》ずれの音、阿佐緒の吐息、その一切合切を記憶にたたきこんでしまおうとしていることはよくわかった。

私の座っていた椅子からは、正巳の立ち姿だけが逆光の中に浮き上がって見えた。彼の目は阿佐緒だけを映していた。私はその目の、透き通る湖面のような不思議な無表情を、喉が詰まる思いで見ていた。

袴田が客人を連れて帰宅したのは、五時過ぎである。七時ころ袴田が客人を連れて戻る、と聞いていたので、私と正巳がそろそろ帰らねば、と立ち上がりかけた矢先のことだった。

「やあ、いらっしゃい」

慌《あわ》てて玄関ホールのクローゼットからコートを取り出し、袖《そで》を通していた私たちの姿を見つけるなり、袴田は満面の笑みの中で言った。「今日は暖かいね。ちょっと動くと汗ばむほどだ。おやおや、お客様を連れて来たというのに、阿佐緒の姿がないね。どこに行ったのかな」

阿佐緒は、水野が運転する袴田の車が邸内に入って来たのを見た途端、部屋から飛び出して行った。袴田が招いた客人が来たというのに、未《ま》だジーンズ姿のままでいたからである。

着替えに行きました、と私が答えると、袴田は恰幅《かっぷく》のいい身体から、まるで薄い海苔《のり》でも剝《は》ぐようにして、黒いカシミヤのコートをゆっくりと脱ぎながら、くぐもった笑い声をもらした。「どうせ、ジーパンなんぞをはいて、お転婆《てんば》娘のような恰好をしていたんだろう。困ったものだ。いつまでたっても、ちょっと目を離すと、そこらの小便くさい小娘が着たがるような服ばかり買い込んでくる」

「阿佐緒は何を着ても似合いますから」私は社交的に切り返した。

袴田は、はたと気づいたようにして私を見つめるなり、目を細めて「いやいや、これは失言、失言」と言った。「何もあなたのことを言ったわけではない。服にはＴＰＯがある、と言いたかっただけです」

いえ、いいんです、わかってます、と言い、私は笑いかけた。その日、私もジーンズをはいていた。

「なにしろ、この家ではこうやって時々、私がお客を招いて食事をするものだからね」袴田はつと私に寄り添って、外を窺いながら耳打ちするように囁《ささや》いた。「中には堅苦しいだけの客もいる。相手がどれほど堅苦しくても、招いたこちら側としては、彼らの教養、彼らの品位、彼らの美意識にできるだけ調子を合わせてやるのが礼儀というものです」

わかります、と私は繰り返し、もう一度、笑いかけた。

明かりが灯《とも》された玄関ポーチに人影が立った。水野に案内されてやって来たその晩の客人だった。見るからに品のいい初老の外国人夫妻で、英語を使って話していたことは覚えているが、どこの国の人間だったのかはわからない。

夫妻は私と正巳を見て、ただの儀礼とは思えない愛想のよさで会釈《えしやく》を送り、袴田に何かを訊《たず》ねた。袴田はそれに答えたが、低い声で、しかも喉《のど》の奥に笑いをにじませていたため、何と言ったのかは聞き取れなかった。

水野は私と正巳に、軽く顎《あご》を引いて会釈をすると、まるで一流ホテルで完璧《かんぺき》な教育を受けたホテルマンのように夫妻に一言ふた言、英語で話しかけ、夫妻が着ていたコートを受け取った。夫は黒のタキシード、妻のほうはきらきら光るラメ入りの、丈の長いシルバーグレーのワンピース姿で、その日の晩餐《ばんさん》が決して中途半端《はんぱ》なものではないことが窺えた。

初枝は顔を見せず、水野がその場をとりしきるようにして客人たちを居間に案内して行った。ついさっきまで、私たちが飲みちらかしたコーヒーのカップや煙草の吸殻が山盛りになった灰皿は、初枝が大慌てで片づけたものらしく、玄関ホールからちらりと見えた居間は、ロココの装飾品であふれかえる、袴田好みのひんやりとした空間に戻っていた。

私は正巳の車で帰途についた。道路は混んでいた。列を成す高速道路の料金所に並びながら、その日の正巳は、どこか憑《つ》かれたようにして、袴田がいかに芝居がかった人間であるか、という話ばかりしていた。

とはいえ、決して彼が袴田を小馬鹿《こばか》にしたり、軽蔑《けいべつ》したり、理解を超える人物だと言っていたわけではない。それどころか正巳は袴田に深い理解を示していた。

「袴田さんが建てたあの家も、袴田さんにとっては芝居なんだよ」と正巳は言った。「あの家は、家全体が彼が演じる演劇のための空間になってる。どの部屋もどのコーナーも全部、きちんと計算され尽くしてる感じがするだろう？　一歩、中に入るとあそこはもう、袴田さんが書いた脚本通りに物語が流れていく演劇の舞台なんだ。僕たちみたいな外部の人間ですら、あの中にいると袴田さんが作り上げたシナリオの一部になっちゃう。もちろん、阿佐緒も水野夫婦も……」

暖かい晩だった。細く開けた窓から流れこんでくる夜の匂《にお》いの中には、少しずつ近づいて来る春が感じられた。

「何のために」と私は聞いた。「何のために袴田さんは、家も人間関係も暮らし方も……人生のすべてを演劇にしたがるの？」

「秩序が欲しいからだよ」正巳は言った。「彼自身が混沌《こんとん》としてるんだ。袴田亮介という人間は、あの人が自分で作り上げた自己イメージの中にしかいないんだよ。現実には存在しないも同然なんだ」

あなたに似ている——そう言おうとして、口を開きかけた途端、料金所の順番が回ってきた。係員に高速チケットと料金を手渡すため、正巳が大きく窓を開け放った。都会の騒音が車内になだれこんできた。私は何も言わずに口を閉ざした。

どこの道路も混雑をきわめていて、五反田のマンションに着いたのは七時過ぎだった。車から降りようとして、私たちは車内で向かい合わせになり、いつものように握手をし合った。

夕食時だった。正巳に何か夜の予定がある様子はなかった。二人でそのまま、どこかに食事に出かけることもできた。

だが、その晩は能勢が来ることになっていた。まもなくだろう、と思うと、どういうわけか、ひどく残念な気持ちに襲われた。能勢に会うよりも、私はその晩、正巳と夜を過ごしていたかった。よほど、このまま正巳とどこかに行って、部屋で待っている能勢には後から電話をかけ、遅くなる旨《むね》を伝えようか、とも思った。

だが、さすがにできなかった。私は正巳と別れ、部屋に戻った。

簡単な食事の支度をし、待っていたが、八時になっても九時になっても能勢は現れなかった。何の連絡もなかった。珍しいことだった。

約束の日を間違えていたのだろうか、と思った。だが、どう思い出してみても、能勢と約束したのはその晩であり、私が聞き違えているはずはなかった。

だとしたら、能勢のほうが勘違いしたか、忘れたか、どちらかしかあり得なかった。

何か突拍子もない事故に遇ったのかもしれない、とか、自分のせいで、家庭でごたごたが起こったのかもしれない、連絡もできなくなるほどひどいトラブルに巻き込まれているのかもしれない、などとはひとつも考えなかった。そうした想像は多くの女を苦しめるものらしい。だが、能勢に関する限り、私はその種の想像に苦しめられたことはなかった。

待つともなく待ってみたが、十一時になるとさすがに待つのもいやになった。私は歯を磨き、寝支度を整えて、ベッドで本を読み始めた。

玄関チャイムが苛立《いらだ》たしげに鳴らされたのは、そんな時だ。能勢だった。

彼は酒の匂いをさせながら千鳥足で玄関に立ったかと思うと、にやけたような、ふざけたような顔をして、やおら私の額を人さし指の先で軽く小突いた。

「誰なんだ？　あの男は。え？」

そう聞かれた瞬間、彼が何を言いたがっているのかがすべてわかった。

だが、私は気がついていないふりをした。

能勢は刺々《とげとげ》しくふざけ始めた。「見たぞ、見たぞ。類子の浮気」

いやね、と私はふくれっ面《つら》をしてみせた。「何の話をしてるのよ」

「青いフォルクスワーゲンだよ。ぴかぴかの。あの中で、いったい何してたんだ。正直に答えなさい」

「あのワーゲンは……」口ごもりながら、私は内心、慌ただしく想像をめぐらせた。私がワーゲンの中で正巳と握手を交わしていた時間帯に、能勢はどこかでその光景を目撃していた様子だった。

私が見知らぬ男と親しげに車の中で長々と握手をしているのを見て、能勢はそのままどこかに姿を消し、しこたま酒を飲んで気分をまぎらわせ、それでも家に帰る気がしなくなってこうやって深夜、私のところに舞い戻って来た……そう考えると、可笑《おか》しくもあり、気の毒でもあり、同時に鬱陶《うっとう》しくもあった。

その鬱陶しさは、独占欲を働かせて女をなじってくる男に対して抱く鬱陶しさではなかった。正巳が原因で能勢を失うことになるかもしれない、と案じるところから生まれる鬱陶しさだった。

私はそのころまだ、能勢を失いたくなかった。いや、正確に言い直そう。能勢の身体を失いたくなかった。

「正直に言えよ。正直に言ったら許してやる。二度と同じことは聞かない」

どこかで何度も何度も、何百回も何千回も練習してきたような言い方だった。

私は彼に向かって笑いかけ、「中学時代の同級生よ」と言った。「精神分析のお医者さんと結婚した私の友達を知ってるでしょ？　小石川後楽園でばったり会った……。今日、彼女のところに遊びに行ったら、偶然、彼が来てたのよ。家が池上で、私のところと近いからって、帰りに送ってもらったの。どうして見てたのに声をかけてくれなかったの？　今までどこに行ってたの？　なんでそんなに酔っぱらってるのよ」

能勢は怒ったような顔をして、だらしなくゆるめた紺色の細いネクタイを首からむしり取ると、私に顔を近づけ、低い声で呻《うめ》くように言った。「馬鹿野郎。僕が酔っぱらってるのはね、きみが僕以外の男の車に乗って、嬉《うれ》しそうにしてたからだよ」

私は黙っていた。彼の吐く息はひどく酒臭かったが、それでも私の鼻はその息の匂いの中に、いつもの彼の、性の営みを始めようとする時の甘い水のような香りが混ざっていることを嗅《か》ぎ取っていた。

「最近、きみは少しおかしい。いや、否定しなくたっていいよ。ほんとにおかしいんだから」

「おかしくなんかないわよ」

「いいや、おかしい。僕はこれでも勘がいいんだ。なんか変だ。なんかがおかしい」

「いったい全体、何が言いたいの。はっきり言ってちょうだい」

「別に、何も言いたくはないよ」彼は吐き捨てるように言った。「言いたいことなんか何もない。知らぬ存ぜぬを通していれば、それで済むことなんだ。それはわかってる。だから、ここに来るつもりもなかったんだ……でも、来てしまった。情けないね。馬鹿馬鹿しくて涙が出る」

能勢は顔を歪《ゆが》ませた。この人は本当に泣き出すのではないか、と怖くなった。こんなところで、こんな話で、さめざめと泣かれたら、と思うといやになった。

自分と能勢とが、こうした諍《いさか》いを起こすことになろうとは考えてもみなかった。彼が正巳に嫉妬《しっと》して、私を前に酔っぱらって泣きだしたりしたら、能勢への執着はいっぺんに消え去ってしまうだろうとも思った。

だが、そうとわかっていて、私の能勢に対する執着は依然として強かった。たとえ性の交わりだけを目的にする相手だったとしても、それはそれで、私にとってかけがえのない相手だった。能勢の代役は誰にもできそうになかった。能勢はあくまでも能勢だった。

私は言った。「こんなところに立ってないで上がったら？」

能勢は恐ろしくゆっくりと首を横に振った。まるで早く首を振ると首がもげそうだと言わんばかりだった。

「いや、もう帰るよ」

「コーヒーだけでも飲んでいかない？」

それには答えずに、能勢は血走った目をして私を睨《にら》みつけ、やおら乱暴な手つきで私の顎をひねり上げた。私の身体が大きく傾き、玄関脇《わき》の壁に押しつけられた。

怖くはなかったが、痛かった。痛い、と私は小さく叫んだ。

顎に彼の指が食い込んだ。彼の唇が近づいてきた。彼が目を大きく見開いたまま、私の目を舐《な》めまわすように覗《のぞ》きこむのが感じられた。

乱暴な接吻《せっぷん》の嵐《あらし》が始まった。湿ったような、乾いたような彼の唇が、鳥の嘴《くちばし》のように固くなって私の顔をついばんだ。

そしてそうしながら彼は、私の腰、尻《しり》、胸を順番に、暴力的な感じのする、それでいてひどくなまめかしい、湿った指使いで愛撫《あいぶ》し始めた。強烈な痛みにも似たものが、私の身体《からだ》の中心を火柱のように貫いた。それが何なのか、よくわからなかった。わからないというのに、喘《あえ》ぎ声が喉元までこみあげた。私は身体をよじってそれをこらえた。

能勢は片手を私の脇の下にさしこんだ。その手がパジャマの上から強く乳房を揉《も》みしだいたと思ったら、次の瞬間、彼はぱっと恐ろしいほどの速さで身を引いた。そして自分が愛撫していたものが不吉な、嫌悪《けんお》すべきものだったと初めてわかったかのような、沼のように静まり返った目で私を一瞥《いちべつ》すると、いきなり玄関ドアを開けて外に飛び出して行った。

呼び止める間もなかった。能勢の靴音が廊下に聞こえ、その音も次第に遠くなり、やがて何も聞こえなくなった。

私は玄関先に立ったままでいた。悲しくはなかった。怒りも生まれてこなかった。驚きも不安も何もなかった。私の中にはただ、疼《うず》き、くすぶり、燃え続けるような欲望が行き場を失って残されただけだった。

何かを考えるのも面倒だった。私はドアに鍵《かぎ》をかけ、ドアチェーンをおろし、ベッドに戻った。しばらく目を閉じていたが、眠れそうになかった。

起き上がってウィスキーをグラスに注ぎ、ストレートで飲んだ。飲みながら窓の外の桜の木を見ていた。酔いは回ってこなかった。

能勢が自分に嫉妬している、という事実が滑稽《こっけい》なことに思えてきた。

あなたの疑っている水色のフォルクスワーゲンの持主は、スタンプテストで一枚も切手のミシン目を破ることのできない人なのよ……そう教えたら、能勢はどう反応するだろうか。それでもやはり嫉妬するのだろうか。嫉妬するのだとしたら、いったい何に嫉妬するというのだろう。決して肌を合わせることのできない男を慕う女は、能勢のような立場の男を嫉妬にかりたてることになるのだろうか。だとすれば、その嫉妬の源は何なのか。

三島由紀夫が自決した日以来、私はその晩までただの一度も、正巳の家に電話をかけたことはなかった。正巳からもかかってきたことはなかった。だが、その晩ほど、正巳の声を聞きたいと思ったことはなかった。

深夜零時をまわっていた。私は意を決してアドレス帳を開き、正巳の電話番号を探した。他の人が電話口に出たら、切ってしまうつもりだった。

三度ほどのコール音の後、正巳本人が受話器を取った。ひどく眠そうな、嗄《しわが》れた声だったが、不機嫌な感じはしなかった。

「ごめんなさい、こんなに遅く」私は言った。

「誰？」彼は聞いた。警戒しているような声ではなかった。それどころか、何かを熱っぽく期待しているような声だった。

それとはわからないほどかすかな失望が、私の中に根をおろした。胸に痛みにも似たものが走った。だが、その痛みは甘美な痛みでもあった。「阿佐緒じゃなくてごめんね。私よ」

「類子？」

「そう。寝てた？」

「いや、まだ寝てない。本を読んでた。どうしたの？　何かあったの？」

「ううん、何も」私は大きく息を吸い、彼が読んでいたという本の題名を訊ねた。私の知らない著者によって書かれた、社会科学系の本だった。

何かその本について、共通の話題を探そうとしたのだが、できなかった。他の本の話題も出てこなかった。私は口を閉ざした。束の間《つかのま》、受話器の奥に気詰まりな沈黙が流れた。だがそれは、話したいことが山のようにある時の、火照《ほて》ったような沈黙でもあった。

「明日、一緒にご飯でも食べない？」私は一息にそう言った。

言ってから、思いがけないことを口にした、と自分でも驚いた。そんなつもりで電話をしたのではなかった。誤解されたくなかった。だが、いったい何を誤解されるというのだろう、と考えると、自分でもわけがわからなくなった。

私の狼狽《ろうばい》をよそに、正巳は「いいね」と即座に応じた。「ほんとのこと言うとさ、今日の夜、きみを送ってった時、食事に誘おうかどうしようか迷ったんだ」

「誘ってくれればよかったのに」

「うん」

「今日は一人で食事をしたわ」

「なんだ。それなら誘うんだった」

胸の中に温かな漣《さざなみ》が広がった。その漣は、それまで私の中にくすぶっていた欲望……能勢によって火を放たれ、みじめな燃えさしのようになっていた欲望の名残りを一瞬にして消し去った。

「袴田邸の晩餐《ばんさん》会のようなわけにはいかないけど」と私は言った。「気楽なところで何か食べましょう」

「うん。でも〝クララ〟はごめんだよ」

「え？」

「あの店に行くと、どうしても調子が狂う。あの髭《ひげ》づらのおっさんは、僕に気があるみたいなんだ」

私は笑った。笑いながら、私もよ、とつけ加えてみたい衝動にかられた。

本当にそう口にしていたとしたら、あの時、正巳はどう応《こた》えてきただろう。困惑を隠そうと、芝居がかったくすくす笑いを続けながら「何を馬鹿《ばか》なことを言ってるんだよ」と言ってきただろうか。そして私は、蓮《はす》っ葉《ぱ》な口調で即座に、「冗談に決まってるじゃない」などと言い返していただろうか。初潮をみたばかりの少女と、自慰に明け暮れる少年のような幼稚な会話……。

「明日は車で行くのをやめるよ」正巳は言った。「酔っぱらいの阿佐緒もいないことだし、類子と二人でしんみり飲もうか」

穏やかな幸福感が全身をかけめぐった。私たちは翌日の夕方、渋谷で会う約束をしてから電話を切った。

3

翌日、朝から私は鏡を見ていた。外出前にそれほど長い間、鏡を覗きこむことは滅多にないことだった。

能勢からいつも、きみは着痩《きや》せする、と言われていたが、服を着ている私は痩せているというよりも、貧弱に見えた。確かに同年代の女たち同様、裸になれば相応の贅肉《ぜいにく》はあったが、服の上からはわからない。阿佐緒はどれほど身体の線の目立たない服を着ても、ふくよかな、たわわな実りを感じさせる肉の厚みがあった。だが、私にはそれがなかった。

それがないことが昔からのコンプレックスになっている、と思うと、かえって気になり始め、私は何枚ものセーター、スーツ、ジャケットなどに着替えて、そのたびに鏡を右から左から覗きこんだ。そうしながら、前日、袴田邸で正巳が阿佐緒を見つめていた時の火照ったような視線を思い出した。

あの視線は、正巳の性の観念が作り上げた視線なのだ、と思うと、息苦しくなった。例えば、能勢は決してそんな目をして私を見ることはなかった。能勢に限らず、私の知っている男たちは皆、気になる女、欲望をそそられる肉体を前にして、あんな目をすることは決してなかった。

健康な性機能を持っている男たちは、どれほど非現実的な美しい乳房やうなじ、官能的な腰つきを見ても、それが現実のものであることを認識している。たとえそれが雑誌のグラビアや映画の中の一シーンにすぎないものであったとしても、その肉体が人形や絵に描かれた架空の図柄などではない、現実にどこかに存在する肉体なのだということを知っている。

彼らの自慰は、したがってひどく現実的である。空想の肉体ですら、彼らにとっては現実の延長線上にあるものなのである。だからこそ、射精後の性的興奮がおさまれば、それですべてが再び、平常に戻る。

だが、正巳はそうできなかった。彼にとって美しいもの、そそられるものはすべて、初めから架空のものにすぎなかった。射精機能がないというだけでなく、性の対象が現実のものであるという認識が持てないからこそ、彼の興奮は、果てることがない。彼自身がその対象に倦《う》むまで永遠に続く。

そんな彼は、私にとって途方もなくエロティックだった。彼の性は始まりもない代わりに、終わりもないのだった。彼の阿佐緒に向けた熱情は果てることがないのだろう、と思えば思うほど、私は彼に強く引きつけられた。彼を欲し、彼の見るもの、彼が触れるもの、彼が聞くもの、彼が感じるもののすべてを共有したいと思った。それは異様な病的な昂揚感《こうようかん》を私にもたらした。

阿佐緒と比べて遥《はる》かに見劣りするこの身体を見て、彼はどう思っているのだろう、と私は鏡を見ながら考えた。彼の中で位置づけられた私自身が知りたかった。恋や熱情や、それに類するあらゆるロマンティックな感情を抜きにして、彼が私という人間を見る時のまなざしの深さ、奥行きを知りたかった。

私は結局、その晩の装《よそお》いをセーターにスカートというありふれたものに決めた。春近い季節に着るようなセーターではなく、厚手の丈の長いものを選んだのは、それを着ると毛糸の厚みのせいで貧弱さが隠され、おまけにいくらか胸が豊かに見えるからだった。

渋谷で待ち合わせをした正巳が私を連れて行ったのは、青山にある大きなレストランバーだった。今ならさしずめ、カフェバーとでも呼ぶのだろうか。あのころはまだ、そんな呼び名もなく、地下に向かう狭い秘密めいた階段の外に、チューブネオンでかたどった、アメリカ風ともヨーロッパ調とも言えない、洒落《しゃれ》ているのか、けばけばしいだけなのかよくわからないような看板が出ていた。

店は私たちと同世代とおぼしき男女で賑《にぎ》わっていた。幾つかのボックス席とカウンター席の他に、二十人ほどが一度に座れる巨大な円形のテーブルが二つ。テーブルの中央は丸くくり貫《ぬ》かれ、中に背の高い観葉植物がいくつも置かれていた。

私と正巳はその円形テーブルに席をとり、何品かの料理を注文してからビールを飲んだ。天井が高いのと、隣の席との間隔が保たれているせいか、店内の喧騒《けんそう》はざわざわと遠い蜂《はち》の羽ばたきのようにしか聞こえなかった。羽ばたきの合間に、ジャズが流れ、紫煙が渦巻いた。すぐ隣の至近距離に、大勢の人間がいて、その大半がカップルである、という風景が、私の中にあった緊張感をいくらか和らげてくれた。

実際、私はひどく緊張していた。正巳と二人、大勢の客に混じって肩を並べて椅子《いす》に座り、食事をし、酒を飲むことの何が、自分をそんなに緊張させるのかわからなかった。自分の部屋の、あるいはどこかのいかがわしいホテルの一室で、正巳と裸でベッドに腰を降ろすことがあったとしても、これほど緊張はしないだろう、とさえ考えた。

「類子は酒に強いね」と正巳は私を見た。「いつもびっくりしながら見てたんだ。ひょっとしたら、僕より強いかもしれない」

「勝負してみる？」

「いや、やめとく。面倒をみるのは阿佐緒だけでたくさんだ」

私はビールからジントニックに切り替え、さらにジンライムを注文し、それらのありふれたカクテルが、学生時代、いかに魅力的に思えたか、ということについて話した。緊張を解くための饒舌《じょうぜつ》、ごまかすための飲酒だったはずなのに、空腹に流し込んだジンが効くのは早かった。酔いは驚くほど早くまわり、私はまもなくうるんだような世界を漂い始めた。

酔っている、という自覚もなく、気がつくと私は緊張感から完全に解放されていた。そしてまもなく、他の一切の風景は消え、時間は止まり、音も途絶え、正巳だけが自分の目の前にいるのではないか、という幸福な錯覚の中に溺《おぼ》れ始めた。

先に阿佐緒の話を始めたのは私のほうだった。彼女に対する肉欲を具体的に語るよう、正巳をそのかしたのは私だった。彼はそう仕向けられたから語ったに過ぎない。そう。あの話は、彼から話し始めたのでは決してなかった。

「阿佐緒の顔、髪の毛、うなじ、胸、お尻、足、手……この中で一番、あなたが色っぽいと思ってるのはどこ？」私は聞いた。

しばし考えて、正巳は答えた。「どれでもないな」

「わかった。じゃあ、私が当ててみせる。阿佐緒の顎《あご》、阿佐緒の産毛の生えたほっぺたの頬骨、阿佐緒の鎖骨、ええとそれから……阿佐緒の指の関節、背骨、肋骨《ろっこつ》……」

「骨ばっかりじゃないか」

「骨ってエロティックだもの。固いのにきれいに曲がるし、見えるようでいて絶対に見えない。そのくせ、触るとこりこりしてて……」

そう言いながら、ふいに私は、かつて演劇部の大熊が、私の剝《む》き出しの腕をつかみ、骨をこりこり動かすのが好きだったことを思い出した。万年床の汚れた布団《ふとん》の上で、窓からさしこむ細長い光に私の腕をかざし、大熊は「類子の骨。感じるよ、感じるよ」と繰り返したものだった。

「でも、骨とはセックスできないよ」正巳は笑いをにじませながら言った。

私は彼を見た。彼は唇の端に笑みを浮かべたまま、背筋を伸ばした。「色っぽさっていうのはさ、多分、その女の人の性器を指して言うんだよ。僕はそう考えてる」

「性器？　ちょっとグロテスクね」

「ちっともさ。阿佐緒の性器を見てごらん。色っぽいじゃないか」

「……見たことあるの？」

馬鹿、と言って彼は身体《からだ》を傾け、肩を揺すりながら可笑《おか》しそうに笑った。「あるわけないだろう？　想像だよ」

「見たこともないのに、どうやって想像するのよ」

「僕には見えるんだ。食べごろの、水をいっぱい含んだ無花果《いちじく》みたいなもんだよ。触るとぼってりしてて、甘そうで、思わず薄皮を剝《は》いで中身を口に含みたくなる。でもふだんは、何重にも下着やらストッキングやらで被《おお》われてて、そのくせ、心臓の鼓動といっしょに、ずきんずきん、って、わけもわからず始終動いてるようなね、そんなやつ。阿佐緒を象徴してるのはそれさ。他にはなんにもない」

「すごい話になってきた。ぞくぞくするわね」私は腕に鳥肌が立ったふりをしてみせた。

「例えばね、阿佐緒のおっぱいは同性の私から見ても、思わず触っちゃいたくなるくらい色っぽいのよ。唇も、背中の線も脇腹《わきばら》の線も。そういうものが阿佐緒の象徴なんじゃないかと思ってた」

いや違う、と正巳はきっぱりと言った。「わかりやすく言えばね、阿佐緒は存在そのものが性器なんだよ。おっぱいとかお尻《しり》とかどこかの線とか、そういうものは全部、性器の中に含まれてる。阿佐緒の場合は、肉体すべてが性器なんだ。それだけなんだけど、それ以上、何が必要なんだろう。何も必要じゃないよ。彼女が口を開いて何か喋《しゃべ》るたびに、僕には性器がぱくぱく動いてるみたいに思える。彼女が歩くと、僕には性器が歩いてるみたいに見える。いいだろう？　最高じゃないか」

そう言ってから彼は手にしていた煙草《たばこ》を灰皿でもみ消し、火の消えた吸殻を落ちつかなげに崩し始めた。煙草の葉がほろほろと灰皿の中にこぼれ落ちた。

「昔から？」と私は静かに聞いた。「中学時代からそう思ってたの？」

「あのころの僕は、まだ事故にあってなかったからね。ふつうの少年みたいに、阿佐緒の裸を思い浮かべてオナニーしてただけさ」

私が黙っていると、正巳は、ははっ、と声高に笑い声をあげた。「阿佐緒と会うたびにね、僕はいつもはらはらするんだ。阿佐緒の喋ることなんか、半分も聞いてない。どうだっていいんだ、そんなこと。阿佐緒が何を喋ろうが、阿佐緒の価値は変わらないんだよ。僕は彼女の目の動きとか、指先とか、唇の皺《しわ》とか、そんなものばかり見てる。それで、ああ、いけないな、こんなに生々しい性器を隠しもしないで公衆の面前に出したりしたら、問題だよな、なんて考える。いつだったか、酔っぱらった阿佐緒の全身を包めるような、でかいパンツを被《かぶ》せてやりたくなって困ったよ。卑猥《ひわい》だもんな、阿佐緒は。うん。いるだけで卑猥だ。存在そのものが猥褻《わいせつ》なんだ」

正巳はそれから、阿佐緒に対する欲望を具体的に語り始めた。阿佐緒、と口にしてみるだけで、阿佐緒とのセックスが連想される、と彼は言った。赤ん坊を欲しがる阿佐緒に、休む間もなく何度でも孕《はら》ませてやる自分を思い描くと、世界のすべてのことに勝利したような感覚を味わえる——とも彼は言い、阿佐緒の持つ天性のエロティシズムの最後の到達点は、妊娠して臨月を迎えた時のその肉体だろう、と断言した。

それはまるで、火のついた導火線が、爆破の一瞬に向かう時のように、狂おしく一途《いちず》な感じのする喋り方だった。阿佐緒、阿佐緒、阿佐緒……正巳の口から、繰り返しその名が飛び出した。彼の頬は火照《ほて》り、目は輝き始め、憑《つ》かれたように続けられる阿佐緒の性的な分析は、とどまるところを知らなかった。

「袴田さんが、どうして阿佐緒を孕ませてやらないのか、不思議だね」正巳は椅子にのけぞるようにしながら言った。「阿佐緒はね、精液を飲みこんで、赤ん坊を孕むために生まれてきた女なんだよ。猥褻な女はたくさんいるけど、中でも、多分、そういう女が一番、猥褻なんだ。その猥褻さがどれほど偉大なことか、どれほど美しいことか、袴田さんには多分、わかっていない。外側の美を誰よりも深く理解する才能があるくせに、あの人は性的なこととなると、まるでオクテだからね。性的なことっていうのは、ものすごく単純なことなんだよ。単純だから美しい。袴田さんは、あんなに頭がいいのに、どうしてそういう簡単なことがわからないんだろう。不思議だよ」

「正巳はきっと、何度も何度も阿佐緒を孕ませたんでしょうね」私は言った。「阿佐緒はあなたとの間に、十人の赤ん坊を作ったわ」

「十人じゃきかないな」正巳は言った。「確かに阿佐緒と会うたんびに、僕は全身をペニスにして中に入っていくんだけど、満たされることなんかないんだ。阿佐緒の性器の襞《ひだ》には、奥のそのまた奥の襞が控えてて、そこに行き着くと、またその奥の襞が見えてくる。きりがない。無限の欲望が生まれてきて、恐ろしいことにそれには終わりがないんだよ。僕にもし射精能力があったとしたら、阿佐緒は僕の子供を繰り返し宿すだけで一生を終えたかもしれない」

私はうなずいた。物憂《ものう》い飢餓感のようなものが身体の奥深くに芽生えるのがわかった。だがそれは、生々しい飢えではなく、あくまでも頭で感じるだけの飢えに過ぎなかった。ひどく官能的な気分なのに、身体はさらさらと乾いている——そんな気がした。

「僕は今、品のない話をしてるみたいだね」正巳はふと、我に返ったかのように声を落とした。

私たちの前に置かれてあった小さなハート型のガラスの灰皿には、煙草の吸殻が山盛りになっていた。近くを通りかかった若い女の従業員が、灰皿を取り替えるために寄って来た。

失礼します、と娘は舌ったらずの口調で言った。私たちは彼女の銀色のマニキュアを塗った手が、吸殻の入った灰皿を空の灰皿に移し換える作業を見るともなく見ていた。

「品がない？　そうでもないわ」娘が立ち去って行ってから、私は言った。

「酔ったのかな。どうしてこんな話になっちゃったんだろう」

「私がいろいろ質問したからよ」

「いや、違う。僕が勝手に喋ってただけだ」そう言って、彼はそっと私のほうを見た。

「気を悪くしないでほしい」

「どうして私が気を悪くするのよ。面白い話じゃないの」

彼はゆっくりと首を横に振った。「面白くなんかないよ。下品な話だ。くだらない話だよ」

わずかな沈黙が広がった。私が何か話そうとして口を開きかけた時だった。正巳は低い声で、早口につけ加えた。「ごめんよ、類子」

類子……と呼びかけてくれたことが、私の中の何かを強く揺さぶった。説明のつかない切なさが、私の胸を熱くさせた。

「そんなことであやまったりしないで」私は、酔いのもたらすめまいのような心地よさに身をまかせながら、一息に言った。「あなたが考えたり感じたりしていることを知るのは嬉《うれ》しいのよ。あなたのことをね、私はもっともっと知りたいと思ってる。だからどんな話でも——下品でくだらなくてうんざりするような話でも、あなたと話す話は何でも楽しいのよ」

わずかな沈黙の後、正巳は言った。「僕もだよ」一瞬の煌《きらめ》きのような視線が、私の視線と絡《から》み合い、消えていった。

束《つか》の間《ま》のことではあったが、その時、私は彼に触れたい、と思った。ブルーグレーのセーターを着ていた彼の、美しい筋肉に被われている腕、肩、胸、そして熱っぽい言葉を紡《つむ》ぎだす、形のいい唇に触れてみたい、と強く思った。

触れれば彼がもっと深くわかるような気がした。言葉を尽くせば尽くすほど、相手がわからなくなる時のような、そんなもどかしさが私の中にあった。

だが、それは決して、性的な渇望《かつぼう》を呼びさます種類のもどかしさではなかった。その証拠に、その晩、帰りがけに、正巳と店を出て、初めて軽い抱擁をし合った時も、私の肉体は、性的興奮という意味において、ほとんど無反応だった。

酔っていたから？　そうだろうか。そのせいで、欲望に火がつかなかったのだろうか。それとも、私の正巳に対する欲望が、初めから抑えられていたからなのだろうか。

答えは永遠に出そうにない。現に、今になっても私はまだ、あの時の自分、あのころの自分が正巳に対してどのような形の欲望を抱いていたのか、正確に分析できずにいる。

午前一時をまわっていた。会計を済ませ、店の狭苦しい急な階段を二人並んで上りながら、私たちはどちらからともなく立ち止まり、顔を見合わせて、若者らしい、いたずらっぽい笑みを交わし合った。

階段をあがったところに、舗道が見えた。私たちが店にいる間、雨が降りだしたらしく、路面はぎらぎらと光っていた。時折、通行人の足が視界を横切った。車の音が遠くに聞こえた。

「類子」と正巳は囁《ささや》いて、ふいに片手で私を胸元に抱き寄せた。「きみが好きで好きでたまらない」

突然のことだった。驚きも何もなかった。私はされるままになっていた。

短い、呆気《あっけ》ない抱擁だった。足が大きくもつれた。彼は私をもう一度、強く支え、「危ないよ」と言って笑った。

正巳の着ていた革のブルゾンが、私の体重を支えようとして、きゅうきゅうと子鼠《こねずみ》の鳴くような音をたてた。その音が路上の雨の音と重なった。

階段を上がり、舗道に出て、私たちはタクシーが来るのを待った。冷たい霧雨が降っていて、日曜の深夜、街のネオンはおぼろに儚《はかな》げに霞《かす》んで見えた。

類子、類子……と何度か正巳に呼びかけられたことは覚えている。私はあの晩、いったい何杯のカクテル、何杯のビール、何杯の水割りを飲んだのだろう。覚えていない。

生まれてこのかた、あれほど酔ったことはなかった。意識を失うほど酔っていたというのに、私は朦朧《もうろう》とした視界の中でしっかりと、正巳だけを見ていた。正巳の声だけを聞いていた。

五反田に着き、部屋まで送る、と言ってくれた正巳を断って、タクシーを降りた。どうしてそれほど強硬に断ったのか、自分でもわからず、今夜はもう充分だ、充分、彼との逢瀬《おうせ》を楽しんだ、とそれだけを念仏のように繰り返して、気がつくと朝になっていた。着ていたものを何ひとつ脱がず、片方の靴がベッドの中にあり、もう片方の靴はどういうわけか、バスタブの中に放り込まれてあったのが可笑しかった。

濃いコーヒーを飲み、アスピリンを飲んでシャワーを浴びた。出勤の準備をしていると、電話が鳴った。能勢だった。

「電話したんだ」と彼は言った。「ゆうべは遅かったみたいだね」

出勤途中の公衆電話からかけている様子だった。受話器の奥から、絶え間なく車の行き交う騒音が伝わってきた。

「友達と飲みに行ってたの」私は言った。言った途端、頭がずきずきと痛み、軽いめまいがした。下着姿の自分が、鏡に映っていた。つけかけたブラジャーのホックがはずれ、乳房が剝き出しになっている。

「こないだのこと、悪かった」能勢は言った。「あやまろうと思って、それで電話した」

どう答えるべきか、黙っていると、能勢は「今夜行く」と言った。「いい？」

私は目を閉じた。私は自分が決して、能勢の申し出を断ることができないとわかっていた。

「今、着替えてたの」私は言った。「裸なのよ」

寒いから電話はもう切る……そう言いたかっただけなのだが、能勢は誤解したらしかった。彼は、ああ、類子、と言った。「今夜行くよ。必ず」

電話は一方的に切れた。私は受話器を戻し、鏡に向かってブラジャーのホックを留めた。

その晩、能勢がこの部屋に来て、同じブラジャーのホックをはずす時のことを考えた。考えながら、同時に、類子、と呼びかけてきた前夜の正巳の声が思い出された。正巳は言ったのだ。きみが好きで好きでたまらないと。

ふいに私は引き裂かれるような思いにかられ、天井を仰いだ。

4

能勢との肉のつながりが以前と変わらずに続けられ、逃れられない袋の鼠のようになればなるほど、反比例するかのようにして、私は正巳を求め、必要とし、恋い焦《こ》がれるようになった。焦がれる度合いは日ごと夜ごと、強まった。そして、正巳に焦がれれば焦がれるほど、私は片方で能勢を必要とした。

正巳と深い精神の交合を交わすと、得体の知れない、肉体の疼《うず》きのようなものが残された。その疼きを私は能勢の腕の中で鎮《しず》めた。

能勢との間で肌の疼きを鎮めると、次に意識の中にぽかりと空洞が残されたのがわかる。私はその空洞を埋めるために、再び正巳を求めた。自分が真っ二つに分裂していくのがわかった。

昼間、学校の図書館にいて、本の整理をしている時など、ふと、能勢と出会った日のことを思い出す。この世界史の専門書の棚のあたりで、かつて能勢と腰をかがめたり、伸ばしたりしながら、一冊の本を探したことがあった……そう考えながら、その時の能勢が着ていた真っ白な木綿のシャツの、脇の下のあたりに、脇腹の筋肉をなぞるような皺ができていたことを妙にはっきりと思い出したり、近づいて来た時にふわりと漂った彼の甘酸《あまず》っぱいような体臭を思い出したりした。

かと思えば、図書館の、小暗い一角にある国文学の棚を見るともなく見ながら、三島由紀夫の著作を探し、その背表紙に指を這《は》わせては、正巳のことを思い描く。袴田邸の書庫で、三島の『天人五衰』の本を手にしていた正巳とどんな会話を交わしたか、その一つ一つをまるで今、目の前で聞いている言葉のように再現させてみる。

そんな時、私は密《ひそ》かに正巳の不在を味わう。性の火照りの何もない、静かな、それでいて文字通り、焦がれるような正巳への思いがつのる。

　会いたい、会って彼の顔が見たい、彼の声が聞きたい、話がしたい、と願う。だが、願うのはそれだけだった。もしも正巳に性の力が甦《よみがえ》ったとしたら、という仮定法を使って、私が彼を思うことはなかった。誓ってもいい。そう思うことは決してなかった。彼は初めから、私にとって性的存在ではなく、そうではないゆえに、いっそう私を狂おしい思いに駆り立てたのだった。

　正巳から手紙が届いたのは、青山のレストランバーで会い、私が泥酔《でいすい》した日の五日後のことである。君と過ごす時間は、本当に僕にとってかけがえがない――手紙にはそう書かれてあった。

　私は繰り返し、何度も何度も手紙を読んだ。行間に隠された意味を探す必要は、もうなかった。「僕がまともな男だったら」と彼は書いていた。「君を真剣に口説いていただろうと思う」と。

　これが恋文ではないのだとしたら、いったい恋文というのは何なのだろう、と私は考えた。顔が火照り、じっとしていられない衝動のようなものに駆り立てられた。

　翌日は土曜日だった。午後から時間は空く。正巳もまた、同じであればいい、と願いつつ、手紙を受け取ったその晩、九時過ぎに私は彼に電話をかけた。

　正巳は父親と共に、何か造園業者関係の会合に出かけていて留守だった。電話に出てきたのは秋葉家の住み込みの家政婦だった。東北訛《なま》りの残る嗄《しわが》れ声の女で、女は正巳のことを坊っちゃん、と呼び、正巳の父親のことを親方さまと呼んだ。遅くなってもかまわない、しばらく起きているので電話をかけてほしいと伝えてください――そう頼んだ。

親方さまのほうですか、と聞かれ、いいえ、正巳さんのほうです、と答えた。女は愛想よく「はいはい、わかりました。そうお伝えします」と言い、電話を切った。

水の音に消されて電話の音が聞こえなくなると困るので、私はキッチンで洗いものをする時、寝室から電話機を引っ張ってきて、流しの足元に置いた。トイレに入る時は、バスルームの扉を開けておいた。

十一時を過ぎても電話はなかった。私はベッドで電話機を横に置きながら本を読み始めた。文章は頭に入らず、何度も何度も同じ箇所を読み返す。どうしてこんなに気が散るのかと、そう考えるそばから正巳のことが浮かんできて、彼が私に語った独白めいた言葉の数々、手紙の中の文章の一文一文が、活字の代わりに私の頭の中を充《み》たし、渦を巻いた。

なかなか電話がかかってこないことに対して、苛立《いらだ》つ気持ちはまるでなかった。電話がかかってこないことの理由をあれこれ考え、詮索《せんさく》することもなかった。

あのころの私は、いついかなる時でも、静かに正巳を待っていることができた。電話をかけるのに半年待ってほしい、と言われれば、私は半年の間、何の疑念も不安も抱かずに待つことができただろう。

電話機のそばに横になったまま、私はぼんやり電話機を見ていた。電話機はありふれた黒のダイヤル式のものだった。この黒いかたまりの、奥の奥のずっとはるか彼方《かなた》に正巳がいて、そのうちこの電話機をチリンと鳴らしてくれるのだ、と考えた。胸の底に温かな波が打ち寄せた。いつのまにか私はそのまま眠りに落ちていた。

翌日の土曜日、私が出勤すると、一足早く来ていた同僚の司書が「青田さん、電話」と言って、目配せしながら私に受話器を手渡した。片手で送話口を被《おお》い、「男の人」と彼女は意味ありげに笑みを浮かべてみせた。「二度目よ。十分前にもかかってきたの」

ドーム型の図書館には、窓硝子《ガラス》を通して春めいた光がさんさんと射《さ》し込んでいた。私は同僚たちに背を向け、あふれる思いを喉《のど》の奥に飲みこみながら、つとめて平静さを装《よそお》った声で、もしもし、と言った。

「おはよう」と言う正巳の声がした。「ゆうべは電話しないで悪かった。家に戻ったのは十一時ころだったんだけど、家政婦のおばさんが、誰からの電話だったのか、聞かずに電話を切っちゃった、って言うんだよ。おまけに、親父《おやじ》あてにかかってきた電話だったはずだ、なんて言い張ってさ。今朝になって、問い質《ただ》したら、そういえば、電話は僕あてのものだったかもしれない、なんて言いだして……。参るよ、ほんとに」

幸福のあまり、可笑《おか》しさがこみあげてきた。「そういえば、私の名前を聞かれなかったし、私も名乗るのを忘れてたかもしれない。親方さまにですか、坊っちゃんにですか、って聞かれて、その時は正巳さんにです、って言ったはずだけど……」

「あのおばさん、住み込んで二年になるのに、相変わらず僕の名前を覚えないんだ。いまだに〝坊っちゃん〟だからね。いやになる」

「でも、どうして」と私は聞いた。「私からの電話だった、ってわかったの？」

一秒の何分の一かの間があいた。彼は言った。「……わかったんだ」

そう、と私は言った。烈《はげ》しい熱情のような、それでいて、遠い日の、静かな、懐《なつ》かしさを伴った幸福感が私の中に音もなく、洪水のように押し寄せた。

「さっき、きみのマンションに電話してみたんだよ。でも出かけた後だったみたいで……」

「手紙、ありがとう。ゆうべはそれが言いたくて、電話したの」

長話はできない。同僚たちはすでに仕事に取りかかっていた。

「類子」と正巳が言った。「今日、会える？」

思いがけない申し出だったので、私は黙りこんだ。その沈黙を正巳は誤解したようだった。

「いや、予定があるんだったらいいんだ。僕はこれから仕事に出るんだけど、三時には終わる。きみさえよかったら、きみの勤めている図書館を覗いてみようか、と思っただけだよ」

「覗《のぞ》いてちょうだい」私は同僚たちの耳を意識しながら、口早に言った。「今日は土曜日で図書館は午前中で閉めちゃうけど、あなたが来るまでここで待ってる。場所はわかるでしょう？　何時ころになる？」

「車で行くから、四時には着けると思う」

わかった、と私は言い、手短かにキャンパス内にある来客用駐車場の場所と、図書館の裏にある通用口の入り方を教えた。

私が受話器をおろした途端、同僚が館内の吹き抜けになっている天窓につけられた電動シャッターのスイッチを入れた。窓の向こうから、煌《きらめ》く光が波のように押し寄せて来て、それは幾筋もの輝く針の束となり、私の目を柔らかく射た。

正午に図書館を閉め、同僚たちが帰って行った後、私は学生食堂で昼食をとり、しばらく構内を散歩してから再び図書館に戻った。四時まで時間をつぶすのはたやすいことだった。私は誰もいない図書館で本を読み、インスタントコーヒーを入れ、少しずつ傾いていく三月の太陽が館内の硝子窓を左から右に移動していくのを眺めていた。

三時半になって、ふと未返却の本をチェックする仕事が残っていたことを思い出した。

私はボードを片手に開架式の棚を見て回り、返却されていない何冊かの本と貸出カードを照合する作業を始めた。

胸の高鳴りは、終始、消えることはなかったが、かといって落ちつきを失って、集中力を欠くほどではなかった。私は十五分に一度、腕時計を覗いた。待っている悦《よろこ》びだけがあった。

四時少し過ぎ、窓の外に水色のフォルクスワーゲンが見えた。私は窓枠《わく》に寄りかかりながら、ワーゲンが来客用の駐車場の端に停まり、正巳が降りて来てドアロックをし、周囲の風景を眺めまわすようにしながら歩きだすのを眺めていた。

彼はブラシをあてた形跡のない乱れた髪の毛にくすんだ小豆色のバンダナを巻き、カーキ色のだぶだぶのズボンに黒のTシャツ、スニーカーといういでたちだった。珍しそうに足を止め、ドーム型の図書館の建物を見上げたが、窓から私が見ていることに気づいた様子はない。仕事を終えて、そのまま着替えずに車に乗って来たらしく、ズボンは遠目にも汚れて見え、Tシャツも汗をふくんで皺《しわ》になっていた。正巳の作業着姿を目にするのはそれが初めてだった。私は、それが正巳であって正巳でないような、自分が知らなかった別の正巳を見ているような落ちつかない気持ちになり、とまどった。

まだあたりは充分明るかった。駐車場脇《わき》に何本か植えられている大きなイチイの木の周辺に、無数の雀《すずめ》が飛び交っているのが見えた。正巳が再び歩き出した。

まもなく裏手の職員通用口のあたりで、ドアが開閉する気配があった。きゅうきゅうと廊下をすべるスニーカーの音が響いた。私は通用口から図書館内に抜ける扉を凝視した。心臓は静かに打ち続けていた。幸福感に膨らんだ心臓が、喉もとまでせりあがってくるような感じがしたが、それだけだった。私は凪《な》いだ温かい春の海のような気持ちで、正巳が扉を開け、中に入り、窓辺の私をみとめて「やあ」と言うのを笑顔で迎えた。

スニーカーの音がやんだ。彼の背後で、木製の扉が蝶番《ちょうつがい》を軋《きし》ませながら閉じられた。ドーム型の天井の隅々にまで、ばたん、という音がこだまし、消えていった。後にはひそやかな、秘密めいたような静寂だけが残った。

彼は何も手にしていなかった。大きくたくし上げた黒いTシャツの袖《そで》からは、太くたくましい腕が伸びていた。体毛が腕を被っているのが見えたが、それは黒くも茶色くもない、何か不思議な透明感を伴ったヴェールのようだった。

いたずらに洗濯を繰り返したせいか、シャツの襟ぐりはだらしなく緩んで、開いた胸元からは生命力を象徴するような大きな喉仏と、形よく盛り上がった胸の筋肉が覗き見えた。バンダナが巻かれた髪の毛は、雨で濡《ぬ》れた髪をそのまま櫛《くし》も通さずに乾かした時のように、ごわごわしていた。うっすらと髭《ひげ》が生えかかった顎《あご》や脂《あぶら》ぎった鼻梁《びりょう》、形のいい頬骨、なめらかな額、絶え間なく私を魅了してやまない唇、そのどこもかしこも、汗と泥と土埃《つちぼこり》にまみれている。私は濡れた落ち葉や太陽や雨、彼自身のむっとするような体臭を嗅《か》ぎ取った。

彼は生きていた。彼は生き、呼吸し、成長し、非のうちどころがなく完成されきった肉体をもてあましている青年のようにして、そこに立っていた。

その時、ふいに窓越しに西日が射し込んできて、ちょうど正巳が立っているあたりを一面に金色にきらめかせた。彼はわずかに顔を斜めに傾け、眩《まぶ》しげに目を細めた。

その一瞬、私は彼の肉体の美しさを憎んだ。それは、永遠に私の手の中に納まることのない美しさだった。彼は永遠にそこに「在る」だけであった。私の肉体の中に溶け込むことはないのだった。

言いようのない切なさが、私の胸を熱くさせた。この目の前にいる美しい男と、一つになりたい、と私はほとんど咄嗟《とっさ》に、熱病に浮かされたように思った。

だが、私がその時求めていたのは、正巳との肉体の交合ではない、あくまでも精神の交合だった。肌の触れ合いは一切求めていなかったというのに、私は確かに欲情していた。それはまったく恥ずかしくなるほど強烈な欲情で、私は思わず口に手をあて、胸の奥から突き上げてくる甘ったるい湿った喘《あえ》ぎ声を押さえ込まなければならなかった。

正巳とあらゆることを共有し、あらゆることを分け合い、あらゆることを理解し合いたいと私は思った。そのために幾千幾万という言葉が必要なら、二十四時間、ずっと正巳相手に喋《しゃべ》り続けていようと思った。正巳の言葉を聞く必要があるのなら、二十四時間でも一ケ月間でも一年間でも、正巳の話を聞き続けていようと思った。胸が張り裂けそうになるほど熱く膨らんだ。視界がうるみ始めるのをどうすることもできなくなった。

「どうかした？」正巳が聞いた。スニーカーが床をきしませた。彼がこちらに向かって歩いて来た。

　私は大きく息を吸って笑みを作った。そして窓辺から離れ、「よくいらっしゃいました」とふざけた口調で言った。「どう？　ちょっとした話の種になりそうな図書館でしょう？」

「驚いたな」彼はそう言い、天井を仰ぐようにしてあたりの書架を眺め回した。「何冊くらい蔵書があるの？」

「八万くらいかな。学校図書館の中では全国で一番規模が大きいのよ。地下室には閉架式の棚があって、本はリフトでここに運べるようになってるの。見せてあげたいんだけど、閉館すると学校の管理室の人が来て、地下室に鍵《かぎ》をかけていく規則になってるから……残念だわ」

　正巳は私の説明にうなずき、一つ一つ、熱心に開架式の棚を見て回った。彼のスニーカーが床を鳴らす音と私の靴音が、混ざり合うようにしてドーム型の吹き抜けになった天井に響きわたった。

　国文学のコーナーで正巳は足を止め、三島由紀夫の著作が集められた一角を眺めまわした。

「黙っていても、やっぱり正巳はこのコーナーに来てしまうのね」私はからかった。「三島はずいぶん取りそろえてあるのよ。でも生徒たちの人気は今ひとつかな。漢字が多すぎるんだって。ここの学校のレベルから言ったら、こんなに立派な図書館は宝の持ちぐされなのかもしれない」

正巳は三島由紀夫の作品を何冊か、棚から抜き取ると、ぱらぱら中をめくり、そのつど裏表紙の内側についている貸出カードを引き出して眺めた。

「貸出の回数が多いのと少ないのと差があるね。『潮騒《しおさい》』が一番多い。次に『仮面の告白』かな。〝豊饒《ほうじょう》の海〟シリーズはほとんど新品同様だ」

「借りてはいかないけど、一人だけ、ここで熱心に読んでいく子はいるのよ。この春、高等部の三年生になる生徒でね。卒業するまでにシリーズの全四巻を読むんだ、って言ってた」

「どんな子？」

「目立たない子。痩《や》せてて、お下げ髪にして紺色のリボンで結んで、あんまり笑わない真面目《まじめ》な感じのする子よ。私たちの世代の文学少女って言うよりも、もっと古い時代の文学少女って感じかな」

「どうして借りていかないんだろう」

「自分の部屋で、一人で三島由紀夫を読んでると、死にたくなるんだって。だから、いつも誰かが傍にいてくれる図書館でしか読まないんだって。そんなことを言ってたわ」

そんな会話を正巳と交わしたというのに、今、私はその生徒の名前も顔も忘れてしまった。文字通り、地味で目立たない生徒で、卒業アルバムの中から探し出すのも難しいと思われるようなタイプの少女だった。

ただし、他の多くの在校生と同様、恵まれた家庭環境にあったことは間違いない。彼女は高等部を卒業して、そのままエスカレーター式に同じ学園の短大に進学した。短大生になってからも、時折、図書館にやって来ては、難しい顔をして三島由紀夫を読んでいた。

短大の卒業式を目前に控えた二月の雪の降る朝、巣鴨《すがも》にある荒れ果てたような古い連れ込み旅館で、多量の睡眠薬を飲み、彼女は恋人と心中をはかった。相手の若い男は国立大学在学中の学生だった。男はかろうじて命を取りとめたが、彼女は助からなかった。

学校は大騒ぎになったが、彼女が何の理由で心中しようとしたのか、関係者以外には明かされなかった。強度のノイローゼにかかっていたらしい、という噂《うわさ》が流れたが、それも定かではない。結婚を周囲に反対されていたらしい、と言う者もいたし、中には相手の男が同性愛者だった、いや、筋金入りの右翼だった、などと、人から又聞きした話をまことしやかに口にする者もいた。

あの生徒が、死を選ぶ前に、〝豊饒の海〟シリーズを読み終えていたのかどうかすら、私には記憶がない。本を借りていこうとはせず、あくまでも館内で読んでいただけなので、貸出カードには彼女の名前は残されなかった。そのうえ、彼女が死んだ時は、私自身もまた、ひどく混乱していた時期だった。〝豊饒の海〟の何かが、あるいはまた、三島由紀夫の作品の中の何かが彼女に死の決意をさせたのだろうか、と考えてみたことはある。だが、結局、何もわからず、今となっては確かめるすべもない。

窓から射し込む西日がさらに長く伸び、館内に書棚の長い影を作った。正巳は黙って、棚から棚へ、ゆっくりと移動し、本の背表紙を眺め、右へ左へと、静かに視線を移していた。私は彼から少し離れて、彼の後ろに従った。

こつこつという私自身の靴音の響きが不規則に続いた。にもかかわらず静寂が舞い降りて、音の連鎖をただちにかき消した。

イギリス文学の棚の前にさしかかった時だった。ふいに靴の音がやみ、正巳が後ろを振り返った。

「類子」と彼は言った。つぶやくような声だったが、それは朝に聞く小鳥の声のように澄んでいた。

私は彼から少し離れて佇《たたず》んだまま、彼を見上げた。

私たちの右側には背の高い書棚があり、左側は窓のない壁だった。西日もそこまでは届かず、どことなく黴《かび》くさいような本の匂《にお》いに囲まれて、そこは仄暗《ほのぐら》い屋根裏部屋の片隅を思わせた。

「何？」と私は聞いた。

彼はぱちぱちと目を瞬《まばた》かせ、何かをこらえるように唇を固く結び、私ではない、どこかあらぬ彼方《かなた》に視線をさまよわせた。

もう一度、私は聞いた。「何？」

彼はバンダナを巻いた髪の毛を片手でぐしゃぐしゃにかき回し、天井を仰ぎながら息を吐き出した。「僕はずっと、馬鹿《ばか》なことを考えてたよ」

私は黙っていた。続く言葉を待った。待ちきれないほどなのに、ずっとこのまま、三十分でも一時間でも待っていられそうな気持ちになるのが不思議だった。

今にも泣きだしそうな顔をして、ゆっくりと前を向くと、彼は今一度、私を見つめ直した。彼は低い声で途切れ途切れに言った。「……きみを抱ければ、どんなにいいだろう、って」

唐突な物言いではあったが、その口調に深刻さは微塵《みじん》もなかった。かといって照れを含んだたどたどしさもない。彼は、恋を告白する時の少年のように生真面目だった。

幾多の思想、知識、概念、いにしえの風景、詩、歴史、悲劇、喜劇の数々が私と正巳をひっそりと取り巻いていた。それらを書き記した作者、詩人、小説家、思想家の魂のつぶやきが、ざわざわとした定かではない音となって聞こえてくるような気がした。私たちはふたりきりでありながら、同時に夥《おびただ》しい時の流れ、魂の群れに囲まれていた。私の中から、ふいに現実感が遠のいた。

正巳は生真面目さの残る目で私を見つめたまま、そっと右手を私のほうに差し出し、掌《てのひら》を上に向けた。私はその手を見つめ、彼の顔を見上げた。

類子、と彼はかみしめるようにして私の名を呼んだ。

私は吸い寄せられるようにして彼に近づき、彼の掌に自分の手を載せた。ふたつの掌の中で、私の体温と彼の体温とがひとつになった。彼はぬくもりを確かめるようにして、しばしじっとしていたが、やがて静かに手を離すと、焦《こ》がれるように私の腰を抱き寄せた。

私たちの身体《からだ》がひとつに重なった。彼が着ていた黒いTシャツを通して、鼓動する肉体の熱さが私の胸に伝わってきた。彼の汗は日なたくさく、真夏の日ざかりの中での抱擁を思わせた。

唇が近づいてきて、軽く私の唇に触れた。私の唇は、蝶の羽が触れた時の花弁のようにわずかに震えた。私は唇の力をゆるめ、彼を迎え入れようとした。彼は前よりも少し情熱的に唇を押しつけてきた。だが、それだけだった。

唇を離し、私たちは見つめ合った。呼吸がわずかに荒くなり、胸が痛くなるほど熱くなった。小鼻がひくひくと勝手に動くのがわかった。

「正巳」と私は呼びかけた。

彼はうなずき、私の額にかかった髪の毛をかき上げて、さもいとおしげに私の顔を指先で愛撫《あいぶ》した。

私の中に性的な興奮は生まれなかった。少なくとも肉体が別の肉体を欲する、というようにはならなかった。それは不思議な、神秘的な体験だった。肉欲が生じない代わりに、魂が息づき、満ち足りて膨脹し、さらに喉元《のど》までこみ上げ、巨大な真珠の塊となって口から飛び出してきそうな感覚に襲われた。

その時はそれが何なのか、わからなかった。だが、今になって、私ははっきりと断言できる。私はその時、極上の精神のオーガズムを迎えていたのだ。

正巳、正巳、と呼び続けながら、私は彼の胸の中に顔を押しつけた。「うまく説明できないの。こんなこと、あなたに言ったら迷惑なのかもしれない。でも、不思議な気分なのよ。身体と心がばらばらで、それなのに、私は強くあなたを求めてる」

僕もだよ、という答えを待った。だが、彼は何も言わなかった。黙ったまま私を強く抱きしめただけだった。

正巳と会った日に限って、夜、能勢と約束することが多くなったのは、土曜日ごとに私と正巳が何らかの形で会う機会を得ていたせいである。

その日も同様で、能勢は私の部屋に午後七時に来ることになっていた。どこかで食事をしよう、と正巳から誘われたのを断らねばならなくなった時は、気持ちが乱れた。「恋人と約束してるんだね」と正巳に聞かれ、曖昧《あいまい》にうなずかねばならない自分がいやだった。

正巳が私の情事の相手である能勢に嫉妬《しっと》するはずがない、何故《なぜ》なら、正巳の恋の対象は私ではなく、あくまでも阿佐緒なのだから……と自分に言いきかせるのだが、もしも正巳が能勢に遠慮して、私から遠ざかってしまったらどうしよう、と思うと、いたたまれなかった。

正巳がその時、気持ちの中でどのように能勢のことを位置づけていたのかは、今となっては永遠の謎《なぞ》である。正巳とはあまり能勢の話はしなかった。私の情事の相手の男の名が、能勢五郎であるということすら、正巳は知らなかったかもしれない。興味がなかったはずはないのだが、彼はあまりその種の話はしたがらなかった。

それは一種の節度とも思えたし、冷淡さと受け取れることもあった。とはいえ、私のほうからも能勢の話を正巳相手に話し出すことはなかった。その点において、私たちは或る意味ではあいこだったと言える。

どこかで能勢が見張っているような気もしたので、私は正巳にマンション前まで送ってもらうことを避け、五反田の駅前で車を降りた。簡単な夕食の惣菜《そうざい》を買い、部屋に戻ると、まもなく能勢がやって来た。

今日は泊まってくよ、と彼は言った。妻が子供を連れて実家に帰ったのか、あるいは何か外泊しても怪しまれない口実を作ることができたのか、詳しいことは何も語らずに彼は浴槽に湯を満たし、一緒に入ろう、と私を誘った。

裸になって私が狭い浴槽に足を入れると、彼は全身、すみずみまで私の身体を眺めまわし、愛撫するふりをしながら、うなじの奥、脇《わき》の下、大腿部《だいたいぶ》の裏側や足の指にいたるまで怖くなるほど念入りに点検し始めた。

「何を見てるの」と私は聞いた。

ははっ、と彼は短く笑った。「浮気の痕跡《こんせき》がないかどうか、調べてるのさ」

「結果は？」

「ないようだね」

馬鹿ね、と私は言った。「あるわけないでしょ」

二人一緒に中に入ると、湯があふれるどころか、狭すぎて身動きひとつできなくなる浴槽の中で、私は能勢とふざけ合い、ふざけ合っているうちにいつのまにか互いの肌にのめりこんだ。

何故、この肉体に飽きることがないのか、いくら考えてもわからなかった。能勢の肉体はいつでも私を引きつけた。どんな時でも、いかなる事情のもとにあっても、私は能勢を前にして、たやすく忘我の境地に陥ることができた。

足ふきマットを水びたしにしたあげく、一切が鎮《しず》まって、バスタブにぐったりと身体を預けている時、能勢が言った。

「きみは変わった」

ぞっとして、私は顔を上げた。能勢は浴槽の中で私の身体を支えたまま、目の下に粟《あわ》粒《つぶ》のような汗をためながら、薄く笑った。「変わったよ」

「何が？　どうして？」

「最近どうして、そんなに強く僕を求めるんだ」

「いやだ。私は前からあなたを求めてるじゃないの」

いや違う、と彼は言った。「以前のきみの求め方とは違うよ。何て言うのかな、自分をわざと見失おうとしてるみたいに、そんな感じで僕を求めてくるようになった」

そうかしら、と言い、笑って私はごまかした。「あなたに開発されたのよ、きっと」

どうかな、と能勢は意味ありげに笑い、私をひょいと抱き上げると、湯を蹴《け》散《ち》らすようにして浴槽から出た。

「きみを他の男には渡したくないよ」彼は狭いバスルームの床に私をおろし、そう言った。「結婚している男の手前勝手なセリフだとわかっていてもね、そう思うよ」

「こんなにあなたを求めてるのよ、何が問題なの？」

わからない、と能勢は言い、いつになく悲しげな顔をして私を見下ろした。情事の後、全裸で水びたしのバスルームに向かい合って立ったまま、こんな会話を交わしていると思うと滑稽《こっけい》だった。

私はそっと爪先《つまさき》立って、彼の唇にキスをした。

その晩から朝にかけて、私は能勢とさらに二度、交わった。能勢に言われた通り、私は我を忘れようとして狂ったように能勢を求め、求めながら頭の中では正巳のことばかりを考えていた。

5

能勢とのつきあいを除けば、当時の私は、勤め先の学校の教師や職員たちと個人的な親しい関係は持たなかった。

とりたてて、人づきあいを避けていたというわけでもなく、孤独を気取っていたわけでもない。ふつうに、人並みに生きていたつもりなのだが、それでも私のまわりに華やいだ人の輪はなかなか生まれなかった。

私自身が、人との関わりを強烈に求めようとしなかったからか、それとも、私の中に、親しくなることを敬遠させる何かがあったのか、どちらなのかはわからない。私と他者とは常にどこかで決められたように一線を引き合い、引かれた線のこちらとあちらとに分かれて、終始、にこにこと愛想よく微笑《ほほえ》み合っていただけだった。

勤め先の学校の中等部、高等部の専任教師の中には、それでも私と同世代の、それなりに共通の話題をもっていそうな女教師が四人いた。四人のうち一人は結婚していたが、残る三人は独身だった。

図書館業務を通じて、例えば、なかなか図書を返却しない生徒や、紛失してしまった生徒たちへの対応を相談したりしているうちに、いつしか彼女たちと親しく口をきくようにはなった。構内ですれ違えば、立ち止まって軽い世間話を交わした。学生食堂でばったり会えば、昼食を共にしたり、コーヒーにつきあうことも度々あった。

だが、私が学校の外で彼女たちと会うことはめったになかった。休日に電話で長話をしたりすることもなければ、彼女たちから何かの会合や食事会、飲みに行こうなどと誘われることも少なかった。

私は身近な人間との、ごくありふれた社交に関して、さほど関心を抱かずにいられる人間だった。友人関係がないことに焦《あせ》りや疎外感《そがいかん》を覚えずにいられた。何という理由はなしに、彼女たちにもそれが通じていたのだと思う。

しかし、だからといって、つきあいにくい人間だと決めつけられ、疎《うと》んじられていたふしも見受けられない。私はただ、本を読んだり、映画を観《み》たり、地味な暮らしをすることに満足している、どこか変わり者の女に過ぎないと思われていた。能勢との関係が、学校内で何ひとつ噂《うわさ》になることがなかったのも、おそらくはそのせいだったと思う。

正巳と頻繁《ひんぱん》に個人的に会うようになった年の四月初旬。そんな女教師の一人が結婚することになり、私は結婚披露宴に招待された。

彼女は中等部で英語を教えていた。小柄で愛くるしい顔だちの、生徒たちの人気も高い教師だった。私とは学生食堂でたまに定食を一緒に並んで食べたり、出勤途中、駅の改札でばったり会って、割り勘でタクシーに乗ってかない？　などと誘い合った程度の間柄であった。

ろくに相手の私生活も知らなかったから、招待状を受け取った時は、何故私に、と不思議だった。だが少し後になって、彼女の結婚相手が、名前を聞けば誰でも知っている大手商社の会長の孫なのだと聞いて納得した。

華やいだ結婚、恵まれた生活をすることを人に見せたい、とする発想は健全なものである。そうした俗的な、健康的とも言える社会的見栄《みえ》は、阿佐緒の中にも、形こそ違え、頻繁に見受けられるものだった。もともと、私にはその種の健全さは欠落していたが、だからこそと言うべきか、私はそうした見栄の張り方をする人間のことを決して嫌いにはなれなかった。

披露宴には学校内の大半の教師や職員も招かれており、能勢ももちろん、その招待客リストの中に入っていた。もしも能勢が妻と共に招待されていなかったら、その日、私は結婚式終了後、能勢と夜を過ごすことになっただろう。たとえ、二次会に出席したとしても、示し合わせて抜け出し、五反田の私のマンションで落ち合えば、その晩、能勢は妻への口実も作りやすくなったに違いない。能勢と私は翌日の昼ごろまで私の部屋で過ごし、いつもと変わりのない週末を過ごしていたのかもしれない。

だが、新婦の姉の子供は、能勢の子供と同年齢で、通っている幼稚園が一緒だった。能勢の妻と新婦とは、その関係上、日頃から家族ぐるみのつきあいがあった。したがって、能勢は夫婦で披露宴に招かれてしかるべき立場にあった。

その結果、私はあの晩、能勢ではない、正巳と会うことになったのである。

私と正巳の間には、あの晩を境にして、一つの起爆剤のようなものが出来上がった。そして、その起爆剤は私ではなく、正巳自身をおびやかすものとして、目に見えないところで徐々に形を変えていくことになった。

春爛漫《らんまん》の、東京では桜が今を盛りとばかりに絢爛《けんらん》と咲き誇っている日であった。あの日、盛大な結婚式を挙げた英語教師が、能勢を夫婦で披露宴に招待しなかったとしたら、私と正巳は会う約束をするはずもなかったのである。そう考えると本当に不思議だ。

あの晩でなくても、いつかは正巳とそうなっていたかもしれない、と思ってみたことはある。だが、日々、我々が紡《つむ》ぎだしていく小さな偶然の積み重ねは、不思議なことにただ一度の、そうなるべき一瞬を逃すと、永遠に同じ一瞬は巡ってこなくなるものではないだろうか。

あの晩、私と正巳はなるべくしてそうなった。私たちの至福と絶望とが混ざり合った一瞬は、あの晩でなければ起こり得なかった。同じ晩は二度と巡っては来ず、そう思うと、あの日の偶然が今も私の胸を熱くさせ、同時に痛ませる。


結婚披露宴は、土曜日の午後三時から赤坂プリンスホテルで行われた。思っていたよりもはるかに盛大な結婚式だった。新婦の職場関係の招待客のテーブルは三つに分けられていた。幸運なことに、私と能勢夫妻のテーブルは別々だった。

新郎新婦の座る雛壇《ひなだん》は遠すぎて、新婦の華やいだ衣装以外は何も見えず、新郎の顔も判別しがたかった。新婦は三回もお色直しに立ち、新婦が中座している間、招待客たちは暗くした場内で新郎新婦の独身時代のビデオを見せられた。ひどく退屈なビデオだった。

暗くした場内で、能勢のいるテーブルのあたりだけが、映写機の光を浴びて浮き上がって見えた。能勢は妻と並んで座っており、膝《ひざ》に長女を抱いていた。能勢がビデオを見ながら笑うと、妻もそれに合わせるようにして口に手をあてて笑った。

能勢が妻と一緒にいるところに居合わせても、何故、自分は何も感じないでいられるのだろう、と考えた。能勢を愛していないからかもしれなかった。

だが、それでは何故、毎週末、自分はあれほど能勢の身体《からだ》を求めるのか。何故、能勢を失いたくないと思い、能勢が正巳のことで暗に嫉妬心を露《あら》わにしてくると不安な気持ちにかられるのか。私にはわからなかった。

二次会に出てほしい、と幹事から誘われた。二次会は六本木のレストランを借り切って行われ、私以外の職場関係者はほとんど出席する、という話だった。約束があるので、と言って丁重に断った。たまたまそれを傍で聞いていた能勢は、ちらりと私を見て、露骨に不快な表情を浮かべた。

披露宴が終わってまもなく、私はホテルの一階に降りた。ロビーでは能勢が、妻やその他の同僚たちと談笑していた。能勢の顔に広がる困惑が、隣にいた能勢の妻に勘づかれないよう祈りつつ、私は能勢に会釈《えしゃく》をした。

能勢の妻は、淡い藤色のスーツを着ていた。華奢《きゃしゃ》な感じのする小柄な女で、私の美意識の範疇《はんちゅう》ではなかなかの美人と言えた。前年の暮れに生まれた赤ん坊は、実家に預けることになっている、とあらかじめ能勢から聞かされていた。傍に能勢と目鼻立ちのよく似た小さな女の子が立っており、父親に懐《なつ》いているのか、始終、能勢の背広の裾《すそ》を握りしめて、パパ、パパ、と連呼していた。

絵に描いたような家族の風景がそこにあった。妻や子と共にいる能勢が別人のように見えるのが可笑《おか》しくもあり、不思議でもあった。

どなた、と妻が能勢に向かって、私のことを訊《たず》ねた。能勢が口早に何か言った。能勢の妻は、大きくうなずき、人のよさそうな笑顔を作って私に頭を下げた。仕方なく私はもう一度、にこやかに能勢夫妻に向かって会釈をし、足早に外に出た。

正巳とは六時ちょうどに、ホテルニュージャパンのバーで待ち合わせをしていた。バーで軽く飲んで、どこかに食事に行き、千鳥《ちどり》ケ淵《ふち》あたりの夜桜でも見に行く、というのが、あらかじめ決めておいたその日の段取りだった。

約束の時間まで、一時間近くあった。初夏を思わせる清々《すがすが》しい夕暮れ時だった。私は時間つぶしにぶらぶらと歩いて、一ツ木通りに入り、小さな店を一軒一軒ひやかしながらTBS方面に向かった。花見帰りの人々なのか、これから花見に行こうとしている人々なのか、街はどこも人であふれ、賑《にぎ》わっていた。

今でも同じ店があるのかどうか、わからない。正確な場所もよく覚えていないし、一ツ木通り沿いだったのか、その一本裏の道だったのか、それすらも記憶にない。細長い、これといった特徴のないビルの二階に、天井から床まで、すべて硝子《ガラス》張りになっているコーヒー店があった。

一九七九年当時の話である。ビルの一階は、六〇年代の雰囲気《ふんいき》を残した、薄暗い小さな骨董《こっとう》品店になっていた。よく磨かれた硝子に、遠くのビルや暮れなずんでいく春の空を映している二階の店と、一階の黒光りしているような店の雰囲気とが滑稽なほど相いれず、私が何ということはなしにビルの前で歩みを緩めたのは、そのせいだったのだろうか。

骨董品店の脇には、二階のコーヒー店に通じる狭い階段が延びていた。見るともなしに、その階段を見て、視線を硝子張りの二階の店に移した時だった。私は信じられない思いで、その場に立ちすくんだ。

コーヒー店の硝子越しに、正巳がテーブルに向かって椅子《いす》にくつろぎ、文庫本に目を落としている姿が見えた。私が正巳に気づいたわずか数秒後、正巳もまた、私に気づいた。

私は彼の顔にゆっくりと笑みが広がり、やがてそれが、この世のすべてを受け入れようとしている時のような、どこか恍惚《こうこつ》とした表情に変わっていくのを見た。私の中を、強烈なエクスタシーが駆けめぐった。思いがけないところで出会ったという悦《よろこ》び……ただそれだけで、私はその場に座りこんでしまいそうになるほどの烈《はげ》しいエクスタシーに襲われたのだった。

説明するのは難しい。それは確かに性的なエクスタシーであった。正巳の肉体上の禁忌がもたらすエクスタシーでありながら、一方で性的な反応を伴わない、何かもっと別のものでもあった。決して性の営みに至ることのない、静かに永続する烈しい興奮状態……そうとしか言いようがなく、それでいながら、私はそれまで経験しなかったような官能的な気持ちに陥り、自分でもひどく混乱して、どうすればいいのかわからなくなった。

上がっておいで、というジェスチャーをして、正巳が力強く私を手招きした。私はぼんやりと彼を見ていた。

どうしたの、こっちにおいでよ、と正巳がもう一度、手招きした。私のそばを若者たちのグループが、声高に笑い合いながら通り過ぎて行った。

私は我に返った。熱い小さな塊が、喉《のど》の奥から下腹のあたりに向かって、一直線に転がり落ちていったような感覚があった。私は骨董品店の脇《わき》の階段を駆け上がった。正巳は席から立ち上がって私を迎えた。彼は美しかった。性的魅力にあふれていた。

コーヒー店での会話には、とりたてて特筆すべきものは何もない。言ってみればそれは、世界のすべての恋人たちが、思いがけないところで出会った時に興奮して交わす、ごくありふれた、幸福で健全な会話だった。

偶然だね、と正巳は誰もが言うようなことを言い、私たちはしばらくの間、互いにその出会いに至るまでどこにいたか、どんな行動をとっていたかを細かく教え合った。その日、早く仕事から解放された正巳は、五時前にはもう赤坂に着いており、書店で本を物色した後、たまたま見つけたそのコーヒー店で時間をつぶしていたところだったと言った。

何を話していても、楽しかった。私は結婚披露宴がどんなものであったか、詳しく正巳に話して聞かせた。フルコースの食事のメニューから、列席者の一人一人について、同じテーブルの人間たちが交わしていた会話、場内に流れていた音楽に至るまで、些事《さじ》のすべてを彼に聞かせ、聞かせながら、こんな話をするだけで、その日の彼との逢瀬《おうせ》が終わってもかまわない、とすら思った。正巳は熱心に話に聞き入り、笑い、うなずき、合間に的確な感想を述べた。

六時半になってから、私たちは店を出て、当初の約束通り、ホテルニュージャパンに向かった。街は夜に向かい、さらに活気づいて、そのくせ、春の宵《よい》のどこかしら気だるい、甘美な匂《にお》いに満ちていた。

私たちはごくふつうの恋人たちのように寄り添いながら歩き、とりとめのない会話を交わし続けた。いつものように、ジーンズにジャケットという、くだけたいでたちの正巳に、披露宴用に用意した気取ったドレス姿だった私は不釣り合いだったに違いないが、それでも行き交う人々の波にのまれて、私たちは本当にふつうだった。

自分たちがあくまでもふつうの関係――さしたる障害もなく、ただ育《はぐく》んでいくことだけを考えていればいい関係――に見えるであろうことを想像し、私は自分でも信じられなくなるほどの幸福感に包まれた。阿佐緒のことは頭の中から消えていた。正巳も阿佐緒の話をしなかった。阿佐緒ばかりではない、袴田の話も、生田緑地の隣にある袴田邸の話も出なかった。私たちは私たちのことだけを語っていた。ふつうの恋人たちのように。

ホテルニュージャパンの一階ロビーから、右奥に入ったところにバーがあった。照明の暗い、妙にだだっ広い感じのするバーだった。カウンターに一組、ボックス席に二組の年配の男女の客がいた。ボックス席の客は男女とも外国人だった。

私たちはカウンター席に座り、ソルティドッグを注文した。カウンターを仕切っていたのは、蝶《ちょう》ネクタイを締めた白髪の痩《や》せた男で、男はこの世のことで興味があるのはグラスを磨くことだけ、と言わんばかりに、終始、もくもくと憑《つ》かれたようにグラスを拭《ふ》いていた。

披露宴で食事をしてしまったので、お腹は空いてはいなかった。正巳だけが何品かの料理を頼んだが、彼もまた、あまり口をつけなかった。バーはわいわい賑やかにものを食べたり、旺盛《おうせい》な食欲を見せたりする雰囲気とはどこかかけ離れていたが、正巳があまりものを食べなかったのは、そのせいばかりとも思えなかった。その晩、バーに着いてからの彼は、明らかに少し、いつもとは違っていた。

「最近、いつも思うんだよ」と彼はふと、やわらかな口調で言った。「類子とのことをね」

胸に迸《ほとばし》るような熱いものが流れ、消えていった。正巳がその晩、いつもとは少し違っていたのだとしたら、私もまた同じだった。私はひどく浮かれていた。正巳は自分の恋人でも何でもなく、ただの幼なじみ、何でも話せる男友達でしかないのだ、と言い聞かせるのだが、うまくいかなかった。

気持ちばかりが火照《ほて》っていた。私は聞き返した。「私との？　何を？」

「ずっと昔、中学時代のきみと交わした会話とか、その後、ばったり逢《あ》った伊豆の民宿でのこととか、袴田邸でのパーティーで会った時のこととか、いろいろさ」

私も同じ、最近考えることといったら、いつもあなたのことばかり――そんなふうに口に出しそうになって、危ういところで私はその言葉を飲みこんだ。彼が言わんとしていることがよくわからなかった。もしかすると、私が期待していることとはまったく別の話を始めようとしているのかもしれなかった。いくらロマンティックな雰囲気が整い過ぎるほど整い、条件が揃《そろ》ったとはいえ、正巳を前にして上気した顔をし、少女じみてうっとりと、恋の会話に酔うのは性急すぎるのかもしれなかった。

私はわざと茶化してみせた。「昔のことばっかり思い出して、記憶力を試してるわけ？」

まさか、と彼は苦笑した。「きみがどんなところで生きていて、何を考えて、どう感じて、どんなふうにして今のきみになったのか、そこに僕はどんなふうにして関わってきたのか、そんなことをぼんやり思い返してみたくてたまらなくなる」

「変な人。そんなこと思い返して何の役に立つの」

正巳は私を見た。そして私の顔の額から顎《あご》のあたりにかけて、ゆっくりと味わうように視線を移し、伏せた目のまま、ほとんど唇を動かさずに言った。「僕はきみが羨《うらや》ましい」

私は黙っていた。思った通り、期待していた返事とは異なっていた。浮かれていた気持ちが急速に鎮《しず》まった。目に見えない寂しさが頭をもたげた。

「いやね」と私は力なく笑った。「私は羨ましがられるような人間じゃないわ」

わずかの沈黙の後、正巳は私から目をそらせたまま言った。「……多分僕は、きみのことが好きだったんだ。昔からずっと……」

続く言葉を待っていたのだが、正巳は黙りこんだ。私はソルティドッグをもう一杯注文し、白髪のバーテンダーが磨きぬかれたグラスの縁にレモンを絞って、まんべんなく塩を塗るのを眺めながら、このまま時間が止まってしまえばいい、たった今、正巳の口から出た言葉が永遠に変わらない石のように固まってくれればいい、と願った。

「阿佐緒は確かに僕の幻想をかりたてる。中学時代からそうだった。今も少しも変わらない。でも、僕の肉体がこうなってからは、彼女に対する幻想は、どんどん日を追うごとにすさまじいものになっていって、あんまりすさまじいものだから、時々、阿佐緒という女はこの世の女ではないんじゃないか、って考えることもあるよ。でもきみは違う。きみは現実の人だ。現実にここにいる。今もこうして僕の目の前にいて、僕のくだらない話を聞いてくれている」

バーテンダーが機械的な手つきでうやうやしくグラスを私の目の前に置き、背を向けて去って行った。私はまっすぐ前を向き、じっとしていた。

「僕はきみと膨大な言葉を交わし合った。これからもそうするだろう。でも、言葉は空《むな》しい。そう思いながらも、僕は言葉を使ってしか自分を語ることができないんだ。言葉なんか交わし合わずにきみを知ることができたら、どんなにいいか、って思うよ」

「どういう意味?」私は聞いた。

彼は唇の端に、ふてくされたような笑みを浮かべた。「文字通りの意味さ」

「肉体的に、っていうことね」

「類子。僕たちみたいに若い男と女が、肉体と精神を分けて考えることはきっと、とても不幸なことなんだと思うよ。健康な人間なら、その二つは自然に連動していくものなんだ。それが当たり前なんだよ」

「私は分けて考えるし、そうすることができるのよ」

「きみは僕に気をつかってくれている。分けて考えようとするのは、そのせいだ」

違う、と私は語気荒く言った。「それは誤解よ。私はただ……」

「きみを羨ましいと言ったのはね、きみが健康な人間だからだよ。きみは健康でまぶし
い。欲望に素直だ。人生を全《まっと》うしようとする力があふれてる」
「私はそんなにがむしゃらな人間に見える？」
「類子、よく聞いてほしい。僕は肉体で感じることができない男なんだ。だからどうし
ても、過剰に小難しい理屈や観念ばかりに頼らざるを得なくなる。言葉だけが空回りす
る。僕は誰かに何かを求めたり訴えたりする時に、言葉を使わなくちゃ生きていけない
男なんだ。言葉を失ったら、僕は何者でもなくなる。ただの男のぬいぐるみをかぶった
瓢簞《ひょうたん》みたいなもんさ。でもきみは違う。きみにも言葉があるけど、それ以上に肉体があ
る。きみは生きてるよ。きみは人一倍ものを考えるし、感じることができるし、暴走も
すれば、必要以上に自分を抑制したりもする。きみは自分のことを素晴らしくよく知っ
ていて、正しく分析できるけど、にもかかわらず、自分をいたずらに定義づけて、鋳型《いがた》
にはめこもうとはしない人なんだ。きみはきみの器からいつも自由にはみ出している。
はみ出しているくせに、きみの器はいつもきちんと、動かずにきみのものであり続ける。
きみと会うたびに、この人は生きている、って強く感じるよ。生きるということは、多
分、こういうことなのだろう、って、僕はいつも、きみを見ながら思うんだ」
そこまで一息に話すと、正巳は私のほうを向き、寂しく微笑《ほほえ》んだ。「僕の中の、馬鹿《ばか》
みたいに肥大化した観念が、阿佐緒に対する執着を生んだんだろうね。それは今も続い

ているし、これからもそうだろうと思う。どうしようもない。でも、きみに対する気持ちはまた別のものだ。阿佐緒は僕の観念が作り上げた幻で、僕自身も、自分が作り上げた幻みたいなものだけど、きみは確かにここにいる。きみだけが生身の人間なんだ。僕はね……そんなきみを愛せる男でありたかった。これまできみを愛してきたすべての男がやったようにね。そんなふうに、きみを愛せればよかった。心からそう思ってるよ」

口の中に塊のようなものがこみあげた。私はそれを飲みこみ、唇を舐《な》めた。ソルティドッグのグラスを両手でくるみ、顎を突き出して天井を仰いだ。そうしなければ、泣き出してしまいそうだった。

私は煙草《たばこ》に火をつけ、吸い込み、黙って前を向いたままでいた。カウンターにいた中年の男女の二人連れが店を出て行き、入れ替わるようにして、初老の男が三人、入って来た。男たちはボックス席に座り、図面のようなものをテーブルに広げて、商談を始めた。

「試してみて」私は言った。自分が口にした言葉が信じられなかった。だが、言ってしまったものは取り消せなかった。

「試してほしいの」私は身体《からだ》をこわばらせたまま、おずおずと繰り返した。「昔、伊豆で試したみたいに。もしも私の中にある何かが、あなたのイメージを少しでもかきたてるのなら、そのイメージがこわれずにいる間に、私を使って試してみて」

正巳は答えなかった。長い沈黙が続いた。バーテンダーが忙しそうにビールをグラスに注ぎ、つまみのカシューナッツを添えて、ボックス席担当のボーイに目配せした。若いボーイがそれらを盆に載せて、商談中だった男たちのテーブルに運んだ。店内には、間が抜けたようなエレクトーン演奏による古い映画音楽が低く流れていた。商談中だった男たちが、声高に「それじゃ、まあ、乾杯しましょう」と言い合っているのがはっきり聞こえた。

正巳の沈黙は恐ろしかった。私は自分がおかしなことを言って、彼を冒瀆《ぼうとく》したのかもしれない、そうに違いない、と思った。

彼が私に抱いているイメージは決して性的なものではないのかもしれない。言葉にすると美しい彩《いろど》りが添えられて、時に性の匂いも濃厚に感じられるが、実際には「なんでも話せる大切な女友達」相手に、友情を語っているだけなのかもしれない。そう思った。

性的に永遠の不能を抱えこまねばならなくなった場合、誰だって不能かどうか試せ、と言われれば、冒瀆された気持ちになるはずだった。どれほどの美辞麗句を使って語られたとしても、それはある意味で、不能者に対する侮辱であるに違いなかった。

正巳が性の幻を追い続け、観念を肥大化させ、観念と遊んで生きているのなら、私もまた、彼の前ではそれにならうべきだった。彼の観念の中に飛び込み、共に幻を追い続けることこそ、彼に対する愛情表現になるはずだった。試してほしい、などという生臭い言葉は決して口にしてはならなかったのだ。

ごめん、と私は身がすくむ思いにかられながら小声で言った。「馬鹿みたいなこと、言ったわ。そんなに困った顔、しないでよ。恥ずかしいじゃない」

いや、と彼は言った。「いいんだ」

「ううん、よくない。ごめんなさい」

「どうしてあやまるんだよ。きみは何も馬鹿なことなんか言ってないよ」

正巳は煙草をくわえ、火をつけて、大きく煙を吐き出すと、カウンターのスツールから降りた。怒ったような顔つきだった。

トイレ？　と聞いた。うん、と彼は言い、そのまま店を出て行った。

八時過ぎ。少しずつバーは混んできた。女客のつけている香水の匂いがたちこめ、音楽はいつのまにか映画音楽から、モダンジャズに変わっていた。

まもなく戻って来た正巳は、スツールに座るなり、「出よう」と言った。作ったような無表情の中に、奇妙な火照りのようなものが感じられた。

「どうしたの？　急に」

彼はジャケットのポケットから、プレート付きの鍵《かぎ》を取り出し、私に見せた。プレートには数字が彫りこまれていた。

部屋を取った、と彼は言った。

6

どこもかしこも日に焼けて、何か赤茶けたような、埃《ほこり》くさい感じのする部屋だった。小さすぎず、大きすぎもしない部屋に、ダブルベッドが一つ。ベッドカバーは海老茶色《えびちゃいろ》で、カーペットの色も同じだった。

室内のすべてが清潔に掃除されてあるにもかかわらず、あちらこちらに拭《ぬぐ》っても拭っても取れない、染《し》みのようなものがついていた。カーテンを閉じて窓辺の大きなフロアライトをつけると、それらの染みは目立たなくなったが、代わりに壁の汚れが浮き上がった。

いずれにしても古いホテルだった。事務所として長期に部屋を借りている人も多いと聞いた。旅行者がくつろぐ部屋というよりも、それは慌《あわ》ただしいビジネスマンの一夜のための部屋、あるいは、都会の海の底で、行きずりの男女が束《つか》の間《ま》の、密《ひそ》かな情事を交わすための部屋であった。

私と正巳はフロアライトの傍の肘掛《ひじか》け椅子《いす》に向かい合って座った。急に訪れた沈黙が、部屋の淀《よど》んだ空気をますます淀ませたような気がした。

何か飲む？　と私は聞いた。うん、と正巳がうなずいたので、私は室内に備えられていた冷蔵庫を開け、ビールを取り出して二つのグラスに注いだ。

滑稽《こっけい》な、無用とも思える時間がいたずらに流れていった。だが私は黙っていた。すべてを彼に従うつもりでいた。伊豆での夜のように、彼が私に襲いかかり、組み伏せ、乱暴に着ているものを脱がせたいのなら、喜んで従おうと思っていた。

私は正巳相手に、性の喜びを求めたことはない。私は常に正巳その人を求めていたのだった。

だが、どれほどの言葉を尽くせば、どう表現すれば、その気持ちを彼に信じてもらえるのか、わからなかった。きみが僕に愛情を持っているのなら、その証拠を見せてごらん、と言われ、じゃあ、死んでみせるわ、と答えて、本当に死んでみせようとする時のような、そんな馬鹿げた少女趣味的な焦燥感が私の中を渦まいた。

おかしいね、とふいに正巳がつぶやいた。「僕は阿佐緒と一緒にいても、現実に彼女を抱こう、抱ければいい、と思ったことがない。でも、きみを前にすると違うんだ。きみを抱いてみたくなる。きみなら抱ける、きみ相手なら奇跡が起こる……そんな気がしてくる」

微笑が影のようになって彼の口もとを被《おお》った。正巳が肘掛け椅子から立ち上がった。フロアライトは私の座っていた椅子の後ろにあった。彼は私に近づいて来て、私の身体に被いかぶさるようにしながら、手さぐりでライトのスイッチを探した。

　正巳の身体の匂《にお》いがした。清潔な汗の匂い、日なたの匂い、煙草の匂い、そして甘い整髪料がまじったような、まぎれもないそれは、むせかえるような男の肌の匂いだった。

　スイッチが消された。あたりは闇《やみ》に包まれた。ベッド脇《わき》のデジタル時計の光だけが、闇の中に黄色く浮き上がって見えた。

　彼はそのままの姿勢で、私の首すじに唇を這《は》わせた。自分の身体を支えるために、肘掛け部分に片手を置き、残ったほうの手で力強く彼は私の顎を持ち上げた。図書館の片隅で交わした軽い接吻《せっぷん》とは違う、確かな男と女のしるしのような接吻が始まった。私は鶴《つる》のように喉《のど》を伸ばし、精一杯それに応《こた》えた。

　なめらかにうるおった正巳の唇が私の唇を開かせた。彼の手が降りてきて、ドレスに包まれた私の乳房を愛撫《あいぶ》し始めた。薄手の布地はさらさらとしていて、私の肌に彼の肌のぬくもりが容易に伝わってきた。

　彼は私の背中に手を伸ばし、ファスナーをおろし始めた。うまくいかなかったので、私がそれを手伝った。

　ふわりと肩からドレスがずり落ちた。私の上半身が無防備な下着姿になったのを確かめてから、正巳は思いのほか器用な手つきで下着を取り去った。

　ああ、と正巳は私の乳房をわしづかみにするなり、かすかな喘《あえ》ぎ声をあげた。その喘ぎ声が私を喜ばせ、勇気づけた。私は自分から両手を伸ばし、彼に抱きついていった。

私たちはそのまま、なだれこむようにしてベッドに横たわった。海老茶色のベッドカバーをはぎ取ったのは、私だったのか、彼だったのか。気がつくと、私たちは互いに着ているものを脱ぎ去って、シーツとシーツの間で絡《から》み合っていた。

砂糖が溶けていく時のような、甘美なとろけるような気持ちが続いた。彼の愛撫は確かに私をそうさせた。私の肉体は、彼の愛撫を受けて、ごく素直に反応していた。だが私はそうされている間中、陶酔からかけ離れた、異様な冷静さの中にあった。

彼がちらりと私を見下ろす時の目の光に、不安と焦《あせ》りと悲しみを読み取るのが怖くて、私は目を閉じたままでいた。暗闇の中で、五感を通じ、彼の状態を推し量った。彼を侮辱しない程度に、彼に恥ずかしい思いをさせない程度に彼を手伝い、彼の内なる興奮状態と肉体のバランスがうまくとれるよう、できる限りのことを続けた。

彼の身体は申し分なく美しかった。筋肉に被われた肌の固いなめらかさは、彼の日頃の肉体労働の成果を思わせた。彼のうなじは干し草のように乾いた匂いがした。彼の発する喘ぎ声は匂いたつほど官能的だった。彼の愛撫は素晴らしく濃厚だった。その重み、生命力そのものといった確かな弾力性……彼の肉体は、終始、肉体であり得た。蠢《うごめ》き、欲情し、汗を流しつつ、咆哮《ほうこう》する肉体……。

彼の肉体はまったく完璧《かんぺき》だった。ただ一点だけを除いて。

どのくらいの時間が過ぎただろう。彼はふいに私から身体を離し、ぐったりと仰向けになった。荒い呼吸に上下する胸には、玉の汗が浮いていた。

彼は喋《しゃべ》らなかった。彼は片腕を額のあたりに載せ、じっと身じろぎひとつせずにいた。私は彼の呼吸がおさまるのを待ってから、そっと彼の身体に自分の身体をすり寄せた。何を言えばいいのか、わからなかった。何を言っても嘘《うそ》になる、と思った。だが、嘘だと思われてもかまわない言葉がひとつだけ残されていた。私はかまわずにそれを口にした。

「あなたを愛してる。もう、あなたのことしか考えられない」

彼は黙ったまま、額から腕をおろし、私の身体を軽く包みこんだ。あやすような指の動きが加わった。

彼の横隔膜が大きく動いた。切れ切れの吐息が鼻孔から吐き出された。

すまない、と彼は言った。

この人は今、泣いているのかもしれない、と思った。確かめるのが怖かった。デジタル時計の光だけが灯《とも》された闇の中で、私は息を殺していた。

正巳は鼻をすすり上げることもなく、嗚咽《おえつ》に身を固くすることもなかった。だが、あの時、彼は確かに泣いていたのだ。ひそやかに息を詰め、私に知られまいと平静を装《よそお》いつつ、彼は闇の中で両目を開け、闇の底の底を見るような思いで泣いていたに違いない。

奇跡は起こらなかったが、私が受けた屈辱は何ひとつなかった。私にはただ、表現しようのない、行き場のない、荒れ狂わんばかりの愛情だけが残された。


その晩、マンションに戻ってから、私は室内の明かりを消して、窓辺の椅子に腰をおろし、中庭にそびえる桜の古木を眺めた。桜は、部屋という部屋からもれてくる明かりを受けて、夜のしじまの中にひっそりと立っていた。

風のない晩だった。薄い蠟《ろう》細工のように見える桜の花が、そよとも動かずに、あたかも風景の中に貼《は》りついているかのようにしてそこにあった。

正巳から受けた接吻、愛撫、彼の身体の感触、指先の動き、すべてをはっきりと甦《よみがえ》らせながら、その実、私にとってそれらは、夢で見た幻、ただの幼い性夢だったにすぎないもののようにも感じられた。

私の中には、あの晩、正巳が発した言葉のひとつひとつが、篆刻《てんこく》文字のようにくっきりと刻みこまれていた。正巳が私に感じさせるすべての官能的な風景が幻なら、彼が発した言葉、彼という人間を作っているあらゆるものの総体は、私にとって生々しいほどの現実だった。

そして私は、その現実をこそ愛していた。

シーツの上に横たわったきみの身体を思い出すたびに、僕は赤面する。僕はきみを前にして、ねじを巻いてやらないと動けなくなる、ばかな人形みたいだった。優しいきみは、一生懸命、僕のねじを巻いてくれた。関節の錆《さび》をとり、やすりをかけ、油を注いで動きをなめらかにもしてくれた。でも、僕のねじはすぐに止まってしまう。おまけに汗みどろになって、息も絶え絶えになる始末だ。

きみの困惑が手にとるようにわかった。あやまるのはおかど違いなのかもしれないし、他に何か物の言いようがあるのかもしれない。でも、僕はやはり、きみを相手に「すまない」と言うこと以外、思いつかない。

奇跡なんか起こるはずもないんだ。それはよく知っている。でも、もしかすると、と思った。きみを前にして思った。きみが僕をそんな気持ちにさせた。それだけは本当だ。わかってほしい。

時々、僕は思うんだよ。僕は果して生きている人間なんだろうか、と。僕は徹底して欠如している。十六歳にして欠如を宿命として負わされた。僕は、もしかするとどっくの昔に死んでしまっていて、哀れな書斎の亡霊のように、観念をびらびらと満艦飾の飾りのように引きずりながら、生きているふりをしていただけなのではないか、と。

僕にとって現実感がないのは、女だけではない。あらゆることが感覚的に不在なのだ。僕は自分が作り上げた観念の世界を、かろうじて不器用になぞるようにしてしか生きられない。

僕が知的なものに溺《おぼ》れることが好きなのは、知的なことが、たとえ一時的にせよ僕を救うとわかっているからだ。だから僕はどんな小難しい本でも一晩で読み解く。幸福な人たちが、駄菓子などをつまみながら、のどかな恋愛ドラマを見てため息をついている間に、僕は漢字がいっぱい詰まった、馬鹿《ばか》げた禅問答のような本を読み、自分を知識の昏《くら》い穴ぐらへと追い込む。

頭がいいからではない。知に溺れることを誇りにし、見栄《みえ》を張っているからでもない。僕はただ、実体のない自分自身から逃れていたいだけなのだ。

僕が本当に溺れたいのは、生きている女の肌だけだよ。類子、きみの肌に溺れることができたら、阿佐緒を孕《はら》ませてやることができたら……と何度思ったことか。

知性や理性は、時として僕を笑わせる。そんなものは馬の糞《くそ》にもならない。だから僕は、仄暗《ほのぐら》い穴ぐらから朝になると這いだして、何も考えずに肉体を動かしてさえいればいい仕事に精を出す。

父親からは、おまえがこれほど熱心にこの仕事を続けるとは思ってもいなかった、と驚かれるが、僕の才能や努力が、造園業者としての仕事を続けさせてくれたわけではない。僕が内心、軽蔑《けいべつ》している知性や理性こそが、皮肉なことに僕の肉体の原動力となって、僕自身を休まず操ってくれているだけなんだ。

僕は不可能という言葉が書かれた札を首から下げて、生きていかねばならない。絶対に不可能なのに、可能である顔をしながら生きていくことの不条理……。

僕はその不条理を受け止めているふりをして、雄々しく背筋を伸ばしてみせる。虚勢ばかり張る、馬鹿な雄鳥のように。雄鳥は跳べず、羽ばたけず、鳴いてばかりで、何の役にも立たない。ただ、虚空《こくう》を睨《にら》んで、いつかあそこに舞い上がることができれば、と空《むな》しい夢を紡《つむ》ぐだけだ。

類子。それでも僕はきみにだけは感謝しているよ。あの晩、きみは優しかった。きみをあんなふうにして、抱くことができただけでも幸せだと思わねばならないのかもしれない。そしてきっとそうなのだろう。

きみの乳房は美しい。きみの腰は僕を弾《はじ》き返す。きみの肌は僕を包み込む。きみの息はいい匂いがする。僕はきみのことをずいぶんたくさん知った。

でも、これで充分だとは思わない。きみは生きている。日ごと夜ごと、どんどん増殖し、成長していく。そんなきみを知りたいと思う。きみの肉体を作り上げているきみ自身を知ることが、おそらく、今の僕にできる唯一《ゆいいっ》のことなんだろう。
ごめんよ、類子。僕はきみにあやまってばかりいるね。

一九七九年四月十日
秋葉正巳

青田類子様

その三年後の一九八二年二月八日、ホテルニュージャパンで火災が起こり、大勢の宿泊者が焼死した。私はそのニュースを一人で耳にし、自分と正巳とが夜を過ごしたあの部屋が焼けただれ、煙に巻かれている様を想像した。
だが、どれほど想像力を駆使してみても、私に思い出せるのは埃くさい、海老茶色のベッドカバーと染みだらけのカーペットだけだった。そして、その記憶の中の風景には、正巳の喘ぎ声だけがまるで男のエクスタシーのそれのように、どこか不吉に響きわたっている。

第六章

1

袴田亮介という男は、係累《けいるい》を連想させない男だった。私には彼が後ろに引きずっている時間の累積が、なかなか具体的に見えてこなかった。

かといって彼に自分を隠そうとするような、秘密癖があったわけではない。とりわけ、マスコミジャーナリズムに対して袴田はあくまでも率直だった。精神科医というよりは芸術家を気取りながら、文学や美術、音楽などについてのインタビューを受け、学者や詩人顔負けの抽象度の高い受け答えをしながら、彼はむしろ、自分自身について語ることが好きな人間でもあった。

袴田の引きずってきた時間の流れを、実際以上に見えにくくしていたのは、ひとえに阿佐緒だった。

阿佐緒は様々な愚痴や不満を述べながらも、その一方で、袴田の過去に関する感想をもらすことはめったになかった。袴田が死別したという妻について、一言でも阿佐緒から何か具体的なエピソードのようなものを聞いたことがあっただろうか。

袴田に対してのみならず、阿佐緒はそういう人間だった。人は誰しも、流れゆく時間の中、夥《おびただ》しい数の人間たちと様々な縁《えにし》で結ばれながら生きている、というようには決して捉《とら》えず、阿佐緒にかかると、人はすべて、善悪、好悪《こうお》の感情で道をよりわけながら現在に至っただけの、単純な生き物に過ぎなくなってしまうのだった。

したがって、阿佐緒による袴田の過去についての説明は、再就職の時に提出する履歴書、もしくはゴシップ記事を掲載する週刊誌の記事のようなものになった。

即《すなわ》ちこうだ。袴田は大正九年、十一月生まれ。東京帝国大学医学部に入学し、精神医学を専攻。卒業し、東大病院に勤務した後、フランスに留学。帰国後、日比谷に精神科の専門クリニックを開設。クリニックに通って来ていた患者の一人と、昭和三十五年に結婚。結婚して八年後に、妻は乳癌《がん》で他界した。妻が死んでからは独身を通し、水野夫妻に生活の細々とした雑事を任せながら、現在にいたる……というように。

突然、見知らぬ女から私の部屋に電話がかかってきたのは、四月も半ばを過ぎた日曜日の夜だった。

青田類子様のお宅でしょうか、と女は聞いた。

私が、そうです、と答えると、女は沢木香子《こうこ》と申します、と名乗ってから話し始めた。

「突然、お電話をさしあげるご無礼をお許しくださいませ。実は袴田阿佐緒さんのお友達でいらっしゃると伺って、お休みのところ失礼かとは存じましたが……。申し遅れました。わたくし、袴田亮介の又従姉妹《いとこ》にあたる者です」

かん高い声だったが、丁寧で美しい、気品のある話し方をする女だった。職業上の訓練を受けたような話し方ではなく、そこには芝居がかった気取りも、事務的な冷やかさもなかった。それは恵まれた家庭で十二分に愛されながら育ち、完璧《かんぺき》な教育を受けてきた女の、天真爛漫《らんまん》な優雅さを感じさせる話し方であった。

沢木香子は、もう一度、突然の電話を詫《わ》びてから、用向きを話し始めた。

その日の午後、文京区にある料亭の広間を借りて、袴田亮介の遠い親類の一人の法事が行われた。袴田夫妻はそろって出席する予定だったのだが、袴田にやむにやまれぬ急用ができ、阿佐緒だけがやって来た。法事の後、宴会になったのだが、その際、阿佐緒はいささかアルコールの度が過ぎたようで、気分を悪くしてしまい、沢木香子が別室に移してやった。袴田や水野とは連絡がとれないので、家政婦さんにでも迎えに来てもらおうと思ったのだが、阿佐緒本人がどうしても青田類子でなくてはいやだ、と言い張ってきかない。見ず知らずの方にこんなことを頼むのは気がひけるが、阿佐緒から電話番号を聞き、電話した。これから来てはもらえないだろうか——そういう話だった。

はっきりとは言わなかったが、阿佐緒の酔い方は目にあまる様子だった。法事に出席した親類たちから、阿佐緒が白い目で見られているのがたいそう気の毒になり、沢木香子が目立たぬようにそっと、料亭の座敷を特別に用意させ、そちらに阿佐緒を移した、ということらしかった。

「わたくしはずいぶん前に主人を亡《な》くして独り暮らしですし、早く家に帰らなければならない理由は何もないのですが」沢木香子はそう言い、場違いなほど穏やかに、くすくす笑った。「なにぶん、マンションで猫を飼っておりまして、あまり長い間、留守にできないものですから」

午後七時を過ぎていた。泥酔《でいすい》した阿佐緒の介抱をし、法事の客が帰った後も、たった一人、料亭の一室に残って、阿佐緒のことをどうすべきか思案している沢木香子という女に、私はその時点ですでに好感を持っていた。

「わかりました。すぐに伺います」と私は言った。

料亭の住所と電話番号を聞いてから、一旦《いったん》、電話を切り、次にそらで覚えていた正巳の家の電話番号を回した。日曜日だったので正巳は家にいた。

正巳と会うために、阿佐緒を一つの口実にしている自分が可笑《おか》しくもあった。いつまでたっても、私が正巳を誘う時、そこには中学生同士の幼い恋を思わせる不器用さが残った。

あの春の晩、肌と肌を合わせ、あれほどの濃密な手紙を受け取ったというのに、彼に対する思慕の念を、私が「会いたい」という率直な言葉で表現することはめったになかった。彼に会いたいと思った時、私は相変わらず、つまらない子供じみた口実を作らなければ電話ひとつできなかった。

口実の中でも、私がもっともたやすく口にすることができたのは阿佐緒だった。阿佐緒がまた飲みに行きたい、って言ってるから行きましょうか。久しぶりに阿佐緒の家まで行こうかと思ってるの、一緒にどう？

阿佐緒、阿佐緒、阿佐緒……。正巳の性愛の観念の象徴、幻の交合の相手であり、私の恋敵でもあった阿佐緒は、いつもそんなふうにして、私と正巳の間の重要なキューピッドの役回りを引き受けてくれていたのである。

私が電話で阿佐緒の事情を説明すると、正巳はすぐに「一緒に行くよ」と言ってくれた。そしてその後で小さく笑い、付け加えた。「さては何かあったな」

「何か、って？」

「どこの馬の骨かわからない、って親戚《しんせき》に言われてることを気に病んでたろう？　いくらなんでも、親類たちの前で、大っぴらにそんなに酔っぱらうのはちょっと変だ」

そうね、と私は言った。親類たちを前に緊張しすぎて、ついつい飲みすぎたのかもしれない、とは私も思わなかった。法事の際に何かがあった——やはりそうとしか思えなかった。

料亭は文京区湯島にあった。ありふれた蕎麦《そば》屋を思わせるような、何の変哲もない自動ドアの入口に、墨文字で小さく『湯島庵』と書かれた札が下がっている。そのわりには、いかめしい瓦《かわら》の載った屋根は複雑に入り組み、数奇屋《すきや》造りの奥の深さをしのばせた。

自動ドアを入ると、御影石《みかげいし》が敷きつめられた広い三和土《たたき》があり、その向こうに、青々とした畳が広がる取次ぎ用の内座敷が控えていた。正面に瓢箪《ひょうたん》をかたどった照明つきの飾り床の間があって、床の間では小さな香が炊《た》かれている様子だった。質素すぎるほど質素な入口の印象とは、あまりにもかけ離れている。その秘密めいた風雅さは、この店が選ばれた一部の人々のためのものであることを物語っていた。

取次ぎに出てきた和服姿の初老の女に事情を説明すると、丁重に玄関脇《わき》の部屋に案内された。そこは坪庭がついた茶室だった。私と正巳が中に入るとまもなく別の女が現れ、蓋《ふた》つきの茶器に入れられた煎茶《せんちゃ》が恭《うやうや》しく供された。

待たされること十分ほど。茶室の襖戸《ふすまど》が開き、小柄なほっそりとした女に支えられながら、阿佐緒が中に入って来た。阿佐緒は紺色のボレロ付ワンピースを着て、そのかしこまった装《よそお》いはそれなりに似合っていたが、服は皺《しわ》だらけで、おまけにひどく顔色が悪かった。

「突然、お電話いたしまして、申し訳ございませんでした。わたくしが沢木でございます」女が阿佐緒を畳の上に座らせるなり、私たちに向かって両手をついた。
六十五、六といった年齢である。想像していた通り、品のいい、雅《みや》びな顔立ちをした女だった。白いブラウスに、淡い鼠色《ねずみいろ》の仕立てのよさそうなフレアースカートをはき、立ち襟の胸元にパールの一連ネックレスを下げている。痩《や》せすぎてはいるが、老いた女のもつ不思議な神々《こうごう》しさが感じられた。
「類子。来てくれたんだ。嬉《うれ》しい」阿佐緒は気のない口調でそう言うと、人さし指でこめかみをおさえた。「頭が割れそう。ひどいことになっちゃった。いったいここはどこなのよ。いやんなっちゃう」

「さっきまで眠ってたんですの」香子が言った。目を細めて人を見る癖があるせいか、阿佐緒を見つめる目が優しい。「うつらうつら寝たり、起きたりして。でもね、阿佐緒さん、もう帰らないと。ここは旅館じゃないんですから、お座敷を借りっ放しではいられませんものね。だからお友達に迎えに来ていただいたんですよ」

阿佐緒は畳の上に両足をしどけなく投げ出し、後ろ手をついて、あはは、と笑った。

「正巳までいるわ。大騒ぎじゃない。なんなの、その目。馬鹿《ばか》にしてんでしょ。文句ある？」

「帰るぞ、阿佐緒」正巳がそう言いながら立ち上がったので、私は慌《あわ》てて香子に正巳を紹介した。

この人が車で来てくれたので、家まで送り届けます、と言うと、香子はほっとしたように微笑《ほほえ》み、よかったわ、と言った。「亮介さんは、阿佐緒さんが酔っぱらってるのを見たら怒るかもしれないけれど、あなた方が一緒ならなんとか見逃してくれるでしょう。よかったわね、阿佐緒さん」

「袴田さんは慣れてるはずですよ」正巳が笑いをにじませながら言った。「僕たちと飲んでいても、阿佐緒がこうなるのはしょっちゅうなんです」

あらまあ、そうでしたの、と香子は言い、口に手をあてててくすくす笑った。

正巳が阿佐緒を抱きかかえ、先に立って茶室の外に出た。茶室に私たちを案内してくれた女が、どこからともなく現れて、履物をそろえ始めた。

三和土の上で阿佐緒が大きくよろけ、何か大きな声でわめいた。正巳が小声でたしなめた。

「あのう」と香子が後ろから声をかけてきた。私は襖の戸口で立ち止まり、振り返った。

「こんなこと、わざわざお耳に入れる必要はないのかもしれませんが……」

「何でしょうか」

「今日の法事の後でね、ちょっといやな話を阿佐緒さんに聞かせてしまった人がいるんですの」

向き合って立つと、香子の頭は私の胸のあたりにやっと届くか届かないかだった。香子は小さな目をぱちぱち瞬《まばた》かせながら、私を見上げ、こくりとうなずいた。少女のようなうなずき方だった。「亮介さんの昔の話だったんです。わざわざそんなこと、今さら阿佐緒さんに教えるなんて、あんまりひどすぎると思ったのですけれど、わたくしが気づいた時は後の祭りで……。阿佐緒さんが悪酔いしてしまったのは、そのせいです、きっと」

いやな話とやらの内容を聞きたかったのだが、香子は言いすぎたと思ったらしい。慌てたように両手を膝《ひざ》で合わせて深々とお辞儀をすると、「では、なにとぞよろしくお願い申し上げます」と言った。「飼っている猫はもう十七歳にもなるんですの。人間の年にすると九十歳を超えてるんだそうです。あなた、猫はお好き？」

「好きです」

「わたくしが半日留守にしただけで、寂しがって粗相をしてしまうような子なんですよ。ろくに旅行もできません」

私は微笑んだ。「メスですか、オスですか」

「わたくしとおんなじ、おばあちゃん猫ですよ。いたわり合って暮らしております」

車を呼んでもらってから帰る、と言う香子を料亭に残し、私と正巳は、阿佐緒を外に連れ出して、料亭の駐車場に停めておいたフォルクスワーゲンの後部座席に乗せた。私は助手席ではなく、阿佐緒の隣に座った。走行中の車のドアを開け放ち、阿佐緒が錯乱状態のまま外に飛び出す、という不吉な幻を見たような気がしたからだが、それは阿佐緒が耳にしたという「いやな話」のことが気になっていたせいかもしれない。

車が走り出した直後、ふいに阿佐緒が後部座席で大声をあげた。「どこに行くのよ」

「どこ、って、阿佐緒の家だよ。決まってるだろ？」正巳がバックミラー越しに言った。

「いやよ。いやだったら、いや。二度と帰らない。あんな家、なんで帰らなくちゃいけないのよ。ねえ、ここで降ろしてよ。正巳！　今すぐここで降ろしてよ！」

阿佐緒は床で足を踏み鳴らし、運転席のヘッドレストを両手で叩《たた》いて、正巳を罵《のの》り、次いで私を振り返って、類子、なんで私を迎えになんか来たのよ、袴田から幾らもらってんのよ、さっきの婆《ばあ》さんとも結託してたんでしょう、などと言いがかりをつけ始めた。

それまでにも何度か、酔った阿佐緒が手のつけられない状態に陥ったのを見てきた。だが、どれほどひどい状態になったとしても、それはあくまでもほんの束《つか》の間《ま》のことで、阿佐緒は車に乗せるとすぐにおとなしくなった。まして正巳や私に暴言を吐いたことは一度もない。手がかかりはするものの、阿佐緒はあくまでも憎めない酔い方をする人間だった。

私は彼女を抱きすくめ、あやし、腕を撫《な》で、背中を撫でてやった。私に触れられると、阿佐緒はいやがって身体《からだ》をくねらせ、不快げに顔をしかめ、馬鹿にしないでよ、と怒鳴った。

日曜日の夜だったせいか、道路は空いていた。スピードを上げて走る車から、阿佐緒がドアを開けて外に飛び出してしまうのではないか、とひやひやした。私は彼女の身体をなるべくドアから離そうと試みた。

阿佐緒の身体は、水をためた袋のように感じられた。手足を動かすたびに、身体の奥底から、揺れる水の音が聞こえてきそうな気がした。

吐く息はひどく酒くさかった。うるさいわね、煙草《たばこ》ちょうだいよ、と言われたが、やめたほうがいい、とたしなめた。なんでよ、と聞き返された。さんざん、吸ったんでしょ、と答えた。類子の馬鹿、と阿佐緒は言い、今にも唾《つば》を吐きかけんばかりの勢いで、私の顔を間近からまじまじと睨《にら》みつけた。

どれほど暴れ、乱れても、そんな阿佐緒を罵《ののし》ったり、小馬鹿にしたり、あげく、自分はお人好しで、ひどく馬鹿げた頼まれごとを引き受けてしまった、などとは思わなかった。あの晩の阿佐緒は、一まわり小さく縮んでしまったように見えた。自分や正巳が助けてやらなかったら、誰がこの人を助けてやれるのだろう、と私は思った。阿佐緒は私たちに囲まれていながらなお、寒々と独りだった。

三度目か四度目に信号待ちで車が停まった時のことだった。阿佐緒の気分を変えてやりたい、と思った。私は阿佐緒に向かって、くだらない早口言葉の冗談を言った。ちゃんと言えたら、酔ってない証拠だから、と。

阿佐緒はシートにぐったりともたれたまま黙っていた。仕方なく私は、自分でその早口言葉を口にした。

あおまきがみ、あかまきがみ、きまきがみ……ねえ、阿佐緒、言ってごらん。あおまきがみ、あかまきまぎ、きまきまぎ……口が回らなかった。何度やっても同じだった。正巳が笑った。私も笑った。

阿佐緒はふと哀れむような目で私を見た。「今日、なんで私が一人で法事に行ったか知ってる？」

私は口を閉ざした。車のエンジン音が異様に大きく聞こえた。バックミラーの中の正巳の目が、こちらを一瞥《いちべつ》するのがわかった。

「袴田のね、患者だった人が自殺したのよ。二十八歳の男。鬱《うつ》病よ。今朝、起きたら、居間の天井の梁《はり》からぶら下がってたんだって。その父親は政治家なの。袴田とは昔から仲がよかったのよ」

ふふっ、と阿佐緒は小さく笑った。「どんな気持ちがするもんかしらね。自分の家の居間で息子に死なれて、その居間、ずっと使えるものなのかしら。ぶらぶら天井から死体がぶら下がってたわけでしょ。その下で、その後もずっと、コーヒー飲んだり、ケーキ食べたりできるもんなのかしらね」

車は首都高速道路に入った。阿佐緒は酔っているようには見えなかった。

「袴田のね、前の奥さんって、佳代《かよ》って名前だったのよ。類子、知ってた？」

唐突な質問だった。私は、知らない、と言った。

袴田の前の妻の名に覚えはなかった。あるいは一度だけ、阿佐緒から聞いたこともあったかもしれない。だが、どうして私に袴田の前の妻の名を覚えていなくてはならない理由があっただろう。

「佳代って人、死ぬまでに三回も妊娠したんだって。それで三回とも流産したんだって。初めて聞いたわ」

香子が言っていた「いやな話」というのは、そのことだったのか、と私は思ったが黙っていた。

阿佐緒はシートにふんぞりかえるようにして腕を組み、口もとに笑みを浮かべた。まるで、愉快な話をしようとしているかのようだった。「どうしてそんなに何回も妊娠して流産しちゃったか、っていうとね、その理由がおかしいじゃない。佳代って人、袴田の患者だったでしょ。佳代さんは、あれをするのが好きじゃない人だったんだって。好きじゃないどころか、夜になって、袴田と一緒に寝ると、絶対にあれをされる、ってわかってるもんだから、寝室も別にしてたんですってよ。でね、袴田はそういう女が大好きでしょ？　もう、興奮しちゃって、夜中になると女房の部屋にしのびこんでたに決まってるわ。袴田って変態なのよ。しのびこんで、無理やりやるのが好きなのよ。だから三回も妊娠させちゃったのよ。きっとそういうことなのよ」

金属的な笑い声が阿佐緒の口から迸った。「私じゃやっぱり無理だったんだわ。私、冷感症なんかじゃないもの。ちゃんと感じるもの。ちゃんとふつうに、いい気持ちになるもの。ねえ、正巳。一度やってみる？」

正巳の肩がかすかに揺れるのが見てとれた。だが、彼は何も応《こた》えなかった。

車内が蒸し暑く感じられた。私は窓を少し開けた。

前を向いたまま、阿佐緒がつぶやくように言った。「……子供が欲しい」

そのうちできるわ、と私は言った。馬鹿げた、当たり前すぎる、何の役にも立たない慰め方だった。だが、それ以外の言葉は見つからなかった。

「最近、よく同じ夢を見るの」阿佐緒は言った。「妊娠してる夢。お腹がふくれてきて、なんとなく身体が変で、あ、妊娠した、って思ってる夢。すごく感じる夢よ。むずむずするみたいな感じがして、幸せなんだけど、セックスの時の感じ方とは全然違うの。でもね、うっとりしながら、じっとしてると、そのうち目がさめちゃうんだわ。目がさめた瞬間は、ほんとに妊娠してるんじゃないか、って思って、お腹に手をあててみるのよ。でも妊娠なんかしてないの。するわけもない。そんな夢見た時は、朝まで眠れなくなる」

車は首都高速道路から、東名高速道路に入った。酔いがさめたのか、それとも、初めから酔ってなどおらず、酔ったふりをしていただけなのか、車が自宅に向かって走り続けているのがわかっていたはずの阿佐緒は、そのことについてはもう何も言わなくなっていた。

「セックスがしたいんじゃないんだわ」阿佐緒はつぶやいた。「セックスなんか、別にしたってしなくたっていい。私は子供が欲しいだけ。ほんとよ。子供を作ってくれればそれでいいのよ。簡単じゃない。大げさに言えば、一回だけしてくれればそれでいいんだもの。ほんとに一回だけ。それでいいのよ。ねえ、そうでしょ？　そう思うでしょ？」

その晩、阿佐緒が口にする言葉は、すべていたましく聞こえた。阿佐緒が「セックス」と言うだけで、阿佐緒らしい放埓《ほうらつ》さや、子供じみた露悪趣味は影をひそめ、ぼろをまとって跪《ひざまず》きながら物乞《ものご》いをする、女の哀れさだけが残されるような気がした。

「インポなのかと思ってた」

ふいに阿佐緒の口をついて飛び出した言葉の強烈さに、私は驚き、とまどった。それはあまりに無防備で、丸裸な言葉だった。同時に、私や正巳が、もっとも耳にしたくない言葉でもあった。

阿佐緒は続けた。「袴田はインポになっちゃったんだ、もともとインポ気味で、だから私ともしてくれないんだ、って思ってた。そう思えば、救われるもの。でも、そんなの大嘘《おおうそ》だったわけだわ。前の奥さんには毎晩のように迫ってたのよ。逃げれば逃げるほど追いかけて、孕《はら》ませてたのよ。そうよ。だからやっぱり、あの人、私に隠れて初枝さんを抱いてるんだわ。これではっきりしたわ」

泣きだす直前の、怒ったような物言いが、話の文脈を乱し、乱しながらもそれなりに言わんとしていることを否応《いやおう》なく正確に伝えていた。

阿佐緒はいきなり、身体を前に倒すようにすると、運転席のヘッドレストを両手で握りしめた。

「ねえ、正巳。私に赤ちゃんを作ってよ」

私はバックミラーを見た。高速道路の上を次から次へと流れ去っていく水色の明かりが、わずかにミラーに反射して、その時の正巳の目の表情は見えなかった。

「正巳ったら」と阿佐緒は駄々っ子のように地団駄を踏んだ。「作ってよ」

「そんなことをしたら、袴田さんに殺されちゃうよ」

「平気よ。向こうだって好きにやってるんだもの」

「そんなのは阿佐緒の思い過ごしだと思うけどね」

「私と寝るのがいやなの？」

「そうじゃないよ」

「私は正巳好みの身体をしてない、ってわけ？」

「そんなことは一言も言ってないだろう？」

「だったら寝てよ」

私は固く両目を閉じた。そうしていなければ、二人の会話を聞いていることができなくなりそうだった。

「決めた」阿佐緒は大声でそう言うなり、力強く私のほうを振り向いた。「正巳に赤ちゃんを作ってもらうことにするわ。そうよ。どうして今まで、このことに気がつかなかったんだろう。簡単じゃない。正巳が相手だったら、すぐにできる。それもたった一度でいいんだもの。私ね、毎朝、基礎体温をはかってるの。いつやれば妊娠できるか、よくわかってるの。私が、この日だ、って教えた日に、正巳と……」

「袴田さんに何て言うつもり？」どぎまぎしながら私は阿佐緒の話をさえぎった。「夫婦の間にできた子じゃないことはすぐわかっちゃうじゃない」

阿佐緒は目をぎらぎらと輝かせた。「そんなこと、知ったこっちゃないわ。あの人は私よりも初枝さんが好きなんだもの。つべこべ言うんだったら、のしつけて初枝さんにくれてやるわよ。子供ができたら、私が正巳と結婚すればいいんだもの。ねえ、正巳。そうよね？　私と結婚してくれるわよね？」

常軌を逸した高揚感に包まれていたらしい。何が可笑《おか》しいのか、阿佐緒はふいに、げらげらと笑い出した。笑いは長く続き、永遠に終わらないのではないか、と思われた。

「正巳、私のこと好き？」ふいに笑い声を切らせると、阿佐緒は猫なで声でそう聞いた。静かな振動を続ける車内に、阿佐緒の芝居がかった囁《ささや》きが、甘い水のようにしみわたった。

「なんで答えないの？　聞いてるのよ」

「きみを嫌いになったことなんか、一度もないよ。だって……」

だって……とあの時、正巳は言った。その先の言葉は続かなかったが、彼は確かに、「だって」と言った。そして、その先の、永遠に口にすることのできない、あふれる思いを飲みこんだに違いない。

阿佐緒は、歌うように「正巳、正巳、大好きよ。私の赤ちゃんのパパなのよ」などと無意味な、でたらめな言葉を口にしながら、どこかで聞いたようなメロディを口ずさみ始めた。

正巳はハンドルを握ったまま、口をきかなかった。私も黙りこくった。

阿佐緒が歌うのをやめ、大きく肩を上下させて息を吸った。切なそうな、苦しそうなため息が何度か続いた。

類子、と阿佐緒は前を向いたまま言った。抑揚のない言い方だった。「気持ちが悪い。

吐きそう。止めて」

車はまだ、高速道路の上だった。運よく少し先に非常駐車帯が見えてきた。正巳が大急ぎでウインカーを点滅させ、駐車帯に車を横づけにした。

自分でドアを開けるなり、転がるようにして外に飛び出した阿佐緒は、駐車帯の壁ぎわまで行くと、壁に手をついて嘔吐《おうと》し始めた。

幾台もの車が、駐車帯の脇《わき》を轟音《ごうおん》と共に走り去った。私は車から降り、阿佐緒に駆け寄って、その背をさすった。

生暖かい風が吹いた。空を仰ぐと、ちかちかと瞬《また》く小さな星が揺らいで見えた。遠くに大都会の、闇《やみ》を焦《こ》がすような光がにじみ、それは夜明けの山の稜線《りょうせん》のように、すべての輪郭を仄白《ほのじろ》く浮き上がらせた。

これと同じ風景をどこかで見たことがある、と私は思った。それは、袴田邸近くの丘の上に車を停め、正巳と二人、眺めていた風景に違いなかった。あの時、二人で眺めていた、高速道路の幾束もの光の筋の中に、今、自分たちは米粒のように小さくなっているのだった。

類子、と阿佐緒が道路にうつむいたまま、嗄《しわが》れた声で言った。唾を吐く気配があった。

「ごめん。さっき、ひどいこと言った。ごめん」

いいのよ、と私は言った。

嘔吐が続いているものとばかり思っていたが、阿佐緒は背中を小刻みに震わせながら、その時、しゃくりあげるようにして泣いていた。

2

考えてみれば、能勢とあれだけ烈《はげ》しい交わりを続けながら、私が一度も避妊に失敗したことがなかったのは、不思議と言えば不思議だった。

偶然、〝安全日〟にだけ会っていたというわけでもない。阿佐緒のように、何が何でも自分の子供が欲しい、などと夢にも思ったことのない私は、避妊には神経をつかっていたし、それは能勢にしても同様であった。

どんなに気をつけていても、完璧《かんぺき》な避妊をしているつもりでいても、女は妊娠しちゃうものなのよ、神様がそういうふうに女の身体を作ったんだから……大まじめにそんなことを言っていた女を私は何人も知っているが、あながちそれも間違っているとは言えない。交合の頻度が多くなればなるほど、避妊の失敗、妊娠の確率は間違いなく増える。だとするならば、あのころ、私が能勢の子を宿すようなことが起こったとしても決しておかしくないはずだった。

男の身体《からだ》と束《つか》の間《ま》、接触し合っただけで、簡単に妊娠してしまうような女から見れば、羨《うら》ましいと思われたかもしれない。逆に、阿佐緒のように赤ん坊が欲しくて欲しくてたまらなかった女から見れば、気の毒に思われたかもしれない。いずれにしても、私は妊娠を免れていた。

能勢が相手ではなく、正巳が相手だとしたらどうだったろう、と思うこともある。私は正巳の子が欲しくて、それがかなわぬことを知りながら、阿佐緒のように酔いつぶれて、深夜の高速道路で泣きわめいていただろうか。そして誰彼かまわず、一度だけしてちょうだい、基礎体温をつけてるから、一度だけでいいの、お願いだから私としてちょうだい、などと狂女のように持ちかけていただろうか。

あの年の四月末、ゴールデンウィークに入る前に、私は生理が遅れていることに気づいた。十日ほどの遅れだったと思う。それほど遅れるのは初めてのことだった。

まさか、と思いつつ、不安は澱《おり》のようにたまっていった。私はカレンダーを穴のあくほど見つめながら、記憶を総動員させてみた。

どう思い出してみても、その月、妊娠可能な時期に能勢と会っていなかったことは確かだった。もっとも危ないとされる時期に、ベッドで裸で抱き合った相手は能勢ではない、正巳だった。

これは正巳との間にできた子供ではないか、と私は思った。その現実味のない馬鹿《ばか》げた妄想《もうそう》は、思いがけず私に満足感を抱かせた。

一度だけ夢を見た。夢の中で、私は正巳に妊娠を告げていた。私の腹はすでに丸く、柔らかくふくれ上がっていた。正巳は私の服を脱がせ、裸にした腹部に頰を寄せて、幸福そうに目を閉じた。ただそれだけの、音のない、色彩もない、そんな夢だった。

私はあのころ、能勢にとって完璧な女、模範的な愛人だったと今も思う。既婚者と関わる際に、守らねばならないルールを私はきちんと守っていた。

私はただの一度も、能勢の妻に疑念を抱かせるようなことはしなかった。無言電話、差し出し人のない手紙、それとわかってしまうような贈り物――妻帯者と交際するほとんどの女が、「決してしてはならない」と思い、そう思うそばから、意地悪い気持ちがわきおこってきて、一度か二度は気がつかなかったふりをしてやってしまう、あまり美しいとは言えないあの悪戯《いたずら》のすべてを、私は一度もやらなかった。やってみようとも思わなかったし、考えたことすらない。

寂しさに耐えかねて悪戯をし、その結果、相手がどう反応するか試してみたい、という衝動にかられたことが一度もなかった関係――それが私と能勢の関係であった。

だが、私のそうした模範的な関わり方が、皮肉にもどこかで能勢の気持ちを苛立《いらだ》たせていたらしい。きみは僕と身体だけの関係でいたいのかと、彼はおそらく、私相手に怒鳴ってみたかったに違いない。もし、彼からそう怒鳴られたら、私はあまりに滑稽《こっけい》な質問に呆然《ぼうぜん》としながらも、大きくうなずいただろう。それのどこがいけないの、と聞き返しただろう。

だが、現実の男と女の間では、めったにそうした芝居がかった言葉の投げ合いは生まれない。生まれるのは通俗的なドラマや映画の中だけであり、実際には、水が高いところから低いところに流れていく時のように、静かに音もなく、何かが少しずつ変わっていくにすぎないのだと思う。

ふだんなら、私の生理日がいつなのか、などと、あまり正面きって聞いてくることのなかった能勢が、ある時、ベッドで交わった後のことだったが、珍しく「変だね」と言った。「今月はまだ?」

まだみたい、と私は言った。

遅れてるな、と能勢は言った。「先月は確か二十日頃だったじゃないか。いやもっと前だ。十八日だったかな」

妊娠の不安が頭をもたげている、ということを能勢に教えるつもりはなかった。私はすぐに話題を変えた。だが、能勢は新しい話題には乗ってこなかった。

「ほんとにまだなの?」と彼は繰り返した。

このくらい遅れるのはよくあることよ、と私は言った。

能勢はベッド脇のカレンダーを凝視して、指折り数え始めた。十日も遅れてる、と彼は言った。

そうらしいけど大丈夫よ、と私は言った。

能勢はかすかに眉《まゆ》をひそめ、煙草《たばこ》に火をつけた。彼のそうしたありきたりの困惑ぶりを見るのは、あまり愉快なことではなかった。

一事が万事、能勢はそういう反応をする男だった。彼にその種の通俗的な反応をされると、私は自分が汚れてしまったような気分にかられた。

ゴールデンウィークが始まって、学校は休みになり、能勢も外出しにくくなって、会う機会は少なくなった。それでも能勢は休みの間中、毎日電話をよこした。三十分の短い時間でもいい、急に会いたくなった、などと言って、車を飛ばして会いに来たりもした。

何のことはない、彼は疑っていたのである。私が彼の他に水色のフォルクスワーゲンを持つ男と関係をもち、その男との間に子供ができてしまったのではないか、と疑心暗鬼にかられていただけなのである。

三十分の短い時間、会いにやって来ると、彼は狭い部屋の隅々まで眺めまわし、そこに他の男の痕跡《こんせき》がないかどうか、調べるような仕草をした。そしてそこに誰もおらず、少なくとも私の浮気の痕跡は残されていない、とわかると、改まったように聞いた。

「まだ来ない？」と。

私はゆっくり首を横に振り、まだ、と答える。馬鹿げた会話だ、と思うと、それ以上、話を続ける気もなくなる。

能勢は、そこで怒ったような顔を見せた。私の妊娠の恐れについて考えるたびに、彼の頭の中を、私が自分以外の男と交わっている姿が悪夢のようにかけめぐるのだろう、と思うと可笑しかった。

水色のフォルクスワーゲンの男との間に、子供ができることなどあり得ないのだ、と言ってやりたかった。正巳が抱えている肉体上の秘密を知ったら、能勢はどんな顔をしただろうか。私が嘘《うそ》をついている、と思っただろうか。

私は正巳の身体について何ひとつ、能勢に教えるつもりはなかった。正巳の恥部は誰にも明かしたくなかった。それは正巳に対する最低限の礼儀であり、友情だった。

ゴールデンウィークの最後の休日。日曜日の夜だったが、遅れに遅れていたものがやって来た。万が一の場合を考えて覚悟を決めていたせいか、必要以上に不安にかられてはいなかったのだが、それでもさすがに、しるしを見つけた時はほっとした。

翌日、昼食時に学生食堂で、食券を買うために並んでいた時、偶然、能勢と出くわした。私と一緒にいた同僚の司書と、能勢と一緒にいた高等部の化学の教師とが、何か共通の話題を持ち出して、親しく話し始めた。食堂は混雑をきわめていて、学生も職員も皆、食券を買ったり、料理をテーブルに運んだりするのに忙しく、誰も私や能勢を見ていなかった。

そのわずかな隙《すき》を見て、私は能勢に近づき、早口で一言、囁いた。「ゆうべ、やっと来たわ」

そうか、と能勢は顔を輝かせた。妻に赤ん坊が生まれた時も、肉親の手術が成功したと聞いた時も、子供が有名私立学校の入学試験に合格した時も、自分の昇進が決まった時も、この人は同じ顔をするに違いない、と私は思った。

この女は誰の子も妊娠してはいなかったのだ、という思いが、能勢の中をかけめぐるのが見えるような気がした。能勢が私に抱いていた疑念が、たちまち消えていくのが見えるような気がした。

と同時に、私の中にあった、能勢に対する、ほとんど意味を持たないと言ってもいいほどの性的な強い執着が、その瞬間、しゃぼん玉が消える時のように、ぱっ、と跡形もなく消えていくのがわかった。何故《なぜ》なのか、わからなかった。その瞬間、私は能勢に……いや、能勢の肉体に興味を失っていた。

その週の土曜日の夜、いつもの通り、能勢は部屋にやって来た。手みやげに上等の赤ワインを買ってきた、と言い、彼はいつもの通り、部屋に入って来るなり私を抱きしめた。

泊まって行く？　と聞くと、ひどく残念そうに、いや、今夜は無理なんだ、と彼は答えた。ちょっと女房のおふくろが来ててね、と。

私たちはワインを飲み、私が作った簡単な料理で食事をし、いつもの通り、食事の途中でキスをし合って、そのままベッドになだれこんだ。私はいつもの通り、喘《あえ》ぎ声をあげた。それはいつもの通り、素晴らしい交合、肉と肉とが奏《かな》でる完璧な、一つも不調和なところがない素晴らしい音楽だった。

終わってから、私たちは酔い醒《ざ》ましにコーヒーを飲み、煙草を吸った。汗をかくような季節になっていた。開けた窓からは、都会の喧騒《けんそう》がかすかに聞こえてきた。

能勢とふたり、部屋にいることが急に息苦しく感じられた。

ドライブに行きたくなった、と私は言った。どこに、と聞かれ、どこでもいい、このへんを一周してこない？　と言った。

九時過ぎだった。能勢は少し面倒くさそうだった。

ドライブがてら涼みに行き、その後、私をここに送り届けてまっすぐ家に帰ればちょうどいいかもしれない、とでも考えたようだった。いくらか名残り惜しそうではあったが、能勢はおとなしく服を着て、車のキイを手にした。

能勢の車の助手席に乗り、五反田から白金を抜け、広尾を通って西麻布《にしあざぶ》に向かった。信号待ちで車が停まるたびに、能勢が私の身体に手をまわし、ふざけて首筋にキスをしてきた。私もそれに応《こた》え、彼の首に抱きついて、耳の中に息を吹きこんでやった。能勢はくすぐったがって、よがり声をあげた。私は笑った。仕返しに能勢は、私の太ももに手を這《は》わせてきた。そうされると私が興奮することを彼はよく知っていた。だが私は、太ももの上を這いずりまわる能勢の手を握って、「あのね」と言った。「私、好きな人ができたの」

ちょうど、西麻布の交差点にさしかかり、車は赤信号で停まっていた。能勢の身体が一瞬、硬直した。彼はそっと私から手をひっこめ、ハンドルを握りしめた。信号が青になった。彼は車を発進させ、右にウインカーを出した。右に行くと六本木だった。

「誰よりも好きな人よ。でも、彼が愛しているのは私じゃない、他の人なの」

私はそう言った。能勢は黙っていた。私はその横顔を盗み見た。彼は無表情だった。

そのあたり、道は少し混んでいた。速度を落としたり、速めたりしながら、車は六本木の交差点にさしかかった。能勢はまたウインカーを右に点滅させ、飯倉《いいくら》方面に曲がった。六本木の街は、初夏の宵《よい》を楽しむ若者たちで賑《にぎ》わっていた。

あなたとは楽しかった、と私は言った。思いがけず、少し胸が熱くなった。フロントガラスの外の、きらきら光る街の明かりが揺らいだ。「本当に楽しかった」と私は繰り返した。

能勢は黙りこくったまま、運転を続けている。飯倉の交差点を右に曲がり、古川橋を抜けて、車は再び五反田に向かっていた。

沈黙に耐えられなくなった。私は聞いた。「私は間違ってる？　こんな話をした私は間違ってる？」

いや、と能勢は言った。言ったのはそれだけだった。

五反田の私のマンションに戻り、駐車場に車を停めた能勢は、束の間、エンジンを切った車の中でじっとしていた。その瞬間、私は自分が、能勢五郎という男に或《あ》る意味で本当に執着していたのだ、と知った。

その時急に、能勢を失うのが怖くなった。能勢とのセックスを失うこと、純粋に肉体的な、精神が絡《から》まない性の営みだけの関係であり続けた男を失うことが怖くなり、私は少しとまどった。

「ちょっと寄って行く。いいかな」能勢は言った。もちろん、と私は言った。

部屋に戻ってから、能勢は静かに私を抱き寄せた。能勢とそれほど静かな抱擁をし合ったのは初めてだった。

私が能勢にキスをすると、能勢はゆっくりと味わうようにして私の身体を愛撫《あいぶ》し始めた。

部屋には飲み残しのワインや食べかけの料理がそのままになっていた。ベッドのシーツは乱れていて、枕《まくら》もとの灰皿には煙草の吸殻がうずたかく積まれていた。

欲望のうねりは不思議なほど生まれなかった。性の火照《ほて》りも感じなかった。私はただ、彼に身を任せ、彼の愛撫を受け止めていただけだった。

この男の肉体を自分はきっと、生涯、忘れずにいるだろう、と私は思った。この肌の匂《にお》い、汗の感触、ベッドの上で曲げた膝《ひざ》の硬さ、潤《うるお》った唇のなめらかな動き、性器、そのすべて。

能勢はふいに悲しげに咆哮《ほうこう》し、果て、ぐったりとベッドにうつぶせになった。

一切が終わってから、能勢はそっけなくトイレに立ち、戻って来てから下着をつけ、服を着て手櫛《てぐし》で髪の毛を後ろに撫《な》でつけながら、改まったように私を見た。

「あのフォルクスワーゲンの男なんだね」

私はうなずいた。

「独身？」

またうなずく。

「結婚するの？」

首を横に振った。烈《はげ》しく。

「最後にひとつ、聞かせてもらうよ。この間、妊娠したかもしれない、って心配してたのは、その男との間にできた子なのか、僕との間の子なのか、わからなかったからじゃないのか」

違う、と私は言った。「絶対に」

「本当のことを言ってもいいよ、類子。怒らないよ。ただ、僕は……」そこまで言って、能勢はわずかに声を詰まらせた。「僕は本当のことを知っておきたいだけだ」

私は首を横に振った。「セックスもしてない相手と、どうして子供ができるの」

彼は私を見つめ、小さくうなずき、目をそらした。「わかった。信じるよ」

その後、私は玄関まで能勢を見送った。靴をはき、ドアの外に出ようとして、彼は振り返った。

「きみの身体《からだ》は僕にとって最高だった」

あなたも、と私は答え、答えた瞬間、わずかに目尻《めじり》に涙がにじんだ。

能勢は出て行った。

別れたのだという実感はあまりなかった。私の身体には、その時点でまだ能勢の痕跡が残っていた。それまでの能勢との関わりの中で、私は性的に充分すぎるほど満たされていたし、もうそれ以上、満たされたいとは思わなくなっていた。

能勢と他人同士になったことをはっきり意識したのは、それから数日後、学校のキャンパスで能勢が高等部の女子生徒たち数人に囲まれながら、歩いているのを見た時である。

能勢はその時、私にとってまったくの赤の他人に見えた。自分はこの男の裸、この男の性器を知っていたのだ、と思うと、とても信じられなくなるほどだった。

能勢は生徒たちから何か質問を受けていたらしい。熱心に質問に答えながら、時折、笑って空を仰いでみせていた能勢は、ふと私に気づいた。私は、四月に赤坂のホテルのロビーで能勢夫妻にしたのと同じような、他人行儀な会釈《えしやく》をした。

彼もまた、同じ会釈を返してきた。笑顔のままだった。この人もまた、自分と同じことを思っただろう、と私は考えた。俺はこの女の裸を知っている、性器を知っている……と。

すれ違った私たちの後ろで、五月の光が弾《はじ》け、生徒たちの笑い声が轟《とどろ》いた。

或る意味で、それは幸福な別れであった。


その晩、久しぶりに阿佐緒から電話がかかってきた。

来週の日曜日、袴田がガーデンパーティーをやるの、と彼女は言った。声がはずんでいて、とても元気そうだった。

「買ってもらった車がやっと届いたのよ。それも見せたいし……来てくれるでしょう？正巳も招ぶわ」

何の名目のパーティーなのか、訊《たず》ねたのだが、阿佐緒が勢いこんで新車の説明を始めたので、途中で話が飛んでしまった。それが袴田のちょっとした出版記念パーティーであることを知ったのは、ひとしきり車の話を終えた後になってからだった。

何の本？　と訊ねたのだが、阿佐緒は「よくわからない」としか言わなかった。「何だか知らないけど、絵の本よ」

再び車の話に戻った。たかが、車が届いたくらいで、その興奮ぶりは少し尋常ではないような気もした。普段とはいささか異なる元気さに、その裏に潜む阿佐緒の寂しさを見たように思ったが、それも、法事の日の晩の出来事が深く印象に残っていたからかもしれない。

酔って荒れ狂ったことなど忘れてしまった様子の阿佐緒をからかうと、阿佐緒は、あ、ごめん、ごめん、と言って笑った。「ほんと、あの日は迷惑かけちゃった。類子には感謝してるのよ。今度会ったら、ゆっくりその話するからね」

「あの時のことなんか、とっくの昔に忘れちゃったんじゃない？　そうなんでしょ？」

「忘れてないわよ。ただね、あれから何だかんだと忙しくて。袴田の例の患者さんで、自殺した人の密葬につきあわされたし。その人のことで袴田がてんやわんやで、来客が多かったものだからこっちもくたくた。そんなこんなで、袴田がハワイに連れてってくれたの。ゴールデンウィークはずっとマウイ島にいたのよ」

「あきれた」私は冷やかした。「大騒ぎして、人を心配させて。結局、犬も食わなかった、ってわけね」

　ふふふ、と阿佐緒はまんざらでもなさそうに笑ったが、肯定も否定もしなかった。

「ハワイは楽しかった？」

「まあね」

「二人で何をしてたの？」

「二人じゃないわ。四人よ。水野夫婦も一緒だったから。泳いだり、昼寝したり、食べたり飲んだり。それだけよ」

　声がわずかに翳《かげ》った。私は気がつかなかったふりをした。

「当日、晴れてくれればいいんだけど」阿佐緒は言った。「外で飲むビールは最高だもの。ね？　類子。絶対に来てよね」

　私の中に、予感めいたものは何も起こらなかった。少なくとも、その無邪気な誘いの中に、不吉な匂いは何ひとつ嗅《か》ぎ取ることはできなかった。

　五月の晴れわたった空の下、袴田邸で行われるガーデンパーティー。着飾った女たち。シャンペンを抜く音。グラスの中で弾ける泡。小海老《こえび》の載ったカナッペ。小さく切り分けられた品のいいチョコレートケーキ。屋敷を囲む木々の青葉。その葉ずれの音……私が連想したのはそうしたものばかりだった。

　私は、喜んで出席する、と答えた。

じゃ、日曜日にね、楽しみにしてる、と阿佐緒は言い、電話を切った。

3

阿佐緒が袴田に買ってもらったという車は、MGのスポーツカーだった。色は深い山の緑を連想させるブリティッシュ・グリーンで、想像していたよりもずっと小さかった。

袴田邸の、二階が水野夫妻の住居になっている大きな車庫の前に、車はこれみよがしに停められていた。阿佐緒は車の傍に立ち、パーティーの出席者たちが珍しそうに車を覗《のぞ》きこんでは何か質問してくるたびに、待ちかねたように受け答えしていた。

あの日、阿佐緒はクリーム色の薄手のシフォンをさらさらと何重にも重ねたような、膝下丈のドレスを着ていた。短めの袖《そで》の部分が肘《ひじ》のあたりから扇状に広がり、そこにスカートの裾《すそ》と同じ、レースの飾り模様がついている。内巻きにカールさせた頭に共布のターバンを巻き、耳には大きな銀色のリング状のイヤリングをぶら下げ、それは阿佐緒がわずかに頭を揺らせただけで、うるさいほどカチカチと安っぽい音をたてた。

よく晴れた五月最後の日曜日だった。真夏を思わせる日差しの中、阿佐緒はいつにも増して美しく、若く、活き活きとしていた。居合わせた人々が示し合わせたように、密《ひそ》かに感嘆のため息をついたのは、私の知る限り、ブリティッシュ・グリーンの珍しいスポーツカーにではない。彼女に対してであった。

庭のテラスの中央に白いクロスがかけられた円形のテーブルがあり、そこに袴田亮介が書いた美しい装丁の本が数冊、まるで札束を広げた時のように、扇形に恭《うやうや》しく並べられていた。

本は『耽美《たんび》と倒錯・世紀末象徴派絵画論』と題された、カラー図版が入った函《はこ》入りの豪華本で、限定二百部の出版だということだった。厚手の函には、惜しげもなくバイロスの淫《みだ》らな美しい挿絵《さしえ》が使われていた。まさに袴田らしいこだわりの、袴田にしかできない、個人的な趣味の領域で生み出され、趣味の領域でのみ、読者を選ぶ、稀覯《きこう》本そのものであった。

だが、残念ながら私はその本を手に入れることはおろか、読むことすらできなかった。パーティーの招待客に限り、二十部だけ署名入りの本が贈呈されたものの、贈られたのは袴田と親交のあつい各界の名士、著名人ばかりだった。

ずっと後になってからの話だが、なんとかして手に入れたい、と思い、思い始めると矢も楯《たて》もたまらなくなって、八方、手を尽くして探しまわったことがある。古書店に出回っている様子はなく、限定出版本に詳しい人に訊ねてみても、思わしい結果は得られなかった。探す道が塞《ふさ》がれ、再び私の中で、袴田亮介という人物が遠くなってしまったのは、あれはいつのことだったろう。

耽美と倒錯――それはまさに、袴田が演出した舞台劇のようなタイトルだった。袴田が上梓《じょうし》した本は何の本？　と訊ねた時、阿佐緒が「絵の本」と答えたことを思い出し、私は阿佐緒の無邪気さをその時深く愛した。

阿佐緒に、芸術的なことを理解し、教養を高めようとする意欲がまるでなかったことは、特筆に値する。多くの人間が、見栄《みえ》や世間体やあるいは自尊心のために、無理をしてでも身につけようと努力するすべてのものは、めったに阿佐緒の関心を惹《ひ》かなかった。耽美も倒錯もバイロスも世紀末も、阿佐緒にとっては無意味な言葉の羅列でしかなかった。

私はそんな阿佐緒が好きだった。無駄な教養は時として、人をねじれさせる。阿佐緒はねじれることなく、たとえ不器用であるにせよ、ただ、まっすぐに生きていた。それが彼女の魅力だったし、少なくともあの日の阿佐緒は、そんな魅力の塊のように見えたものだ。

私がパーティー会場になっていた庭に出て、臨時に雇われていた蝶《ちょう》ネクタイの給仕人から飲物を受け取ったり、テーブルの上の大皿からオードブルをつまんだりしていると、阿佐緒は遠くから背伸びするようにして私に向かって手を振った。私も手を振り返した。

車の傍から片時も離れたくない、といった様子だった。その時、袴田はすでに会場にいて、招待客の相手をつとめていた。阿佐緒がいっこうにこちらにやって来ようとしないのを見て、袴田は客人を前に、ちっ、と青年のように若々しくなめらかな舌打ちをし、苦々しさを装《よそお》ったような笑いを浮かべた。「私は妻を車に寝取られてしまったようですな」

「わざわざご自身が奥様に、眉目《びもく》秀麗なボーイフレンドをあてがってさしあげたようなものですよ」袴田の近くにいた老人が、義歯を鳴らしながらそう言い、痰《たん》のからまった笑い声をあげた。「いや、それにしても、奥様はお美しい。袴田先生、さぞかしご心配でしょう」

「いやいや、あれは私に惚《ほ》れておりますものでね。さほどの心配もしていないのです」

「ほう、ほう」と老人は間抜けな梟《ふくろう》のような声をあげた。「相当、自信がおありのご様子ですなあ。うらやましいことです。私など家内にはうっとうしがられてばかりですよ」

「夫婦というのは形である、というのが私の持論でしてね。形さえ完成させれば、いかにいびつなものであっても、そこに某《なにがし》かの器ができあがる。人はそうそう、滅多なことでは、居心地のいい器から出ようとはしないものですよ」

「またそんな小難しいことをおっしゃって。袴田先生のほうが先に奥様に惚れて、熱心にプロポーズなさった、っていうのが、もっぱらの噂《うわさ》ですよ」会話の輪に加わった中年の女が、媚《こ》びを含んだ声で言った。

あはは、と袴田は陽気にけたたましく笑った。「なにぶん私は、美しいものが好きでしてね」

「これはこれは、ごちそうさま。なんだ。私たちはあてられているだけのようですぞ」

周囲がどっと笑い声をあげながら、一斉に阿佐緒のほうを見た。阿佐緒は見られていることに気づいたのか、カメラを意識する女優のように小首をかしげた。

おお、と義歯の老人が称賛の声をあげた。阿佐緒は明らかに老人ではなく私に向かっていたずらっぽく笑いかけ、小脇《こわき》に抱えていた小さなセカンドバッグから煙草《たばこ》を取り出すなり、わざとらしい蓮《はす》っ葉《ぱ》な手つきで火をつけた。

招待客の数は、新築記念パーティーが行われた時ほどではなかったが、それでも出版記念会ということで、袴田のとりまき連中が大勢招かれていた。マスコミに出るのが決して嫌いではないにもかかわらず、相変わらず袴田は私的な集まりにはマスコミ関係者を招いていなかった。その日、パーティーに来ていたのは、袴田の患者として長年の親交があった人々や、画廊や古美術の関係者、文芸美術評論家、大学教授、私の知らない無数の知識人、そして彼らが同伴した家族であり、中に数人の袴田の親類縁者たちも混ざっていた。

私が沢木香子と二度目に会ったのもその日である。香子は楚々《そそ》とした訪問着姿で、袴田亮介と遠い親戚《しんせき》筋にあたるという老夫婦と一緒だった。私は彼らに挨拶《あいさつ》をし、彼らもまた私に愛想よく応《こた》えたが、ひととおり、私と阿佐緒の関係について説明してしまうと、これといった話題もなくなった。

「いや、まったくこの間の法事の時の阿佐緒さんにはたまげたな」白くなった髭《ひげ》を鼻の下にたくわえた老紳士が、誰にともなく笑いをにじませて言った。「香子ちゃんがこの通り、いい人なもんだから、気をきかせて付き添ってやってね。香子ちゃんがいなけりゃ、誰も介抱なんざ、してやらなかったろうよ。実際、亮介も大変な嫁さんをもらったよなあ。ありゃあ、完全な酔っぱらいだ」

「だって、あなた、あのまんまにしておくわけにはいかなかったでしょう」

香子がそう言うと、紳士に寄り添うようにして立っていた夫人が、曖昧《あいまい》にうなずいた。目を細めてにこにこしているだけの、口がきけないのではないか、と思われるほどおとなしい女だった。

「そのうえ、その大変な嫁さんに派手な車のプレゼントときた」老紳士は車庫のほうを見ながら、微笑《ほほえ》んだ。「ＭＧのＢタイプってやつだけど、果して阿佐緒さんに乗りこなせるのかね。あれはけっこう、スピードが出るぞ」

「アメリカの車って、ほんとにきれいな色をしてるのねえ」

香子がのんびりした口調でそう言うと、紳士は腹を抱えて笑い出した。「香子ちゃんは車のことは何も知らないんだな。あれはイギリスの車だよ。確かモーリスっていう人が始めた店の名の頭文字をとってMGっていうようになったんだ。ええと、何だったっけな。モーリス・ガラージだったかな」

「まあ、詳しいこと」

「亮介さんには何事においてもかなわんけど、車の知識だけは僕のほうが上だよ。あのMGも多分、阿佐緒さんにせがまれて買ってやっただけなんだろう。彼は馬鹿《ばか》のひとつ覚えみたいに、ベンツしか知らないから」

「ベンツは安全だし、振動が少なくていいんですよ」それまで黙っていた夫人が初めて口を開いた。庭先に餌《えさ》をついばみに来る野鳥のような、どこかおどおどした、かん高い声だった。「亮介さんは佳代さんのためにベンツを買ったようなもんですから。ほら、覚えてます？　佳代さんが三度目に妊娠した時、もうこれ以上、流産させない、って亮介さんがおっしゃって、それで出かける時は必ずベンツを……」

　思いがけず佳代の名が飛び出したので、私は身体《からだ》を固くした。もっと先の話を聞きたいと思ったのだが、香子がそれとなく老婦人に軽く目配せをした。老婦人は、何事もなかったかのように口を閉ざした。その話はそこで終わった。

　正巳が門から入って来るのが見えた。彼は私には気づかず、勾欄《こうらん》の脇の道をまっすぐ車庫の前まで歩いて行き、軽く手をあげて阿佐緒に笑いかけた。

阿佐緒の顔に笑みが広がり、彼女は正巳相手に熱心に車の自慢話を始めた。正巳はうなずき、惚れ惚れしたように車を眺めまわし、一つ二つ質問をしてから運転席に座った。阿佐緒は正巳の前に大きく上半身を乗り出して、計器類を指さした。阿佐緒の臀部《でんぶ》の輪郭が、布越しにくっきりと際立《きわだ》った。ドレスの裾がせり上がったため、ぴんと伸ばされた阿佐緒の膝《ひざ》の裏側がはっきり見えた。

小さな車の中で、正巳は身体を後ろに反らせ、阿佐緒の上半身が被《おお》いかぶさってくるのを避ける仕草をした。阿佐緒が笑いながら、ふざけた手つきで彼の肩をぶった。

上半身を起こそうとして、バランスをくずしたのか、彼女の身体がその時、大きく傾いた。運転席側の閉じたドアの上で、一瞬、身体が宙に浮いた。彼女は両足をばたつかせた。スカートが翻《ひるがえ》った。

正巳の腕が、咄嗟《とっさ》に阿佐緒の腰を抱きかかえたのが見えた。阿佐緒は両手を正巳の首にまわし、少女のような笑い声をあげた。

正巳の腕は、しばらくの間、阿佐緒の腰から離れなかった。やっと身体を起こした阿佐緒は改まったように正巳と向き合い、束の間、長年にわたる友情と信頼を物語るような、情愛に満ちた軽い抱擁を交わした。

抱擁の後、先に身体を離したのは阿佐緒のほうだった。阿佐緒は身体をのけぞらせるようにしながら笑い続けていた。笑い声が、風に乗って庭まで運ばれてきた。幸福そうな、満足げな、男を誘いこむような媚びを含んだ、それでいて最後には男を拒絶してしまうような笑い声だった。

運転席にいた正巳が私に気づいた。正巳は手を振った。阿佐緒も私のほうを向いて手を振った。

私はうなずき、こっちにいらっしゃいよ、と阿佐緒はジェスチャーまじりに私を手招きした。

私はうなずき、ベランダから玄関ポーチに抜ける道に出て、彼らのほうに歩いて行った。ポーチからは、玄関の中にいる水野夫妻が見えた。水野は黒いスーツに黒の蝶ネクタイをしめていた。初枝のほうは白いブラウスに黒のタイトスカートという、いかにもパーティー会場の女給仕人を思わせる装いだった。二人は玄関脇のクローゼットを開け、黙々と客から預かった手荷物を整理しているところだった。

どこかで電話が鳴った。水野は奥に引っ込んで行った。

正巳はさっき、何を感じただろう、と私は思った。阿佐緒の腰を抱きすくめ、阿佐緒の身体から甘い匂《にお》いを嗅《か》ぎ、何を感じただろう。その感触、その弾力、その重み……阿佐緒という名の肉体を両手に包みこんで、何を感じたのだろう。何を思ったのだろう。彼の気持ちの中に、どんな変化があっただろう。

そのすべてを知りたかった。今すぐ、この場で知りたかった。知りたいという思いがあまりに強すぎて、動悸《どうき》が始まったほどだった。

私が阿佐緒と正巳の傍まで行くと、正巳は車から降りて来た。正巳が眩《まぶ》しそうな目をして私を見た。私も彼を見た。

　この人に触れたい、この人のぬくもりを感じたい、この人に包まれていたい、この人を包んでいたい、とする烈《はげ》しい欲望のようなものが身体の奥底で渦を巻いた。だがそれも束《つか》の間《ま》のことだった。

　正巳を前にして、私は自分が穏やかに凪《な》いでいくのを覚えた。正巳を求める気持ちは、ふくれあがり、破裂寸前になり、苦しさを増すばかりなのに、胸の奥底にしんと静かな水面をさらす沼があって、あらゆる揺れ動く不安定な感情や欲望はすべて、その中に吸い込まれ、鎮《しず》まっていくような気がした。

　玄関から水野が出て来た。両手には白い布の手袋をはめていた。

「これからお客様をお迎えに、急いで鷺沼《さぎぬま》の駅まで行ってまいります」水野は阿佐緒に向かって言った。「車庫から車を出しますので、少しの間、お車を移動していただけますか」

　誰を迎えに行くの？　と阿佐緒は聞いた。水野は私の知らない人間の名を言った。

　そう、と阿佐緒は言った。ふてくされたような表情だった。「タクシーで来てもらえばよかったのに」

「旦那《だんな》様から迎えに行くよう、託《ことづ》かっておりましたので」水野は阿佐緒に背を向けて、車庫のシャッターを開け始めた。「お車のほう、お願いできますか。なんでしたら、私が移動させましょうか」

結構よ、と阿佐緒は高飛車に言った。

私たちが見守る前で阿佐緒はＭＧにエンジンをかけた。アクセルをふかしすぎたのか、すさまじい排気音が轟《とどろ》いた。

庭にいた人々が、何事か、という顔をして阿佐緒を振り返った。阿佐緒はすました顔つきでギアをロウに入れ、車を発進させた。

車体ががくんと大きく揺れた。あわやエンジンが止まりそうになったが、車はなんとか動き出し、車庫から数メートル離れた門の手前で、再びがくんと車体を揺らせながら停まった。

庭からわずかな失笑がもれた。愛情がこめられたからかい半分の失笑なのか、それとも軽蔑《けいべつ》まじりの失笑なのか、わからなかった。

水野が車庫から濃紺のベンツに乗って出て来た。小さなＭＧの脇をすり抜けざま、水野は軽くクラクションを鳴らした。阿佐緒は完全にそれを無視した。

袴田が阿佐緒を呼ぶ声がした。阿佐緒は車から降りると、勾欄を抜け、小走りに庭に向かった。青々と生えそろった芝生の上に、阿佐緒の着ているクリーム色のやわらかなドレスが白い光の線を描いた。

私と正巳は並んで玄関ポーチから中に入り、邸《やしき》の中を通ってベランダに出た。何か食べる？　と正巳に聞かれた。

私はベランダのテーブルの上のサンドイッチを指さした。自分で取り皿に取って一口食べた。ローストビーフがはさんであるサンドイッチだった。

後ろから初枝がやって来て、「いかがでしょうか」と私に聞いた。「パンが乾いてしまってるんじゃないでしょうか」

「そうですか？　そんな感じはしないけど」

「でしたらいいんです」初枝は微笑んだ。「作りおきしておいた時、ついラップをかけるのを忘れてしまったものですから、気になって」

おいしいです、と私は言った。

よかった、と初枝は言い、もう一度、私に向かって微笑みかけた。少し顔色が悪いように思えた。きちんと一番上のボタンまではめた白いブラウスは、糊《のり》が効きすぎており、初枝の身体をいつになく、固く強張《こわば》ったように見せていた。

テーブルの上に、吸殻が入った灰皿があった。初枝はその灰皿を取り替えてから、私と正巳に軽く会釈《えしゃく》をし、奥に下がって行った。

正巳がグラスにビールを入れて持って来てくれた。私たちはベランダの椅子《いす》に並んで腰をおろし、ビールを飲んだ。

誰も私たちに話しかけてはこなかった。袴田邸は五月のまばゆい陽光に包まれて、青々と若葉の中にあった。

庭の人だかりの中に阿佐緒の姿が見え隠れしていた。阿佐緒は誰よりも美しかったが、同時に誰よりもどこか寂しげに見えた。阿佐緒が立っているところだけが、目に見えない透明な繭《まゆ》で包まれ、外部から遮断《しゃだん》されているようだった。

日の高いうちにシャンペンを飲んだせいか、軽く酔いがまわっていた。そのせいで、人々の笑いさざめく声が蜂《はち》の羽ばたきのようにしか聞こえなかった。

私は正巳と、袴田が上梓した限定豪華本の話を始めた。正巳は、昔、何かの雑誌で紹介されていたバイロスの官能的な挿絵《さしえ》を見ながらオナニーをしたことがある、と言った。あっけらかんとした言い方だった。

いつ？　と私は聞いた。

「中学の時」

「三島の『仮面の告白』を読んだのと、バイロスの絵を見たのはどっちが先？」

「ほとんど同時だったな。どっちもエロティックだった。きみは？」

「私は別にバイロスの絵を見てオナニーなんかしたことないわ」私は笑った。「でも『仮面の告白』はやっぱりエロティックだった」

「感じた？」

「少しね」

「例えばどのシーンで？」

「主人公が『聖セバスチャン』の絵を見て射精するシーンで」

僕もさ、と彼は言い、まるでそれが、ただの天候の話に過ぎなかったかのように空を仰いで遠くを見つめた。

グラスのビールが空になった。暑い日だったせいか、飲めば飲むほど喉《のど》の渇きがつのるような気がした。

給仕人を探したのだが、二人いた給仕人は客人のためにテーブルでアイスクリームをガラスの容器に移していて、手の空いている者はいなかった。

会場に用意されていたビール瓶は、すでにどれも空になっていた。ないとわかると、どうしてもビールが飲みたくなった。ビールもらってくる、と私は言い、立ち上がった。

4

どうしてあの時、ビールにあれほどこだわったのかわからない。飲物なら他にもたくさん用意されてあった。冷えた白ワイン、氷を浮かせたカンパリソーダ、ジントニック、スコッチ……。庭の一角のテーブルが飲物コーナーになっていて、そこまで歩いて行けば、いくらでも冷たい飲物を飲むことができるようになっていた。

だが、私はビールが飲みたいと思った。自分なら気安く厨房《ちゅうぼう》に入って行って、初枝からビールをもらってくることができる、と考えたせいもある。

ベランダから直接居間に入り、ダイニングコーナーを抜け、裏の廊下に出て私は厨房に行った。

畳にすれば二十畳ほどある広い厨房だった。中央に細長い調理テーブルがあり、テーブルではデザート用のエスプレッソコーヒーの支度ができあがりつつあった。

初枝がこちらに背を向けて、窓際の流しに両手をついて立っているのが見えた。流しには水が出しっ放しになっていた。

「初枝さん」と私は声をかけた。「すみませんが、ビールがなくなっちゃって。一本だけいただいて行っていいかしら」

初枝は前を向いたままうなずいた。「どうぞ」と言う声が聞こえた。「少しなら冷蔵庫に入ってると思います」

大型冷蔵庫は厨房を入って左側の壁際にあった。私は冷蔵庫のドアを開けた。ドアポケットの中にはビールは一本しか見当たらなかった。

「一本しか残ってないわ。いいのかな」

どうぞ、ともう一度、初枝は言った。

私はビールをポケットから抜き取り、「じゃあ、いただいていきます」と言った。

初枝は前を向いたままの姿勢で、うなずいた。片手が口にあてられていた。咳《せき》をこらえているように見えた。

私が厨房を出ようとした時だった。背後に、身体《からだ》の奥底からしぼり出されるような音が聞こえた。振り返ると、初枝は流しに顔を埋めるようにして身体を屈《かが》め、苦しげに嘔《おう》吐《と》していた。

駆け寄って背をさすってやるべきか、それとも見なかったふりをするべきか、迷った。何か目に見えないものが、私を押しとどめた。

厨房の勝手口がその時、大きな音をたてて開き、水野が入って来た。鷺沼の駅まで客人を迎えに行って、戻って来た直後だったらしい。手にはまだ、運転用の白い手袋がはめられていた。

勝手口から私が立っていた厨房の入口付近は、大型冷蔵庫のせいで見えにくくなっていた。水野は私に気がつかなかった様子だった。

「またか」水野は初枝を見て言った。冷やかな、皮肉めいた、嫌悪《けんお》すら感じられる言い方だった。

初枝は流しにうつむき、小刻みに背を震わせたまま、応《こた》えなかった。蛇口からは、相変わらずざあざあと水が流れ続けていた。こみあげてくるものと戦うようにして、初枝は背筋を伸ばし、大きく息をした。

「明日にでも医者に行って来なさい」水野はそう言いながら、はめていた白い手袋を丁寧に脱ぎ、二つに折りたたんでズボンのポケットにおさめた。

そして、流しの脇《わき》の棚に手を伸ばし、何枚も重ねられていた盆のうち、銀色の四角い一枚を取り出すと、妻のほうを見もせずに言った。「胃の調子が悪いだなんて、いつまでごまかしてるつもりなんだ。もうごまかしようがない。妊娠したに決まってるだろう」

初枝は両手で蛇口の水をくみ、口にふくんで吐き出した。何度か同じ動作が繰り返された。水野は盆を小脇に抱え、なぶるように初枝を一瞥《いちべつ》したが、何も言わずに勝手口から外に出て行った。

初枝は水道の蛇口をしめた。手の甲で口のあたりを拭《ぬぐ》う気配があった。嘔吐ではない、何かしゃくり上げるような音が聞こえた。嗚咽《おえつ》だった。かみ殺してもかみ殺してもあふれ出してくる、か細い悲鳴のような嗚咽が哀れだった。

初枝に気づかれないよう、私はそっと踵《きびす》を返した。みしり、と廊下の板が思いがけず大きな音をたてた。

はっとした様子で初枝がこちらを振り返った。青ざめた顔に、うるんだ目の縁だけが赤かった。私は気がつかなかったふりをして目をそらした。

明かりの灯《とも》されていない薄暗い廊下に、その時、阿佐緒の姿があった。阿佐緒はぼんやりと暗がりに佇《たたず》む幽霊のように、両手をだらりと下げたまま、そこにいた。

暑い日だったのに、廊下からしんしんとした冷気が足を這《は》い上がってくるように感じられた。

どうしたの、と私はうわずった声で聞いた。

阿佐緒は一瞬、穴のあいたような空虚な顔をした。

「どうかした？」私はもう一度聞いた。

私の声で我に返ったかのように、阿佐緒は突然、あはは、と笑いだした。相手の不意をつくような笑いだった。「類子こそどうしたのよ。変な顔しちゃって。お化けでも見たような顔してるわよ。今さっき、袴田に叱《しか》られちゃったのよ。ビールが一本もない、って。どうしてもっとたくさん買っておかなかったんだ、って。ケースごと山のように買っておいたの。まだたくさん残ってるはずだから、初枝さんに持って来てもらおうと思って頼みに来たとこ」

私はうなずき、手にしていたビール瓶を掲げてみせた。さっき初枝さんからいただいたの、と言うと、阿佐緒は「なんだ、一本だけ？」とぷりぷりした口調で言った。「困るわよね。こういう時に限って、肝心のビールがなくなるなんて。どういうことなの」

初枝さん、初枝さん、と阿佐緒は大声で呼びかけながら、私の傍を通り過ぎ、大股《おおまた》で厨房に入って行った。「ビールはまだあるんでしょ？　あるはずよね。ありったけ、冷やしておいたはずだものね。でもどうしてこんなに早く全部なくなっちゃったんだろう。変よね」

慌《あわ》てて涙を拭《ふ》いたらしい。まだ少し顔色がすぐれないことを除けば、吐き戻して少し気分がよくなったのか、初枝の表情は元に戻っていた。

「申し訳ありません。ビールは全部、お出ししてしまいました」初枝は言った。

「いやだ。ほんと？」

「酒屋さんに頼んで配達してもらった時、確か確認したはずなんですが……なにしろ他の飲物も多かったものですから。あの……すぐに酒屋さんに電話して届けてもらいます。いつもの酒屋さんなら、冷えたビールも持って来てもらえますので」

「だって、初枝さん、今日は日曜日よ。あの酒屋さんはお休みじゃない」

そうでした、と初枝は言った。上半身を傾けながら、少し乱れていた髪の毛を右手でやわらかく撫《な》でつけると、初枝はふいに凜《りん》とした表情で姿勢を正した。「でしたら水野に買って来させます。どこか開いているお店が必ずあるはずですから」

初枝がそそくさと厨房の勝手口から外に出て行こうとした時だった。阿佐緒は初枝を呼び止めた。

「ねえ、初枝さん。私と一緒に買いに行かない？」

初枝は勝手口の手前で阿佐緒を振り返った。

阿佐緒はにこやかに言った。「天気もいいし、車の運転がしたいの。MGのトランクルームにはそんなにたくさん入らないけど、いいのよ、山ほど買ってこなくちゃならないわけじゃないんだもの。ビールがなくなったことが問題なんだから、お客が飲んでも飲まなくても、そのへんに冷たいビールを置いておけば、袴田も満足なのよ。初枝さん、つきあってくれない？　いいでしょ？」

「もちろんいいですけど、でも奥様はお客様のお相手がありますし、そういうことでしたら水野に頼んだほうが……」

私が行って来てあげる、と私は口をはさんだ。正巳は車で来ていた。正巳の車で一緒に出かけて、冷えたケース入りビールを買って来ることくらい、お安い御用だった。

だが、阿佐緒は私を振り向いて「お客様は黙ってなさい」と冗談めかして言った。「いいのよ、類子は正巳とゆっくりしててちょうだい。初枝さんと行って来るわ。酒屋なんて、ちょっと走ればいくらでも見つかるはずだもの。そうね、遅くても二十分以内には戻る。袴田にはそう伝えといて」

後で何度も考えた。何故《なぜ》、あの時、私は簡単にうなずいてしまったのだろう。阿佐緒は今日のパーティーの唯一《ゆいいつ》のホステス役なのだから、席を中座したりしてはいけない、何があろうと、最後まで客人の相手を務めなければならない、と何故、強硬に言ってやらなかったのだろう。そうでなくても、グラス一杯ぐらいのシャンペンは口にしていたはずの阿佐緒に、飲酒運転になることをどうして厳しく言って聞かせなかったのだろう、と。

ビールを買いに行くことのできる人物はいくらでもいた。私でも正巳でも水野でも初枝でもよかった。袴田邸からは少し遠いが、あのころすでに二子玉川の駅前には、高級スーパーマーケットの明治屋もあった。知恵さえ働かせれば、一時間以内に世界中のビールをかき集めることだって可能だったのだ。

変だと思わないわけではなかったが、明らかに変だ、とはっきり自覚したわけでもなかった。それらはすべて、後になって思い返してみた時のこじつけに過ぎない。

警察に何度も聞かれた。家を出る前に、阿佐緒の様子に、何か不審な点は感じませんでしたか、と。

特にありません、と私は答えた。嘘《うそ》ではなかった。出かける前の阿佐緒の話し方は、いつもと変わりのない阿佐緒の話し方であった。表情にも目の輝きにも変わった点は何ひとつ見られなかった。阿佐緒はいつも通りに美しく、弾むような軽やかな呼吸をし、動作も変わらずにきびきびしていた。

ただひとつ、廊下にぼんやりと佇んでいたことを除けば。

だが、そのことは警察には言わなかった。厨房での水野と初枝の会話を阿佐緒が聞いていたとは限らなかった。初枝が吐き戻しているのを知っていたとも限らなかった。何の証拠もないこと、事実かどうかはっきりしないことを憶測で口にするのは怖かった。阿佐緒はあの時、たまたま家の中に入って来たに過ぎず、何も見なかったし、何も聞かなかったのかもしれない。間一髪というところだったとしても、何も耳にしなかったのなら同じことである。

廊下でのことはあくまでも、不確かな一瞬の出来事に過ぎなかった。あの一瞬の阿佐緒の表情から、すべての結論を導き出すことは、到底、不可能だった。私は自分にそう言い聞かせた。

だが、私は知っていた。阿佐緒は聞いていたのだ。水野が初枝に向かって言った短い言葉を耳にしてしまった。阿佐緒は初枝が身ごもっていることを知った途端、それが水野との間にできた子ではない、袴田との間にできた子に違いない、と思ったのだ。

廊下であの漠とした表情を見せた阿佐緒は、すでにそれまでの阿佐緒ではなかった。ほんの数秒の間に、阿佐緒の中に大きな変化が起こった。それは信じられないほど大きな変化だった。

阿佐緒は何か不思議な力に操られるようにして厨房に入り、一緒にビールを買いに行こう、と初枝を誘った。その瞬間、阿佐緒の頭の中のシナリオはできあがっていた。何者も阿佐緒を元の世界に引き戻してやることはできなかった。すでに後戻りすることは不可能な場所に、彼女はいたのだ。

——そうしたことすべてを、私は知っていた。


阿佐緒が初枝を助手席に乗せて邸を出て行ってから一時間後。いくらなんでも、そろそろ戻って来るころだと思われた時刻に、袴田邸の電話が鳴った。電話に出たのは水野だった。

水野は紙のように白い顔をして、庭に走り出て来た。袴田に近づき、片手を口にあてがって、その耳元に何事か囁《ささや》いた。

沢木香子を相手に何か冗談を言っていた袴田の顔から、表情が失われた。香子が怪訝《けげん》な顔をして袴田を見上げた。

袴田はその時、咄嗟《とっさ》に不思議な仕草をした。傍に立っていた水野の肩に片手を置き、その黒いジャケットに包まれたがっしりとした肩をむんずと摑《つか》んだのだ。

ショックのあまり、身体がよろけそうになったのでそうしたのか。それとも他に意味があったのか。意味などなく、パニック状態に陥ってたまたまそうしただけだったのか。

水野は肩を摑まれたまま、まるでそうされることが自分の使命である、と信じてでもいるかのように、身動きひとつせずに仁王立ちになっていた。

妻が事故にあった、と袴田が水野にしがみついたまま言った。独り言のような言い方だった。それほど大きな声だったとは思えない。だが、その声は、ベランダにいた私と正巳の耳にもはっきり届いた。

急にあたりが静まりかえった。誰もが石のように動かなくなった。それまで物を食べていた人の口の動きが止まった。皿にフォークがあたる音、グラスの中の氷をかきまわす音、煙草《たばこ》に火をつけるライターの音、それら一切の音が途絶えた。

木々の葉をそよがせて、青々とした風が吹きつけた。はたはたとテーブルクロスの裾《すそ》がはためいた。

「せっかく私のために集まってくださったというのに、大変申し訳ない。私はこれから病院に行かねばならなくなりました。ここにいる私の秘書、水野の妻も一緒に車に乗っていました。ふたりとも……」そこまで言うと、袴田は水野から手を離し、静かに頭を垂れた。

わずかな沈黙、ささくれ立ったような静寂が流れた。袴田は再びゆっくりと顔を上げ、そして一息に言った。「……ふたりとも助からなかったそうです」

ため息とも細い悲鳴ともつかないものが人々の口からもれた。青く澄みわたった空で、けたたましく鳥が鳴いた。ヒヨドリのようだった。

私は椅子《いす》に中腰になった。胸が悪くなった。

隣に座っていた正巳を見た。正巳は口をぽかりと開けたまま、まっすぐ前を向いていていた。

　彼の目は何も見ていなかった。

　阿佐緒は初枝を助手席に乗せ、東名川崎のインターチェンジから東名高速道路に乗った。何故、横浜方面に向かって走ったのか。何故、用賀方面ではなかったのか。もしも二子玉川にある明治屋を目指していたのだとしたら、用賀方面に向かわねばならなかったはずである。

　ともかく阿佐緒はインターチェンジに入ると横浜方面に向かった。やみくもにアクセルをふかし続け、速度計はぐんぐんと目盛りを上げた。時速は百四十キロにまでなった。左側前方に巨大な防音壁が現れた。いささかも速度を落とさずに、走行車線を走っていた阿佐緒は、そのまま防音壁に激突した。

　買ったばかりの、美しいブリティッシュ・グリーンのMGは大破した。運転席も助手席も、共に車体の前部にめりこんで、まるでスクラップ工場の広場に打ち捨てられた車の残骸《ざんがい》のようになった。

　それでも誰かが即座に救急車を呼んだ。人間はそう簡単には死なない、と考える人だったのかもしれなかった。

　救急車が駆けつけた。だが、救急隊員に課せられた仕事は何も残っていなかった。阿佐緒も初枝も、共に息はなかった。

現場にブレーキをかけた跡はなかった。タイヤのスリップ跡もなかった。目撃者の話によると、阿佐緒のMGが他の車を追い越そうとした様子は一切見られなかった、ということだった。その時、阿佐緒のMGと並走していた車は一台もなく、MGに追い抜きをかけようとしていた車もなかったそうである。

高速道路に迷いこんだ猫や犬をよけようとして、ハンドル操作をあやまったわけでもなさそうだった。阿佐緒は左の防音壁に向け、ハンドルを大きく切っていた。

……まるで何かに魅せられたかのように。自ら進んで、壁に向かって突っ走って行ったかのように。


僕はずっと阿佐緒のことをロマネスクにしか考えていませんでした。僕にとって阿佐緒は性の幻影であり、失った官能の女神であり、決して手に入れることのできない、手に入れることができないからこそ、永遠に傍で眺めていることの許される玩具《がんぐ》でした。

阿佐緒が僕のことをどう思っていたのかはわからない。そんな話を彼女としたこともなければ、聞きたいと思ったこともない。

少なくとも阿佐緒は僕の恋人ではなかったし、ごくありふれた意味での憧《あこが》れの人でもなかった。それとこれとは別の問題だよ、類子。きみならわかってくれるだろう？

金持ちになりたい、とか、美人になりたい、とか、もてたい、とか、有名になりたい、とか、そういった欲望をもつことは健全なことだ。希望を持ち、目標を作って生きていくことも必要なことだ。でも、僕は長い間、そうした世界には生きてこなかった。

あれも欲しい、これも欲しい、と願う通俗的な健全さから無縁の世界に生きるということは、谺《こだま》と向き合って暮らしているようなものだ。何故、と僕が問うと、谺も「何故」と返してくる。「だから」と僕が言うと、谺も「だから」と言ってくる。その繰り返し。堂々めぐり。谺の返してくる無意味な反響の中にしか、僕の生活はない。

阿佐緒は、そんな僕が生み出すことのできた唯一の幸福な幻覚だった。その幻覚が消えてしまった。あの、まるごと性器のようだった美しい肉体が、目茶苦茶につぶされ、血を流し、熱したコンクリートの上にぼろぼろになって転がっているのを想像するたびにやりきれない思いにかられる。

僕の愛する性器が死んでしまった。僕は肉欲の対象を喪《うしな》った。僕は元通り、不能に戻った。

愚かな女だったと思う。実に愚かだった。袴田さんの前妻の佳代という女性が三度妊娠したからといって、あれほど悲愴《ひそう》に苦しむ必要は何もなかったじゃないか。袴田さんが、一介の使用人にすぎない初枝さんを孕《はら》ませるわけがないじゃないか。初枝さんの妊娠を袴田さんの情事と結びつける必要がどこにあったんだろう。まして、袴田さんが冷感症の女が好きで、そうでない女には性的に関心をもたない、などと思い込むなんて、僕に言わせれば馬鹿《ばか》馬鹿しさを通り越して、滑稽《こっけい》ですらある。袴田さんはただ単に、年齢がいきすぎていて、若いころのように阿佐緒と夜を共にできないようになってしまっただけだ。

しかし、袴田さんは老いて痩《や》せ衰えていく自身の肉欲を嘆き悲しんだり、恥じたりする人間ではない。袴田さんにとって、そうした通俗的な嘆きや感傷は敵でしかないのだ。たとえ自分の肉体が腐った屍《しかばね》と化してしまったとしても、彼はいっこうに嘆くことなく、屍の上に彼なりの新たな形式美を構築してみせるに違いない。袴田亮介という人は、生身で現世に生きながら、決して現世を生きることのできない悲しい魔物なんだ。彼の現実はあくまでも観念の中にしかない。彼は生身であることすら、平然と放棄してしまえるほど、魔物なんだ。

一方、俗悪な、手垢《てあか》だらけで薄汚れたような感性の中に、阿佐緒は恥ずかしげもなく平然と生きていた。阿佐緒ほど美の概念から程遠い感性を持っていた人間も珍しい。なのに彼女自身は死ぬ直前まで、美の象徴であり続けた。

袴田さんは美を愛し、美と結ばれ、そしてつまらないことが原因で美を失った。珍しい陶器を愛《め》でるように、耽美《たんび》的な世紀末の絵画を愛でるように、袴田さんは彼女を愛した。キスをしたり、愛撫《あいぶ》をしたり、愛の言葉を囁いたり、子供は何人欲しい、こんなふうに育てよう、小学校はどこに入れて、大学はどこに入れて……などと健全な夢を紡《つむ》ぎながら、袴田さんが女を愛することはなかったんだ。袴田さんが愛したのは観念の中での阿佐緒だった。

その通俗からかけ離れた愛し方が、阿佐緒の中にとんでもない誤解を生じたのだと言えるが、それを言うなら僕とて同様かもしれない。

阿佐緒は内心、どこかで僕のことを思っていたに違いない。恋人もいそうにない、女に指一本触れようとしない、誰かと衝動的に結婚する様子もない、暇さえあれば本を読んで、昼間は肉体労働の中で筋肉を鍛えている、正巳はもしかするとホモなんだ、などとね。彼女なら言いかねない。きみにそんな話をしてきたことはなかっただろうか。

こうした形で美の化身を失ったわけだが、それでも袴田さんは生きていくのだろう。そしてこの僕も。何か大切なものを失ったからといって、いちいち死んでいたりしたら、人類はすぐに滅びてしまう。僕も袴田さんも生きていく。わずかに残った虚栄心だけを引きずって。

阿佐緒の遺影はきれいだった。あれは誰が撮影したものだったんだろう。まるで遺影用に撮影してあらかじめ保存しておいたような美しい写真だった。僕は、彼女が遺影の中でかぶっていた姫ヒマワリの造花をあしらった帽子をどこかで見たような記憶がある。どこでだっただろう、とあれこれ考え、どうしても思い出せなくて諦《あきら》めていたところ、この手紙を書きながら、さっきひょいと思い出した。

中学三年の秋の運動会の時、彼女はあれとよく似た帽子をかぶっていた。きみも覚えているかもしれない。ブルマー姿に姫ヒマワリの造花のついた麦わら帽子。みんなが安手の布製の、薄汚れたような帽子をかぶっていた時代だったから、彼女だけが目立ってしまい、相変わらず彼女は女の子たちからやっかまれ、嫌われていた。

でも、阿佐緒は人生の最後に、意志に基づいた行動に走った。あれが初枝さんを巻き込んでの自殺であったのかどうかははっきりしないとはいえ、僕は今、阿佐緒の死に阿佐緒の意志を強く感じている。

阿佐緒は行動した。あの凡庸で卑俗な価値観しか持つことのできない、美の化身でありながら美とは程遠い、がらくたのような感性しか持っていなかった阿佐緒が、人生の最後に、すべてを賭《か》けて或《あ》る一つの行動を選択した。そう思うと、不思議に悲しみが癒《いや》され、清々《すがすが》しさに満たされる。
類子。長い間、会わずにいるような気がします。きみがいる、と思うことにより、どれだけ僕が癒されてきたか、多分、きみには想像もつかないに違いありません。

六月十六日
秋葉正巳

青田類子様

第七章

1

阿佐緒の葬儀は、青山斎場で盛大にとり行われた。小雨がぱらつく日だったが、弔問客の数は多かった。大半が袴田の関係者だった。

初枝は、水野の郷里である岐阜県郡上八幡市《ぐじようはちまん》で密葬された。妻を送った直後、一睡もせずに東京に引き返して来て阿佐緒の葬儀を手伝った水野は、幽鬼のように青白い顔をしていた。

阿佐緒の死は新聞の三面記事の下のほうに小さく報じられた。幾つかのゴシップ好きの週刊誌は、その死が自殺同然のものであったとほのめかす記事を掲載した。

美しく装《よそお》った阿佐緒が、袴田と共に何かのパーティーに出席した時の写真を載せ、

「三島由紀夫の亡霊か。三島邸と同じ家を建てた袴田亮介夫人、住み込みの家政婦と共に謎《なぞ》の交通事故死」と題して、呆《あき》れるほど滑稽《こっけい》な因縁話をでっちあげた女性週刊誌もあった。そこでは因縁話の後に、阿佐緒の車に同乗していて死亡した初枝にまで焦点をあてる、という念の入れようであった。

初枝の故郷である函館に住む初枝の従姉妹《いとこ》は、くだんの週刊誌記者の質問を受け、水野の子供嫌いを指摘していた。

「水野さんは初枝さんと結婚した時から、僕は子供を作らない主義だ、それだけは理解してほしい、と言っていたそうです。初枝さんは水野さんとの間にできた赤ちゃんを二度、堕《お》ろしています。水野さんの前では初枝さんはいつもおとなしくて言いなりになるところがあって……。でも、今度の妊娠がわかった時は、さすがに最後のチャンスだと思ったのか、今度こそ産みたい、夫をだましてでも産んでみせる、なんて電話で元気に言ってました。頑張りなさい、生まれてくれば水野さんだって考えが変わるから、と私も励ましてたんですが。それがこんなことになるなんて……」

初枝の従姉妹だという女が実在しているのだとしても、どこまでその長々としたセリフが真実なのか、判然としない。それもまた、数少ないデータに基づいて、週刊誌がでっちあげたいい加減な記事に過ぎなかった可能性はある。

だが、真実か否《いな》かは別にして、その従姉妹が語ったとされる水野についての話に、私は関心を持った。そこには一片の真実があるような気がした。水野はそういう男かもしれなかった。そう考えると、すべての辻褄《つじつま》が合った。

阿佐緒が死んだ日、袴田邸の厨房《ちゆうぼう》で、悪阻《つわり》に苦しんでいた妻に向かい、水野が常識では考えられない冷やかな言葉を投げたのは、彼が妻の妊娠をどうしても歓迎することができなかったからではないのか。水野は妊娠が発覚し、今度こそ産もうと算段している妻を許すことができず、反面、恐れおののき、何があっても三たび、堕胎させようと決意を固めていたのではないのか。

そして、その現場に偶然、居合わせた阿佐緒は、阿佐緒なりに作り上げた物語の中に水野の発言を組み込んでしまった。あたかもパズルの最後のピースをはめこんだ時のように、彼女の悲劇の物語は、その瞬間、見事に完成されたのだ。

袴田も水野も、度重なる中傷めいた記事に対しては頑として沈黙を守り続けた。袴田はすべてのジャーナリズムとの接触を絶った。

葬儀の後、私と正巳が袴田邸を訪れることもなくなった。優雅な飾り模様のついた銀のゴブレットが香典返しに送られて来ただけで、袴田からは何の連絡もなかった。

七月初め、久しぶりに会った私と正巳は、阿佐緒が葬《ほうむ》られた青山墓地を訪れた。袴田家の墓所には、「袴田家累代之墓」と彫られた大きな墓をはさんで、二つの古い墓石が向かい合わせになるように建てられており、阿佐緒はその中央の墓石の下に眠っていた。

墓所のまわりは、美しく刈りこまれた生け垣で囲われていた。阿佐緒の眠る墓の裏側には瑞々《みずみず》しく葉を繁《しげ》らせた欅《けやき》の木があった。花筒には誰が手向けたのか、真新しい黄色い小菊の花束が添えられていた。

正巳は、自宅の庭で育てたという紫陽花《あじさい》の花を手にしていた。新聞紙にくるまれた大輪の紫陽花は、夥《おびただ》しい数の花をつけていて、胸に抱くとずっしりと重く、赤ん坊の不安定な頭のようにがくがく揺れた。

小菊の花束の脇《わき》に紫陽花を手向け、線香の香りの中、私たちは並んで墓の前で手を合わせた。風が吹き、欅の木が葉ずれの音をたてた。遠くに青山通りを走る車の音が聞こえた。

いっときの梅雨の晴間、ひどく蒸し暑い日の午後だった。墓地のそこかしこに陽炎《かげろう》がたち、墓石という墓石がゆらいで見えた。

しばらくの間、私たちは黙って墓石を見つめていたが、やがてどちらからともなく立ち上がり、歩き始めた。狭い墓所と墓所の間の小道を前へ前へと進みながら、正巳はつと私の肩を抱き寄せた。

流れに逆らって船を漕《こ》ごうとする時の、悲壮な決意のようなものが感じられる触れ方だった。

ゆらめく陽炎の中に草いきれが匂《にお》い、やぶ蚊が足元をかすめた。逃げ場を失った時の安堵《あんど》のようなものが私の中にはあった。もうどこにも行けないし、行くつもりもない。自分のまわりで世界はゆるやかに閉じられようとしていた。

自分は正巳を求め、求めても求めても満足させられることなく、ただまっしぐらに恋い慕い、そのうち幸福に狂っていくに違いない……そう考えると、癌《がん》ノイローゼの患者が癌を宣告された時のように、私の気持ちは奇妙に安らいで、もうこれ以上、案じたり考えたりすることは何もなくなった、とほっとするほどであった。


その年、七月半ば過ぎに梅雨が明けた。暑く物憂《ものう》い夏が始まった。

八月に入ってすぐ、札幌に住む父が、足をすべらせて社宅の階段から落ち、右足首を骨折したという連絡が入った。学校が休みに入ってからも、その夏、両親のもとに帰るつもりはなかった私も、急遽《きゅうきょ》、東京をあとにした。

母は必要もないのに、父の入院先に泊まりこんでいた。二人は新婚時代のように仲がよかった。母の姿が見えないと、父はすぐにまわりの人に「家内は？」と訊《たず》ねた。買ってきたプリンを母がスプーンと一緒に父に与えると、父はまるで骨折したのが両手首だったかのように、甘えて口を突き出してみせた。それを見た母は、しようのない人ねえ、と幸せそうに笑って、スプーンでプリンをすくい、父の口に運んだ。

骨折以外、父に何ひとつ心配な点はなかった。私のすることは何もなかった。

札幌は夏の観光客で賑《にぎ》わっていた。私は街をそぞろ歩いたり、弟の運転する車で小樽《おたる》まで足をのばしたりした。

東京の大学を出て、広島出身の女と恋におちた弟は、広島市内にあるテレビ放送局に就職し、広島に住んでいた。弟もまた、父が骨折した知らせを受けて帰って来たところだった。会うのは久しぶりだった。

弟は阿佐緒が死んだことを知っていた。きれいな人だったのにな、と彼は言った。私の中学時代、家に阿佐緒が遊びに来ると、弟は必ず私の部屋に顔を見せた。一緒にトランプをして遊んだこともあった。

あのころ、小学校五年生だった弟に、「ガールフレンドにするんだったら、誰がい い？」と訊ねた時、弟は少年らしく照れながら阿佐緒の名をあげたものだった。弟もまた、思春期の一時期、阿佐緒を思い描いて何度か性の桃源郷に入ったことがあるのかもしれない、と私は思った。

小樽で海を見た時だった。私はふいに、正巳を誘って海に行きたい、と思った。後になって何度も考えたことがある。何故《なぜ》、海でなくてはならなかったのだろう、と。山でもよかったはずだし、温泉でもよかったはずではないか、と。私はただ、正巳と二人、旅がしたかっただけなのである。行き先はどこでもよかったはずなのである。四、五日、東京を離れただけで、正巳に対する思いはつのるばかりとなった。それは、物理的に離れ離れになった恋人たちのように、毎晩電話をかけ合うとか、手紙を出し合うといった行為で満足させられる種類の思いではなかった。身を焦《こ》がすような思いが私にはあった。それは、焦がれる、という言葉だけがふさわしい、烈《はげ》しく灼《や》かれるような思慕の念であった。

馬鹿《ばか》げたことに、私は病院で父と母のやりとりを目にしただけでも、正巳を思い浮かべた。ここにいる父が正巳で、私が母のようにプリンをスプーンですくって正巳の口に運んでいたとしたらどうだったろう、などと本気で考えた。

自分と正巳が結婚し、夫婦になった時のことも思い浮かべてみた。そうなったら多分、自分は性器の存在を忘れて正巳を愛することになるだろう、と私は思った。夜になったら、自分たちはベッドで絡《から》み合いながら眠りにつくだろう。一切の性の匂いは自分たちの暮らしの中から省かれることだろう。

そうした正巳との静かな落ちついた生活を、私は容易に想像することができた。同時に、そういう愛し方はとてもロマンティックで、むしろ官能的なものに感じられた。

事実、私はすでにそのころ、正巳をそのような形で愛し始めていた。かつて忘我の中で能勢を欲し、欲情の化け物と化したことのある自分が信じられなかった。私は自分に性器があることをひとつも思い出すことなく、正巳と関わることができるようになりつつあった。

そんな自分が嬉《うれ》しく、誇らしかった。自分は正巳と同じ、観念の性、幻としての性を知り始めたのかもしれない、と私は思った。

海といっても、ハワイやグアムの、人々の手垢《てあか》がつきすぎたような海はいやだった。沖縄の離島の海はどうだろう、と私は考えた。真夏の喧騒《けんそう》が一段落した頃を見計らって、できれば一週間ほど滞在する。何もせず、ただ二人で砂浜に横になり、太陽に背中を焼くのだ――とそんなふうに思い始めると、矢も楯《たて》もたまらなくなった。

東京に帰り、マンションに戻る途中、旅行代理店に立ち寄って、沖縄の八重山諸島のパンフレットをあさった。愛想よく相手してくれた代理店の若い男から、新婚旅行ですか、と聞かれた。新婚旅行――その言葉は何故か、新鮮に清らかに聞こえた。

違います、と私がにこやかに応じると、男は「ではお友達とのご旅行か何かで」と言った。私はうなずき、つい口をすべらせた。

「男の友達とです」

男はにっこりと微笑《ほほえ》み、「それではこちらはいかがでしょう」と言った。沖縄本島から南西へ四百四十キロ、日本の最南端に位置する八重山諸島の中の、小浜島という島だった。ホテル小浜島リゾートという本格的なホテルが、その年の夏、島で新しく開業されていた。島の五分の一の面積を有するホテルで、まだそれほど混み合うこともなく、静かだし、設備もいいし、間違いなく楽しんでもらえるはずです、と男は言った。

八重山諸島関係の旅行パンフレットを山のように抱えてマンションに戻り、その晩、私は正巳に電話をかけて旅行の打診をした。

行き先もホテルも見当はつけてある、あなたさえよければ、夏の終わりを一緒に海辺で過ごしたい……そう言うと、正巳は即座に「いいね、行こう」と答えた。

とりたてて声は弾んではおらず、旅のプランを練る時の若者らしい無邪気さは感じられなかったが、正巳がそんなふうにして、迷わず私を受け入れてくれたことに私は感動した。

私は旅行代理店で勧められた、小浜島リゾートというホテルの話をした。広い庭に孔《く》雀《じやく》や山羊《やぎ》が放し飼いにされていることや、客室からはコバルトブルーの海が見渡せること、マリンスポーツはすべてできるようになっていること、何もしないでいたいのなら、何もしないでいられること、などを教えると、彼はたいそう気にいった様子だった。

私たちは九月に入ってから出発することにし、詳しい日程は改めて仕事のスケジュールをやりくりしてから決める、ということになった。

電話を切ろうとした時だった。正巳は「いいの？」と聞いてきた。ためらいがちな聞き方だった。

「何が？」

彼は力なく笑った。「僕たちは一緒の部屋に泊まることになるよ」

「わかってるわ」

「もしかすると一緒のベッドで寝ることになるのかもしれない」

「そうね」

「僕は、そういうところに行くと、またおかしな気をおこして、きみに恥ずかしい思いをさせる可能性がある」

「恥ずかしいことって何？」私はわざとあからさまに聞いてみた。「私を抱いてセックスしようとして、できなくなること？　どうしてそれが恥ずかしいことなの？」

正巳は虚をつかれたように黙りこんだ。

ごめんなさい、と私は言った。「そんなことは何とも思ってないのよ。私とセックスしたいと思ってくれるのなら、いくらでもそうしてほしい。どちらでもかまわない。私は裸になるし、あなたも裸になってくれると思う。それだけでいいと思ってるし……ねえ、正巳。第一、それ以上、私たちに何が必要なの？」

わずかの沈黙の後、類子、と彼は囁《ささや》くように言った。「きみの言う通りだね」

私はこみあげる思いの中で口を閉ざした。

あの時、正巳の中にあの恐ろしい計画が生まれていたとはとても思えない。私が「一緒に山に行きたい」「温泉に行きたい」と誘っていたら、彼は迷わず従ってくれていただろう。海でなければいけなかった理由は、彼の側にもなかったはずである。

自分さえあんな旅行の計画をたてなければ、と何度、後になって後悔したことか。そもそも、何故、彼を誘って旅行に行かねばならなかったのか。喫茶店やバーのカウンターで会い、ドライブをし、食事に行き、映画に行く。彼とは生涯《しょうがい》、そんな交際を続けていても、いっこうにかまわなかったはずであった。

彼と肌を合わせることを目的にしていたわけではないし、そんなことは考えてみたこともない。私は確かに烈しく彼を求めてはいたが、彼の性器、彼の精力を愛していたわけではなかった。

なのに私は、わざわざ遠い南の島に彼を誘った。よく覚えてはいないが、もしかすると電話で、一緒に南十字星を見ましょう、などという、三文恋愛ドラマの中にあるような通俗的なセリフを吐いてさえいたかもしれない。好きになった男と肌を触れ合わせたくなった時、女が無意識に利用するあの幼稚なロマンティシズムに溺《おぼ》れて。

結局、私は、永遠に答えの出ない問いのるつぼの中に突き落とされることになるのである。問いは執拗《しつよう》に繰り返され、未《いま》だに私を責め続ける。

だが、その責め苦が、どこか甘美なものに感じられることもあるのは、いったいどうしたことだろう。もちろんそう感じるようになったのは、ずっと後になってからのことだし、それは長くは続かなかった。とはいえ、私は今も時折、あの覚えのある甘美さを飴玉《あめだま》のように舌の上で転がし、味わってみることがある。

何故なのか。焦がれ死ぬほどの思いが、かえって私自身の中の平衡感覚を保ち、苦しみを甘美なものに変えることになったのだろうか。思いもよらなかった幕切れを目《ま》のあたりにし、私が無痛症のようになってしまっただけなのだろうか。

それとも、秋葉正巳という男が、私にとってそれほどまでに現実感を伴わない、初めから夢の彼方《かなた》に生きていた男だったからなのだろうか。

2

那覇《なは》から石垣島まで飛行機で五十五分。石垣港からさらに船で三十分のところに、小浜島はあった。

近くには西表島《いりおもてじま》や竹富島、黒島などがあり、島は八重山諸島のほぼ中央に位置している。西表島の西、与那国島《よなぐにじま》を超えれば、もうそこは台湾である。

島の人口は四百人足らず。マングローブ、ガジュマル、ディゴ、ハイビスカス、ブーゲンビリアなど、南国の花があふれる島の東南部に、新しく開発されたホテル小浜島リゾートは、四十八万坪の敷地を誇っていた。ちょうど島の全面積の五分の一を専有していることになる。

一階建て、もしくは二階建てになっている客室は、すべてコテージふうに作られていた。あたりの色彩といったら、琉球瓦《りゅうきゅうがわら》のくすんだ朱色と、壁の珊瑚《さんご》石の白、空と海の青、太陽の光を受けて照り映える植物の緑、咲き誇る花の赤……といった具合に、すべて原色に彩《いろど》られ、目もくらむばかりである。

旅行代理店の男から聞いていた通り、庭には無数の孔雀が放し飼いにされていた。広大な芝生の上を飛びまわり、時に雄々しく羽を広げてみせる彼らの姿もまた、島が生み出す原色の饗宴《きょうえん》の中に溶けていた。

何という名の蟬《せみ》だったか。本州では聞いたことのない声を出す蟬が、敷地のあちこちで烈しくわななくように鳴いていた。初めてその声を聞いた時、この島には何か得体の知れない、気性の荒い動物がいるのではないか、と思ったものだ。

聞き慣れると、しかし、その声は強く弾《はじ》ける日の光の中で、ひたすら素朴に生命《いのち》を謳《おう》歌《か》しているように聞こえた。それどころか、時にのどかで、午睡のまどろみのように優しくさえあった。

敷地内には、ホテル側が作った「ハブに注意」の立て看板が無数に見られた。正巳と散歩をしながら、その看板に出会い、ただの捨てられたロープをハブと見あやまって悲鳴をあげた時も、周囲の熱い空気に溶け入るようにして、あの蟬が間断なく鳴いていたのを思い出す。

ホテルでは大きな池で水牛を飼っており、頼めばその背に乗せてもらうこともできた。ショートパンツ姿で水牛の背に乗ってみた私に、後で正巳は、どんな感じがしたか、と執拗に訊ねたものだ。股《もも》に触れた水牛の背の生暖かさと、ごわごわとした黒い毛の感触を少し大げさに伝えると、正巳は少しいたずらっぽく笑い、「感じた？」と重ねて聞いた。

初めはどういう意味か、わからなかった。性的な意味で聞かれている、と知った時は、驚いた。

ううん、ちっとも、と私は彼に調子を合わせてふざけてみせた。「水牛の顔って、私の趣味に合わないもの。どっちかって言うと、あなたの顔のほうが好き」

彼は笑い声をあげ、大げさに両手を拡《ひろ》げるなり私を抱きしめた。

旅行の手続きは、すべて小浜島のホテル滞在を勧めてくれた旅行代理店の若い男が引き受けてくれた。私と正巳は、九月初めの土曜日から翌週の金曜日までの七日間、休暇をとって飛行機に乗れば、それでよかった。

私の勤め先のK女子学園では、長い夏休みの後の二学期が始まったばかりだった。学校職員の中で、わざわざそんな時に休暇をとる人間はいなかった。

休暇届を出す際に、私は父の骨折を理由にあげた。札幌に帰ったはずの人間が、休暇明けに真っ黒に日焼けして戻って来たらどう思われるか、などということは考えもしなかった。後で正巳にそのことを指摘され、私は大笑いしたものである。

ホテルでは一度、部屋を変えてもらった。土曜日に到着してから案内された南国ふうの部屋で、ヤモリの歓迎を受けたからだ。

薄気味悪いものではなく、むしろ愛嬌《あいきょう》があってペットのように楽しむことができたが、どこから入って来るのか、部屋の壁やバスルームの壁、窓硝子《ガラス》などにぴたりと張りついている大小さまざまなヤモリたちが気になって落ち着かない。

フロントに申し出ると、ただちに別の部屋が用意された。そちらの部屋にはヤモリはおらず、テラスからは海が一望のもとに見渡せた。

テラスに出て、暮れなずむ海を見ていた私の横に、正巳が並んだ。正巳は、「きみにプレゼントがある」と言って私の肩を抱いた。

私はその時、半袖《はんそで》のオレンジ色のTシャツを着ていた。そのTシャツの胸のあたりに、正巳は何かを載せる仕草をした。

ブローチだよ、と正巳が言ったのと、私の悲鳴があたりに轟《とどろ》いたのは同時だった。

私の胸に張りついたような形になった一匹の小さなヤモリは、私の悲鳴に驚いたのか、テラスの床を猛烈な速さでどこかに逃げて行った。庭を散歩していた若者たちのグループが、何事か、といった顔つきで私たちを見上げた。

私は正巳の身体《からだ》をこぶしで叩《たた》き、抗議した。正巳はげらげら笑って私の腕を引っ張り、部屋の中に引き入れた。部屋には明かりは灯《とも》っておらず、ラベンダー色に暮れていく空を映して、どこもかしこもざらざらして見えた。

私たちはそのまま笑いながら、ベッドカバーが掛けられたままのベッドになだれこんだ。正巳は笑いすぎて、目尻《めじり》に涙をためていた。呼吸と共に大きく上下する彼の横隔膜が、ベッドのスプリングを波打たせた。

いつまでも止まらない笑いの中で、私は彼の身体の上に自分の身体を重ね合わせ、彼の目、彼の鼻、彼の唇、彼の耳、彼のうなじにキスをした。彼はすぐに私の身体を仰向けにし、今度は彼が私の上に乗って、同じように私の顔にキスをした。

耳元に、吐息と共に彼の唇が触れた時、思わず小さな喘《あえ》ぎ声がもれそうになった。こらえるために、私は彼の脇腹《わきばら》をくすぐった。彼はのけぞるようにして笑い出し、同じようにして私の脇腹をくすぐった。

部屋にはクーラーがついていたが、窓を開け放していたせいか、暑かった。汗まみれになりながらふざけ合い、笑い、疲れ果ててぐったりとなった私たちは、ふいに黙りこんで大の字に仰向けになったまま、示し合わせたように暮れゆく空を眺めた。

私たちの休暇は、そんなふうにして完璧《かんぺき》な形で始まったのだった。あの時のことを思い出すと、あれもこれも、と些細《ささい》な記憶がこれといった脈絡もなしに、次から次へと連鎖して甦《よみがえ》ってくる。

胸にブローチ代わりに張りつけられたヤモリに悲鳴をあげたことを思い出せば、岩場の陰に海ヘビを見て、叫んだことも思い出されてくる。岩場に打ち寄せていた波の音を思い出せば、私がシュノーケルをつけて浅瀬の海面に浮き、泳ぎまわる美しい小魚たちを眺めていた時の、あの耳にまとわりつくような水の音が甦る。

水の音の合間に、正巳の声が聞こえる。類子、類子、こっちに来てごらん。変な魚がいるよ。

中学の頃からそうだったが、正巳は泳ぎが達者だった。鮮やかな手さばきのクロールで、みるみるうちに私から離れてしまう。そして立ち泳ぎしながら海面に浮き、面白そうに私を手招きするのだ。類子、大丈夫だってば。僕がついてるから、こっちにおいで。こっちのほうがきれいだよ。

そのたびに私は水の中で逡巡《しゅんじゅん》する。プールでは百メートルは軽く泳ぐことができるというのに、正直なところ、私は海が苦手だった。底知れない深さの闇《やみ》が、自分の身体の下に広がっているのだと思うと恐ろしくなる。荒波をたてる海も恐ろしければ、魔物のように静まり返った海も恐ろしい。恐ろしいのに、魅せられたようにして、大海原の彼方に向かって泳いでいきそうになる自分はさらに恐ろしい。

類子、と正巳が私を呼ぶ。わかった、行く、と私は応《こた》える。正巳が呼んでくれるのなら、たとえそこが地獄であっても自分は悦《よろこ》んで行くだろう、などと考える。

クロールで正巳の傍まで泳いで行くと、正巳が、ようし、よくやった、と褒めてくれる。私は正巳と手をつなぎながら、海面に顔をつけてぽかりと浮く。海の中には、巨大な珊瑚礁《さんごしょう》の迷路が広がっている。迷路の狭間《はざま》を色鮮やかな熱帯魚たちが泳ぎ回っている。神秘の楽園に、太陽の光が海底まで届いている。二十メートルほどの深さである。近くに人は誰もいない。

しゅうしゅうと、自分が息を吸ったり吐いたりする規則正しい音が、シュノーケルから伝わってくる。正巳は小さなゴーグルグラスをつけているだけで、時々、海面に顔をあげ、魚のように器用に息を吸う。

私たちは手をつないだまま、いつまでもいつまでもそうしている。音の途絶えた、光に満ちた温かい水の中で、私はつないだ手の中に正巳の体温を感じる。

私が手に力をこめると、彼もまた、力をこめて握り返してくる。この人はここにいる、今、自分たちは世界中で一番孤独で、一番幸福なのだ――そう思う。すると、泣きたくなるほど強烈な一体感が押し寄せてきて、このまま正巳と二人、光に包まれながら海の底に沈んでしまってもかまわない、などと私は思うのだった。

夜になると私たちは、客室のベッドとベッドの間にあったサイドテーブルを脇にどけ、ツインベッドが隣り合わせになるように並べ替えた。即席に作ったダブルベッドに裸で横たわりながら、私たちは飽かず様々な話をした。

時折、正巳は、話しながら私の身体の線をなぞるようにして指を這《は》わせた。両手で乳房を包みこみ、唇を寄せ、乳首を軽く嚙《か》むこともあった。全裸でいたというのに、彼は私の性器には決して触れなかった。

だが、性的な匂《にお》いのする接触はそれだけだった。私も同じだった。

阿佐緒の話もした。阿佐緒の死について、私たちは繰り返し語り合った。話せば話すほど阿佐緒の話は、次第に他の様々な無数の話題の中の一つに過ぎなくなっていった。

あのころから、ようやく阿佐緒は私や正巳の過去になり始めていたのだ。それは確かだった。そのうち、阿佐緒の死は、いつか完全に過去の出来事の一つとして、私たちの記憶に刻み込まれ、やがて苦い思いを甦らせることもなく、まるで昔一緒に眺めた空の話でもするように、阿佐緒についての話ができるようになるに違いない――私はそう感じていた。

細く開けた窓の外に、闇にまぎれた海が感じられた。水平線と空との見分けがつかなくなった群青色《ぐんじょういろ》の巨大な宇宙の中に、細かな宝石のように見える星が瞬《また》いていた。

夜がふけ、睡魔に襲われるまで、私たちは語り続けた。私が何かを問いかけ、彼がそれに応えなくなって、ふと見ると彼は軽い寝息をたてている。その寝息を耳にした途端、私もまた幸福な眠気に誘われる。

深呼吸をし、乾いたシーツに頰をこすりつけると、まもなく身体が熱い砂の中に吸い込まれていくような眠りが訪れる。

かすかに潮の香りがする静寂《しじま》の中に、正巳の寝息がにじんでいって、やがて私のそれと一つになる……。

3

ホテルには客室棟とは別に、センター棟と呼ばれている建物があった。フロントやロビー、ダイニングルーム、みやげ物を売る売店などは、一括してそちらの建物のほうにまとめられていた。

そのセンター棟の中には、大きなバーラウンジもあった。私と正巳が、関西から来たという大学生のグループとバーラウンジで知り合い、意気投合したのは、到着して五日後、水曜日の夜だった。

男女合わせて十数人……二十人近くいたかもしれない。彼らは全員、大学のスキューバダイビング愛好会に所属していて、そのせいか女子学生も含め、皆、真っ黒に日焼けしていた。

愛好会の合宿先に小浜島を選んだ以上は、できれば小浜島リゾートに宿泊したかったが、学生の分際では高級ホテルの滞在費は捻出《ねんしゅつ》できない、そのため宿泊先は島の民宿を選び、大幅に節約を図った、明日の朝、大阪に帰らねばならないので、最後の晩くらい派手に遊ぼう、ということになり、みんなでホテルのバーラウンジにやって来た――そういう話だった。

その夜、ラウンジには私たち以外、客はいなかった。天井は白い漆喰壁に焦《こ》げ茶色の梁《はり》を生かした山小屋ふうだが、石造りの太い柱以外、ラウンジスペースを隔てるものは何もない。柱の向こうには、庭園灯に照らされて、密《ひそ》かに蠢《うごめ》き、息づいているような南国の夜が広がっているのが見えた。潮を含んだ風が吹き抜けていき、蒸し暑いその晩、椅子《いす》もテーブルも何もかも、肌に触れるものはすべて湿気でべたついているように感じられた。

ラウンジにはアップライト式のピアノが一台、置いてあり、自由に弾けるようになっていた。グループの中の一人の女子学生がピアノでガーシュインの『サマータイム』を弾き始め、その演奏ぶりが見事なものだったので、思わず私と正巳が拍手を送ったのが、彼らと親しくなるきっかけだった。

お二人はどんな関係なんやろか、ってさっきからこっちで噂《うわさ》してたところです――ダイビング愛好会の会長だという、一番身体の大きな男子学生が言った。「なんや知らん、えらいお似合いなもんやから。僕らずっと、当てられっ放しでしたわ」

泡盛をシークワーサーという名の地元産の果物で割った飲物を私たちに差し出しながら、その男子学生はすでにその時、私たちの席の前に座りこんでいた。「よかったらどうぞ。けっこううまいですよ」

奮発して泡盛をボトルで入れた、と聞き、私と正巳はお返しのつもりで、彼ら全員にカティーサークの水割りをふるまった。気のいい学生たちだった。私たちは簡単に自己紹介をし合った。

ガーシュインをピアノで弾いた女の子は、君子という名だった。何故《なぜ》、その子の名だけ覚えたのかというと、中学時代の阿佐緒の家で住み込みの家政婦をしていた女の名と同じだったからである。君子は父親の仕事の都合で小学校時代をニューヨークで送り、ピアノはそのころ、隣に住んでいたジャズ好きの老人に教えてもらったのだと言った。

君子という名を耳にし、黒々と光を放つピアノを目にして、遠い日の記憶が呼び覚まされた。中学時代、阿佐緒は音楽室で、大勢のクラスメートを前にし、得意気にピアノを弾いた。どれだけ阿佐緒はピアノが好きだったことか。並みはずれた美貌《びぼう》と、少女らしからぬ官能的な姿態が周囲の誤解を招く中、何をやらせてもだめだった阿佐緒が世間に向けて堂々と自慢できたのは、ピアノの腕だけだった。

そのピアノを阿佐緒から奪ったのは袴田だった。阿佐緒はそのことが辛《つら》いとは一言も口にしなかった。少なくとも私はただの一度も耳にしたことがない。だが、時にはすさんだ気持ちをなだめるために、鍵盤《けんばん》に指をすべらせてみたいと思ったこともあったのではなかろうか。自分のピアノ演奏を私や正巳に披露してみたいと思ったこともあったのではないだろうか。そう思うと哀れだった。

僕らの中にもカップルがおるんですよ、誰と誰やと思いますか、と聞かれた。当てずっぽうに私が指さした男女が、まさにそのカップルだったものだから、彼らはいっそう興に乗ってきた。

君子が再びピアノの前に座り、ビートルズの『ミッシェル』を弾き始めた。学生の一人が曲に合わせて下手な歌を歌い始めた。カップルが皆に冷やかされながらラウンジの中央に出て来て、チークダンスのまねごとを始めた。

正巳が私の手を取り、「踊ろう」と言った。

酔っていたせいなのか。それともあの晩、飲んでも飲んでもいっこうに酔わず、酔えない寂しさから、自らを奮い立たせようとしていただけなのか。正巳はいつになく大胆だった。

仲間の喝采《かっさい》を受けてチークダンスを踊っていたカップルの隣に立つと、正巳は私の身体を自分の身体にぴたりとつけた。学生たちが喜んで、一斉に口笛を吹き鳴らした。拍手がわいた。

踊っているというよりは、私たちは皆の目の前で交合しているように見えたかもしれない。腰を使ってリズムに合わせ、彼はひどく性的なものを感じさせる猥雑《わいざつ》な動きで私の身体をさらに強く引き寄せた。

猥雑なのだが、彼自身は冷めている……そんな気がした。私が抵抗するふりをしてみせながら笑い声をあげると、面白がって彼もまた、顎《あご》を突き出すようにしながら天を仰いで笑い、さらにさらに強く私の身体に自分の身体を押しつけた。

ええか、みんな、ええもん見せてもろうとるんやぞ、とリーダー格の学生が大声で言った。「しっかり目ぇ開けて見ときや」

「興奮して、今夜、眠れんようになりそうやわ」

「僕でよかったら、相手になるで」

「夢こわさんといてよ。アホ」

学生たちの会話に、笑いの渦がわき起こった。拍手と口笛がいっそう烈《はげ》しくなった。

正巳はつと私から身体を離すと、学生たちを手招きした。「きみたちも、踊って、踊って。今夜は騒ごう。明日はもう、帰らなくちゃいけないんだろう?」

君子が曲を変えた。アップテンポの曲だった。歓声が轟いた。学生たちは全員、中央に出て来て、思い思いの形でリズムを取りながら踊り始めた。

彼らの健康的な汗の匂いが、ラウンジにあふれかえった。通りがかったホテルの宿泊客たちが、興味深げに私たちを見て立ち止まった。そのあまりの騒々しさに、どこからか苦情がくるかと案じたが、ホテルの従業員たちは何も言わず、それどころかラウンジの外に集まって来て、君子の見事なピアノに聞き惚《ほ》れ、私たちの乱痴気騒ぎに手を貸すようにして手拍子を打ち鳴らした。

ボトルで入れたという泡盛はすぐに空になり、カティサークのハーフボトルもまもなくなった。正巳は学生たちにビールを奢《おご》り、私たちはグラスを掲げ合いながら、大声で乾杯をした。

「明日もここにいられるんだったら、ダイビングを教えてもらえたのにね」と私が言うと、リーダー格の学生は、ほんまや、残念やなあ、せっかくこうやって、つきおうてもろうたのになあ、と言った。本当に、心底、残念そうだった。

学生のうちの誰かがカメラを持って来ていた。私たちは互いに何枚も何枚も写真を撮り合い、最後に全員で並んでタイマーを使いながら記念撮影をした。

あの時の写真は手元にはない。うっかり、彼らに東京の住所を教えるのを忘れてしまったからだ。

どの写真にも正巳が写っていたはずである。私の肩を抱いたり、学生たちと腕を組み合ったり、彼らとダイビングの話に熱中したり、子供のようにカメラに向かって大きく顔を突き出し、ふざけてVサインを掲げたりしていた正巳が。

彼らが翌日まで島にとどまってくれていたら、と私は後になって何度か考えたことがある。彼らがいれば、私も正巳も、彼らと共にダイビングに興じたはずである。近くのダイビングスポットまで行って潜ろう、ということになり、私と正巳がホテル側と交渉して船をチャーターしていたかもしれない。夜は夜で、また彼らとバーで飲むことになったかもしれない。そして金曜日の朝、彼らが民宿を出発するころ、私たちもまた、ホテルを発《た》ち、帰路についていたのだ。おそらくは何事もなく……。

だが、彼らは予定通り、翌日の木曜日、島を離れた。もう一日、出発を延ばしたいと思っても、彼らの経済的な余裕を考えれば、それは不可能なことだったに違いない。

その晩、彼らと別れ、湿った夜気の中を部屋に戻った私たちは、シャワーを浴びてベッドに入った。それまでの晩同様、二人とも全裸だった。私はひどく酔っていたが、意識ははっきりしていた。

まもなく正巳は私の身体に手を伸ばし、静かな愛撫《あいぶ》を始めた。明かりを消した室内に、月の光が伸びていた。窓ぎわの、硝子《ガラス》のはまった籐《とう》製のテーブルに、月は澄んだ沼のような光をたたえ、こぼれんばかりに満ちていた。

愛撫はおよそ烈しさとは無縁であった。ひたひたと迫ってくるような粘りけすらなく、それは何か、哀《かな》しみを帯びているようにも感じられた。

日に焼けた肌に乾いたシーツがこすれ、かすかに痛んだ。その痛みをなだめるかのように、正巳の指、掌《てのひら》、唇は、丹念にひとつひとつ、癒《いや》し、いとおしみ、確かめるかのように私の肌の上をすべっていった。

私が小さく喘《あえ》ぐと、彼は目を閉じたまま、幸福そうに微笑を浮かべた。声を押し殺しながら、私は彼の身体を両手で押しやった。そんなことはしなくていい、ただあなたと眠ることができればいいのだから、私は何ひとつ不満に思ってはいないのだから——なんとかして、そう伝えようとした。

だが、彼の身体は鋼《はがね》のように固く、強く、岩のように重かった。私の両手は難なく押し戻された。

窓の外に、クーラーのモーター音が低く流れていた。酔いと心地よい疲れとが、次第に私の中の快感を呼びさましていった。意識の外で何かが始まろうとしているのがわかった。正巳の掌が乳房の上をすべり、正巳の口が乳首をふくんだ。正巳の指は魔物のように蠢き、乳房から脇腹《わきばら》、腰、臀部《でんぶ》、とすべっていって、性器に辿《たど》りついた。私自身の潤《うるお》いが彼を喜ばせ、満足させているに違いない、と頭のどこかで冷静に考えながら、私は身体を固くして奥歯を嚙んだ。そうでもしなければ、切れ切れの喘ぎ声をもらしてしまいそうだったし、実際のところ、こらえきれずに私は喘いでいたのかもしれない。

シーツは糊《のり》が効きすぎていて、少し身動きしただけで乾いた音をたてた。何故、自分が抵抗を続けているのか、わからなかった。そうしなければならない、という憑《つ》かれたような思いだけが私の中にあった。私は奥歯を強く嚙んだまま、姿勢を変えて彼のほうに手を伸ばした。彼を手伝いたかった。奇跡は起こらないとわかっていたが、それでよかった。私は自分の性器を彼に捧《ささ》げる代わりに、彼の性器をいつくしんでみたかった。いつくしみ、口にふくみ、味わい、舌の上で転がしてみたかった。

だが、彼は私が伸ばした手を強い力でベッドに押し戻した。私は諦《あきら》めずに同じ動作を繰り返した。

彼は苛立《いらだ》ったように私の手首を摑《つか》み、何かいまいましいものを見世物にでもするかのように宙に掲げると、「いいんだ」と言った。怖いほど低い声だった。「僕にかまうな」

彼が私にしようとしていることが、その時、はっきりわかった。ふいに涙がにじんだ。喉《のど》の奥が熱くなった。私は唇を震わせた。その震わせた唇を彼の唇が被《おお》った。

ひどく悲しいことが起こりつつある、と私は思った。思うのだが、身体はそうは思っていない。身体と心がばらばらになり、どちらがどちらなのか、まるで区別がつかなくなっている。

そんなあやふやな状態はとても我慢できないというのに、身体はあくまでも勝手に反応をし続ける。これは或《あ》る意味でひどく不愉快な、不当なことであり、許しがたいことであるとわかっていて、それでも身体の反応を止めることができない。

快楽のただ中に引きずりこまれていこうとしているのに、意識だけが意味もなく抵抗を続け、抵抗するあまり苦痛が増し、苦痛が増せば増すほど、意に反して性的な快さが肉体の隅々を埋め尽くす。快感に身を委《ゆだ》ねるのをこらえつつ、こらえることそれ自体が新たな快感を呼びさまし、それでいて、意識は今起こっていることのすべてを克明に観察しようとしているのである。

私は正巳の指が、正巳の唇が、私の肉体のどこに触れ、どのようにして動いているのか、つぶさに知っていた。正巳の目が何を見つめ、どんなふうに瞬《まばた》きを繰り返したか、彼の表情がどのように変化していったか、目を閉じていたにもかかわらず、私にはそのすべてがわかっていた。

正巳の指使いが烈しくなった。彼がかすかに息を弾ませた。私は身体をのけぞらせた。妙に冷めた、冷めているのに、深く烈しい不可思議なうねりのような快感が、分裂した意識を小馬鹿《こばか》にするかのように押し寄せ、全身を貫いていくのがわかった。

そして、気がつくと私は正巳の手によって、あたかも地の底に向かい、どこまでもどこまでも果てしなく舞い降りていく鳥の羽を思わせるような、静かで寂しいオーガズムを迎えていた。

翌日は滞在最後の日だった。朝食の後、私たちは浜辺に行き、大きなパラソルの下で本を読んだり、煙草《たばこ》を吸ったり、泳いだり、うたた寝をしたりして過ごした。

連日の好天続きで、そのせいか、プライベートビーチの白い砂はいっそう熱く、日差しの中で燃えあがらんばかりだった。海は終始、おとなしく凪《な》いでいた。海水に浸かれば、足元を無数の熱帯魚が美しい模様を描きながら逃げ去った。空にはわずかに入道雲が見られたが、天候の崩れを予感させるほどではなかった。

　ビーチから少し上がったところに、ビーチを見渡すようにして、真っ白なレストハウスが建てられていた。売店も何もない、ただ、化粧室があるばかりの建物で、左右に長く延びた美しいテラスには、白い丸テーブルと椅子が何組か置かれてあった。

　パラソルの下にいることに飽きると、私はそのレストハウスまで行った。そして、椅子に座って、パラソルの下に寝ころがっている正巳を遠く眺めた。白い飾り屋根は、藤棚のように等間隔に板を並べて作られていた。そこから、光が太い線となって洩《も》れてきて、椅子の上の私の肌に縞《しま》模様を描いた。

　何もかもが、白と青の二色に染まっていた。海では、何人かの若者たちがボードセーリングを楽しんでいた。一台のマリンジェットが、時折、気にならない程度のエンジン音をたてて海面に美しい白波をたてながら疾走していくのが見えた。

　その日、浜にいたのは、私と正巳の他に一組の家族連れと、学生と思われる若い男女のグループだけだった。男女のグループは、代わる代わる双眼鏡を手に、ボードセーリングをしている男たちを交代で眺めたり、互いの身体にオイルを塗り合ったり、ふざけて砂をかけ合ったりしていた。

光を弾《はじ》く白い三つのパラソルのうち、一番右端のパラソルの下にいたのが正巳だった。彼は砂の上の、リクライニング式になっている白いデッキチェアに身を沈めて、じっと海を眺めていた。傍に置いてある瓶入りの清涼飲料水を飲む時だけ、彼は少し顔を傾けた。そのたびに、サングラスをかけた端正な横顔が光の中に浮き彫りになり、私の胸を焦《こ》がした。

昼食はセンター棟に戻り、ダイニングルームでとった。私はシーフードのパスタを、正巳はココヤシの実が入ったカレーをそれぞれ注文した。カレーを食べてしまってから、まだ満腹にならないな、と言って、正巳はさらにダブルチーズバーガーとコーラを頼んだ。

出来上がったチーズバーガーは持ち帰り用に包んでもらった。浜辺で海を見ながら食べたい、と彼が言いだしたからだった。

午後の浜辺に、若者たちグループの姿はなく、親子四人の家族連れがレストハウスでホテル特製の弁当を広げているのが目に入るばかりだった。

正巳はパラソルの下で海を見ながらチーズバーガーを平らげ、コーラを飲み、煙草に火をつけた。ゆっくりと味わうようにして煙草を吸い終わると、私たちが灰皿代わりに使っていた空き缶で丁寧にもみ消し、彼はちらりと私を見た。

「何？」

「いや、なんでもない」と言って彼は微笑《ほほえ》んだ。「どうして類子と一緒にいると、こんなに楽しいんだろう」

「来てよかった？」

「うん。よかった」

「あっと言う間に時間が過ぎていくのね。もう明日、帰らなくちゃいけないなんて、信じられない」

「ずっといたいね」と彼は言った。「きみとずっとここにいて、ふたり並んで海を見て、気がついたらふたりとも、海の色を映して目が青くなってるような、そんな暮らしがしてみたいよ」

いくらか風が出て来たようだった。私は頰に髪の毛があたるのを感じながら、力強くうなずいた。

それから、私たちはどちらからともなく顔を寄せ、短い接吻《せっぷん》をし合った。それまでにも時折、私たちが交わしていたのと同じような、愛情と友情のこもった接吻だった。彼の唇からは、チーズの匂《にお》いと煙草の匂いと潮の匂いとがないまぜになった、温かみのある匂いが嗅《か》ぎ取れた。

「ちょっと泳いでくる」そう言って彼は立ち上がった。

「食べたばっかりよ。消化に悪くない？」

「平気だよ」

私はうなずき、私はここにいて本を読んでいる、と言った。「気をつけてね。あんまり遠くに行かないでね」

聞いていたのか、いなかったのか。正巳はグラスゴーグルをつけ、シュノーケルも持たず、足ヒレもつけず、勇んだように足踏みしてみせると、笑いながら私に軽く手を上げた。

私に背を向け、正巳は海に向かって歩き出した。午後の光は強烈で、サングラスなしに目を細めてじっと見ていると、正巳の身体《からだ》は光が乱反射する白い砂の上で、ただの黒いシルエットと化してしまったようにおぼろに見えた。

正巳はいつものように、非のうちどころのない美しい歩き方で海に入って行った。浅瀬は遠く連なっていて、いつまで歩いても、正巳の上半身が水に隠れることはなかった。

じれったくなったのか、いくらか水深が深まったあたりで、彼は腰を落とし、両手で水をかき分けるような仕草をした。水紋が丸く広がった。彼の身体の首から下が水に浸かって見えなくなった。

わずかな白波をたてながら、彼は泳ぎ始めた。クロールだった。ゆったりと左右の腕を交互に掻《か》きながら、凪いだ海を彼はすべるようにして遠ざかって行った。

何の音も聞こえなかった。午前中、マリンジェットを走らせていた男の姿もなく、ボードセーリングをしていた若者たちのグループも見えなかった。果てしなく広がるコバルトブルーの海にいるのは、正巳一人だった。

風が吹いた。パラソルの縁の飾りフリルがはためいた。

私は彼が飲み残したコーラを一口飲み、読みかけの文庫本を手に取った。イタリア人作家が書いた、長い翻訳小説だった。

文庫本を広げ、読み始めた。レストハウスにいた家族連れが、食事を終えて再びパラソルに戻って来た。父親が幼い女の子を抱いて海に入って行った。女の子は水が怖いのか、歓声とも悲鳴ともつかない声をあげた。

本の中の文章はなかなか頭に入って来なかった。何故《なぜ》なのか、わからなかった。

私は顔を上げた。泳ぎ続けている正巳の黒い頭が見えた。規則正しい動きで水を掻いている腕が見えた。私は文庫本を閉じ、デッキチェアの上で身体を起こした。

海には海水浴客のための赤い安全ブイが点々と浮いていた。そこから先は遊泳禁止という意味だった。そのことは、ホテルにチェックインした際、従業員から固く言い渡された幾つかの注意事項の中に入っていた。

私が本に目を落としていたわずかの間に、正巳はその安全ブイをくぐり抜けてしまったように見えた。

私は立ち上がり、額に手をかざしてみた。見間違いではなかった。彼は確かに、遊泳禁止区域を泳ぎ始めていた。

いやな気持ちになった。どうしてわざわざそんなところまで泳いで行かねばならないのか、わからなかった。彼は浅瀬で泳ぐのはつまらない、と口癖のように言っていたが、だからといって、安全ブイを越える必要はなかった。遊泳が許可されている範囲内にも、背が立たない深さの場所はいくらでもあったのだ。

私は波うちぎわまで走って行き、さらに浅瀬に入って行って、膝《ひざ》まで水に浸かったまま、正巳の名を呼んだ。何度も何度も、呼び続けた。

何度目かの呼びかけの後、正巳がこちらを振り返るのがわかった。彼は立ち泳ぎをしながら、私に向かって手を振った。グラスゴーグルをつけたその顔は、遠目には彼の顔のようには見えなかった。水に浮く小さな昆虫の顔のようだった。

「戻って!」と私は大声で言った。「どこまで行く気? 危ないでしょ?」

正巳はもう一度、大きく私に手を振った。了解した、という合図のように見えた。ほっとした。私は笑い、しようのない人ね、という意味で、もう一度、強く手招きをしてから彼に背を向けた。

パラソルのほうに戻ろうとして、途中で足を止めた。足もとの澄みきった水の中に、砂がふわふわと舞い上がるのが見えた。その細かい粒子の砂の中を小指ほどの小さな美しい熱帯魚が数匹、オレンジ色のリボンのようになって一列にゆらゆらと泳いで行くのが見えた。

光が水にはじけ、ぎらぎらと私の目を射た。

何かとてつもない不吉なものを覚えて、私は振り返った。こちらに向かって泳いで来るはずの正巳は、よく見ると、逆の方向を向いていた。彼はさらにさらに、海の向こうを目指して泳ぎ続けていたのだった。

焦《あせ》っているような泳ぎ方でもなく、かといってゆったりと泳ぎを楽しんでいるといった風でもない。彼の泳ぎは、あまりに規則正しくて、ロボットが命ぜられるままに動いている、といった感じがした。

わけがわからなくなった。そのあたりに、身体を休めることのできる小島や中州はなかった。ボートもマリンジェットもなく、ヨットも見えない。ただ一面の海だけが広がっている。

水平線に目をこらした。彼の頭は、もはや小さな小さな一つの黒い点のようにしか見えなくなっていた。ハレーションを起こした光の中で見る映像のように、その黒い点も、やがて見分けがつかなくなっていきつつあった。

午前中、浜のパラソルの下で、ボードセーリングを眺めていた若者グループが双眼鏡を持っていたことを思い出した。私は急いで浜に引き返し、彼らを探した。

いないことはわかっていた。わかっているのに、どうしても双眼鏡が欲しかった。双眼鏡さえあれば、正巳の無事を確認できる。ただそればかりを思いながら、私は浜を歩き回った。

すでに正巳の姿は肉眼では見えなくなっていた。かすかな点のようなものが波間に見え隠れしているような気がしたが、それが正巳の頭なのかどうか、見分けはつかなかった。

入道雲が、彼方《かなた》の水平線になめらかな白いクリームのように湧《わ》いていた。風が吹いて、遠くの海がいくらかさざ波立っているのが見えた。

動悸《どうき》が烈《はげ》しくなった。いやだ、と私は声に出して言った。

私はしばらくの間、正巳が泳いでいった方角を凝視していた。戻って来るかもしれない、と思ったからだ。そうでなければおかしかった。いくらなんでも、あんなにすいすいと、まるで浜から逃げるように逃げるように、泳いで行くはずがない。そう思った。

太陽が粉々に砕け、浜に立っている私の肌を刺した。一分が過ぎ、三分が過ぎ、五分が過ぎた。正巳の姿は見えなかった。

頭から血の気がひいた。じっとしているのに息が切れ、めまいがした。

私は家族連れがいるパラソルのところまで走って行った。女の子を膝に乗せ、父親はカメラにフィルムを装填《そうてん》しているところだった。私は息も絶え絶えになりながら、その男の正面に立った。

助けて、と言おうとして喉《のど》が詰まった。もどかしい思いだけがこみあげてきて、私は両腕を上げたり下げたり、ぐるぐる回したり、手で顔を被《おお》ったり、海のほうを振り返ったり、苦しくなって胸を押さえたりした。

男の隣には妻らしき女が座っていた。女は胸に、二歳くらいの男の子を抱いていた。何か、とその女は私に聞いた。化粧の剝《は》げた顔に、塗りすぎた日焼け止めクリームが白く浮いていた。私を見て、ひどくおびえている様子だった。

私のほうがおびえているのに――そう思った途端、喉の奥から細い悲鳴が迸《ほとばし》った。私は荒い呼吸を繰り返しながら、首を強く横に振った。

「どうしたんです」と男のほうが言った。

私は黙ったまま、震える手で海を指さした。

恐怖のためにゆらゆら揺れている私の指の向こうに、静かにたゆたう温かな海があった。海は何層もの青を微妙に色分けしつつ、正巳が消えていった水平線の彼方に、優しくまろやかに神々《こうごう》しく、まるで初めから何事もなかったかのように広がっていた。

やっと事情をのみこんでくれた親子連れが、レストハウスの緊急電話を使ってホテルのフロントに連絡した。海難事故があると駆けつけるという、地元の若い漁師たちが、ホテルが雇ったマリンスポーツのインストラクターたちと一緒になって、船を出したり、海に潜ったりしてくれた。

ひょっこり戻って来るのではないか。沖合で素潜りをしてたんだ、いったい何を騒いでるんだよ、などと言いながら呑気《のんき》に帰って来るのではないか。そんな希望にすがりつきながら、私は祈る思いで彼らが海を捜索するのを眺めていた。

その晩、騒ぎがいっそう大きくなったころ、沖合で正巳の水死体が発見された。死因は溺死《できし》だった。

漁師の話では、発見された時、正巳は口の中に、体長七センチほどの美しいカクレクマノミを一匹、含んでいたのだという。

第八章

1

正巳が死んでも、私は生き続けていた。

泣きわめくとか、絶望のあまり気がふれるとか、自分も死んでしまいたくなる、といったような、小説や映画の中でよく見られるような烈《はげ》しい感情は私の中には一切、生まれなかった。私はただ、一日が始まって終わっていくことしか考えていなかった。

その繰り返しが十回続き、三十回続き、六十回続き、やがて二ケ月分の暦が印刷されたカレンダーがめくられると、次のページが現れて、再び新しい時間が始まる。その幾度となない繰り返しだけが自分を救ってくれる、と私は信じた。

降り積もり、堆積《たいせき》していく時間の重みだけが頼りだった。いつか必ず、正巳に向かっていった時の自分の烈しさも、正巳と裸で抱き合った夜のことも、そして、正巳の死さえ、おぼろにかすんだ記憶のひとこま——夢とも現《うつつ》ともつかない、現実感の希薄な風景と化す日がくるに違いなかった。

私はそう信じた。どうしてもそれが信じられないのなら、死んだほうがましだった。

一九八二年二月八日の夜。私と正巳が初めて肌を合わせたホテルニュージャパンで火災が発生し、多数の死傷者が出た。火災現場がテレビで生中継され、煙に巻かれて窓から逃げようとした宿泊客が落下していく、痛ましい映像が流された。

どこか陰気で雑然としていて、埃《ほこり》っぽく、安手の権威主義、都会の寒々しさを象徴するようなホテルだった。だが、私にはまるで、自分の愛していた家——かつて自分が住み、いとおしい記憶を刻みつけた家が、今まさに焼け落ちようとしているのをテレビで見ているかのように感じられた。

闇《やみ》を焦《こ》がすようにして激しく炎をあげているこのホテルの一室で、自分は正巳と初めて肌を合わせたのだ、と思うといたたまれなかった。建物の焼失と共に、自分たちがそこで交わした会話、言葉にならなかった幾多の想《おも》い、万感をこめて触れ合った互いの肌のぬくもり、それらすべてもまた、同様に失われてしまったような気がした。

私は自分がいつか、あのホテルの、正巳と寝た部屋に一人で泊まってみるつもりでいたことを知った。部屋番号は覚えていた。窓から見えた、あまり美しいとは言えない大都会の風景も覚えていた。あの風景をもう一度見たかった。海老茶色《えびちゃいろ》の、薄汚れた感じのするベッドカバーをもう一度、見たかった。もうそんなこともできなくなった、と思うと、涙があふれた。

袴田邸で火災がおこったのも、同じ年の秋だった。そのニュースを、私は翌日の新聞で知った。

一般の民間住宅でおこった火災の報道としては、新聞での扱いは大きなものだった。深夜十一時ころ、二階の袴田の書斎付近から出火。袴田は外出していて不在だったが、別棟に住んでいた秘書の水野が異変に気づき、消防署に通報した。折りしも空気が乾燥していたせいか火のまわりが早く、消防車が駆けつけた時はすでに手がつけられない状態になっていた。出火当時、書斎に火の気はなく、出火原因は不明だが、その数日前、袴田邸の近所の農家で頻繁《ひんぱん》にボヤ騒ぎがあったことから、放火の疑いも拭《ぬぐ》いきれない、と記事は結んでいた。

奇《く》しくも、袴田邸が焼け落ちたのは、十一月二十五日、三島由紀夫が市ヶ谷の陸上自衛隊駐屯地で割腹自殺をとげたのと同じ日であった。

その日、新聞の社会面の中央には、「三島由紀夫、自決から十二年」と題された派手な囲み記事が掲載されていた。袴田邸の火事を報じる記事は、その囲み記事と並んでおり、三島由紀夫と袴田亮介との不可解な因縁が感じられて、薄気味悪く思えるほどだった。

三島由紀夫の作品『金閣寺』に登場する主人公は、金閣寺が有する絶対の美を愛し、同時に憎んで火を放った。同じように、袴田亮介も自分が建てた邸宅の、完璧《かんぺき》な美しさを愛し、愛しながらも憎み続けて自ら火をつけたのではないか。そんなことを私は考えた。

ただの想像の域を出ないことではある。だが、そう考えると、何故《なぜ》か納得がいく。

ぼんやりテレビを見ていて、例えば若いタレントが番組の中で年齢を明かしたりすると、私は、自分が正巳と関わっていた頃、この子は幾つだったのだろう、などということを考えた。あるいは、かなり年配の俳優が年齢や生年月日を口にしても、同じことを考えた。正巳と過ごしたあのころ、この人は幾つだったのか、と。

そんなことを知っても、何の役にも立たなかった。だが、ひとたび計算し始めるとやめられなくなった。私はむきになって頭の中で数字を並べては、その無意味さの象徴のような空《むな》しい作業に没頭した。

正巳の死後、私は独身を通していたが、三十三歳の時に、四つ年上の木島という男と出会った。

私が勤めている学校の短大では、文化祭が開かれた折、特別記念講演会と題して学校側が何人かの学者や文化人を招くことになっている。その中にいたのが木島だった。彼は上野の国立科学博物館に勤務する、鱗翅類《りんしるい》動物の研究家であった。鱗翅類――つまり、蝶《ちょう》である。

一般読者向けに、蝶をわかりやすく解説した本も何冊か出しており、幾つかの大学で講師も引き受けている男であった。

彼の講演会が行われた日、彼の付添い係を命じられたのが私だった。控室や会場への案内、飲物の用意、出迎え、見送りなどの世話をするのが主な仕事だった。

その数日後、私あてに彼から丁重にお礼の言葉をしたためた一通の封書が届いた。私も返事を書いた。今度は彼から署名入りの著書が送られてきた。私は再びお礼の手紙を書き、彼から電話がかかってきて、そうこうしているうちに、私と木島の間には少しずつ何かが芽生えていった。

恋と呼ぶには静かすぎるが、かといって互いに無関心では決してなく、どこか強く惹《ひ》かれ合うものを持っていたのは事実である。だが、初めから私たちの間に激情と呼べるようなものはなかった。

私たちは共に食事をしたり、散歩をしたり、時には、彼に誘われて天然記念物の蝶を探しに山に入ったりした。どちらかというと、戸外で会うことが多く、そのうち半分は木島の同僚や教え子が一緒だった。

理性的で、終始、冷静なまなざしを崩そうとしない木島は、アルコールが一滴も飲めない体質だった。したがって、飲んで乱れて性急に私を求める、ということもなく、互いの距離をなかなか縮めることができないまま、時が流れた。

先に結婚を口にしたのは私である。私は波風の立たない、静かな暮らしがしたい、と率直に打ち明けた。あなたはそのために必要な人だ、とつけ加えると、彼は初めて見せる真剣な、熱を帯びた目で私を見つめた。

きみと僕は、多分、同じ世界を生きてきて、これからもそうなのだろう、と彼は言った。

それは違う、と思ったが、私は黙っていた。烈しく求め、求められるという関係から、彼は初めから解き放たれているような人間だった。彼が必要としたのは理解、信頼、誠実さ、静寂さ、それだけだった。

木島は昔の私のことを何ひとつ知らなかった。それでいいのだった。私は木島に、彼自身と似ている人間だと思われることが嬉《うれ》しかった。私は木島のような生き方がしたいと思っていた。私は本当に彼を必要としていた。

初めて木島と互いの身体《からだ》を求め合ったのは、私がその話をした晩だった。木島との交合は、彼そのものを思わせた。静かで、落ちついていて、ためらいも強欲も狡猾《こうかつ》さも何もない、それは流れ出した水のようにひそやかに始まり、ひそやかに終わる触れ合いだった。その淡白さは私を心底、安堵《あんど》させた。

木島と結婚して十三年たつ。子供を作ってみたいような気持ちになったことも何度かあったのだが、できなかった。

何度試してみても不可能だということを知り、自分は女としての能力を全部、能勢や正巳と関わる中で使い果たしてしまったのではないか、などと考えた。愚かしい想像だが、或《あ》る意味でそれはあたっているような気もした。

生まれつきあまり身体が丈夫ではなかった木島は、四十を過ぎるころから、あれこれと小さな病気を重ねるようになった。命に関わるようなものではないのだが、それでも放っておくわけにもいかない種類の病気ばかりで、本人は症状が出て辛《つら》いらしく、そのたびに病院の世話になり、大事をとって家で寝込んだ。

夫の病弱が、私たち夫婦の間に不思議な緊密さを保たせた。男と女であることを超えた、命をもつ生き物としての確かなつながりが私たちの間に生まれた。

私が勤めから帰ると、ベッドに横たわったまま、夫が蝶の本などを読んでいる。おかえり、と言われ、ただいま、と答え、その日一日、どんな具合だったか質問する。彼のために消化のいいものを作ったり、栄養のバランスを考えたり、そのための買物をしたりすることは、決して苦痛ではなく、単調な生活の中の彩《いろど》りのようにも感じられて、むしろ私には楽しいことでもあった。

彼が健康を取り戻すと、自分の成果を見るような気がして嬉しかった。規則正しい毎日は、彼のためのものであり、同時にそれは私のものにもなった。

自分が虚弱なものだから、彼はまた、私の身体に関しても格別の配慮を怠らなかった。少し頭痛がする、と言えば、彼はただちにベッドを整え、無理やり私を寝かせて、頭痛薬とコップの水を持ってくる。部屋のカーテンを閉じ、暗くして、その必要はない、と言い張っても、静かに戸を閉めて部屋の外に出て行く。めったに熱も出さない私が、風邪をひいて寝込むと、シイタケの煎《せん》じ汁だの、梅干しの黒焼きだの、熱さましにいいと言われているものを次から次へと運んできた。

そんな具合だったから、私たちはまもなく、いたわり合いながら暮らす老夫婦のようになった。共通の友人の話、本の話、映画の話、世界で起こっている出来事の話を交わす前に、決められたように「どう？」と私たちは質問し合う。「疲れてない？　元気？」と。

そんなふうにして老いていくことに、世間でよく言われるような寂しさ、不満を感じたことは一度もない。他の生き方があったはずだ、などと夢想したことさえなかった。

朝になると私はそれまで通り、私立K女子学園のドーム型の図書館に出かけて行った。六時半にはもう、買物を終えて自宅に戻り、夕食の支度を始めている。元気でいる限り、夫が仕事を終えて帰宅するのは七時頃で、八時過ぎには私たちはもう、夕食を終え、食器を台所の流しに片づけて、食後のお茶をすすっている。

夫が書斎で調べものをしたり、原稿を書いたり、講義のための準備をしたりし始めると、私は私で本を読み始める。そして、夜更《よふ》けて眠くなったころ、私たちは交代で風呂《ふろ》に入り、寝支度を整えてベッドに横たわる。

一日の終わりに、人一倍、疲れを感じてしまう彼は、時々、ベッドの中で私の頭を抱き寄せ、「すまない」と言った。疲れ過ぎていて、どうしても肌を合わせることができそうにない、という意味だった。

何故《なぜ》、あやまるのかわからなかった。交合は、しなければならないからするのではない、したいからするものだった。ましてそれが愛情の証《あかし》であると信じるほど私たちは若くはなかった。それに、第一、交合は官能の象徴ではない。いわばそれは、官能への入口の、ちょっとした扉のようなものでしかない、と私は考えていたのだが、そうしたことを彼に説明するのはなんだか億劫《おっくう》だった。

だが、木島がそんなことを言ってきた夜は、決まって私は正巳を思い出した。どれだけ正巳を欲し、どれだけ正巳と一つになりたいと願ったか、かつての自分の欲望の烈しさが甦《よみがえ》った。そして、そのたびに私は、それが性的快楽の飢餓感とは程遠いものであったことを改めて実感した。

私が正巳を求めたのは、違った意味においてであった。それだけは、何度繰り返し検証してみても、確かなこと、揺るぎない事実であった。

記憶の中で、正巳との性の風景に重なってくるのは、彼自身が発した夥《おびただ》しいほどの言葉の群れである。彼は官能を言葉で表現し、それを私に与えた。会話や手紙文の中に、ちりばめられたそれらの言葉を思い返し、つなぎ合わせてみると、そこに正巳という男の総体が見えてくる。

正巳、正巳。その名が、私のすべてであった時期があった。彼の唐突な死は、私からすべてを奪い、世界を暗転させた。にもかかわらず、彼の死はどこか、彼の人生における至福の瞬間だったような気がしてならない。

わけもなく眠れない夜など、私は時折、あのきらめく太陽の中、浜から遠く遠く、水平線の彼方《かなた》めざして、音もなく泳ぎ続けた正巳の姿を思い返す。

彼はゆっくりと波を切り、前へ前へと進んでいる。慌《あわ》てることなく、空しさに屈することもなく、耳元に揺れるくぐもったような水の音を聞きながら、弾《はじ》ける光の渦の中に漂っている。

彼のまわりには無数の魚が泳いでいる。温かな水が彼を包みこんでいる。水の音以外、何も聞こえない。見渡す限り、青、青、青の世界。

彼は平和で満ち足りている。彼は大自然と宇宙の中に溶け、見分けがつかなくなっている。たとえようのない安堵が生まれ、彼はそこに身を委《ゆだ》ねる。

ああ、俺はもはや孤独ではない、と思う正巳の気持ちがそっくりそのまま私に返ってきて、束《つか》の間《ま》、私は夫の寝息を聞きながら、寝室の闇の中に無限の宇宙を見るのだった。

2

袴田の居所をあたってみる、と約束してくれた写真家の小寺行秀から、学校のほうに電話がかかってきたのは七月も半ばを過ぎる頃であった。

〈東京回顧写真展　過ぎ去りし宴〉と題された彼の写真展を見てから、一ケ月あまりたっていた。もとより小寺と私は初対面であり、互いに何の縁も義理もない。仕事に追われている間に、小寺はいつのまにか約束のことなど忘れてしまったのかもしれない、と考え始めた矢先だった。

まるで約束したのが昨日のことだったかのような、前置きも何もない、唐突な感じのする口調だった。「思っていたよりも難航しましたよ」と小寺は言った。

その、妙に乾いた感じのする言い方は、どこか不吉な感じがした。私は袴田の死を連想した。やっと探しあてた相手は死んでいた……阿佐緒の死や正巳の死を通り過ぎてきた私には、それが物語の自然な流れであるようにさえ思えた。

「僕の知り合いに、昔、袴田さんと親しかった男がいる、って申し上げたでしょう？

元新聞記者だった男です。まず、その男と連絡をつけるのが大変でした」と小寺は話し始めた。「身体をこわして仕事をやめて、福島に安い田舎家を買って百姓を始めた、とまではわかったんですが、福島の住所を知っている人間が誰もいないありさまでして」

どこかの公衆電話からかけている様子だった。受話器の奥から、かすかに車の行き交う音が聞こえてきた。

小寺は続けた。「それでもなんとか、周囲の話を総合しましてね、彼が田舎の物件を買った時に仲介に入った業者をつきとめたんです。そこでやっと住所がわかって、連絡が取れました。袴田さんは火事で家をなくしてから、秋川の檜原《ひのはら》村に引っ越したんだそうです」

「檜原村？」私は聞き返した。「で、見つかったんですか」

「それがねえ、電話帳にも載っていないんですよ。袴田さんは十年ほど前に医師会を脱会してるんですけど、そちらのほうからも調べがつかなくなって。こうなったら、檜原村に直接行ってみればいい、と思いましてね。現地に行けば、なんとかなる、と思ったんです。ちょうど渓谷の写真でも撮ろうと思ってたんで、ついさっき来てみたところなんですよ。実は僕、今、武蔵五日市《むさしいつかいち》の駅の近くにいるんです」

いくらなんでも、そこまでしてくれるとは思っていなかった。私は恐縮し、忙しいでしょうに、本当に申し訳ない、どうかご無理なさらず、そこまでわかれば、あとは私が一人で探しますので、と言った。

だが、小寺はろくに聞いていなかった。「現金をおろしておこうと思って、たった今、駅の近くの銀行に寄ったところなんですけどね。偶然ですよ、ここの銀行の伝言板にね、名前を見つけたんです」

「はあ？」

「猫が生まれたのでもらってください、とか、ミシン安く売ります、とか、地元の人が情報を自由に交換できるようになっているボードが壁に貼《は》られてあるんですがね。そこにこんなものがあったんです。〝当方、読書が唯一《ゆいいつ》の趣味の老人です。病気のため目が不自由になりました。女性で朗読の仕事をしてくださる方を探しています〟ってね。その人の苗字《みょうじ》が、袴田、というんですよ。名前のほうは書いてありませんでした。ただ、袴田。それだけ」

私は黙っていた。どこにだって、袴田という苗字の人間はいるのかもしれない。偶然かもしれなかった。だが……。

「どうします？」と小寺は聞いた。「伝言板には電話番号だけが明記されてあります。私が今、ここから電話して確認してみましょうか。それとも……」

朗読アルバイトを募集している袴田なる人物が、私にはあの袴田亮介だと思えてならなかった。目が不自由になった場合、袴田は点字本に頼らずに、傍に人を侍《はべ》らせて朗読をさせるに違いなかった。たとえ失明していても、いや、たとえ死にかけていてさえ、彼は貴族趣味に徹して、自分で作り上げた様式美の中に生き続ける男のように思えた。

私は、わざわざ遠く武蔵五日市まで行ってくれた小寺に丁重に礼を述べ、袴田という人物には自分が電話してみる、と言った。

小寺は一旦《いったん》、電話を切ってから電話番号をメモするために伝言ボードを見に行き、再び電話をかけてきて、番号を教えてくれた。

小寺は、「いいところですよ」と言った。「自然がたっぷり残ってます。近くに〝黒茶屋〟っていう、ちょっと有名な料理屋がありましてね。元庄屋《しょうや》だった家を移築してそのまま使ってる、なかなか風情《ふぜい》のある店ですよ。前にも一度、寄ったことがあるんですが、今日はせっかくだから、その店の写真も撮ろうと思ってます」

そうしてくだされば、こちらも嬉しいです、と私は言い、重ねて礼を述べた。

もしそれが本物の袴田さんだったら、と小寺は言った。「僕がよろしく言っていた、と伝えてください。袴田さんは覚えてらっしゃらないと思いますがね」

袴田と会うことがかなったら、その時の様子は後で必ず報告する、と私は約束し、電話を切った。

その場ですぐに電話をかけたかったのだが、ちょうど昼休みで図書館には大勢の短大生や生徒たちがつめかけていた。応対に追われているうちに、午後の授業が始まる時刻になり、同僚たちは昼食をとりに出て行った。

誰もいなくなった図書館の返却カウンターで、私は電話の受話器を取った。

袴田という人物が、あの袴田亮介とは別人であってほしい、という気持ちがわいてきたのは不思議だった。説明のつかない、かすかな不安、恐怖心のようなものが私を襲った。蓋《ふた》をして、鍵《かぎ》をかけ、屋根裏部屋に押しこめて、二度と開けるつもりのなかった箱の鍵を開ける時のような緊張感があった。

「はい、袴田でございます」長いコール音の後で、受話器を取った男が言った。

聞き覚えのある声だった。何事にも無関心を装《よそお》うような、硬質で透明な声。事務的で、機械的な応対ぶり……水野だ、と私は直感した。

緊張が高まった。自分が電話をかけたところには、確かに本物の袴田亮介がいるのだ、と確信した。病気で失明し、朗読アルバイトを募集した袴田亮介が。

水野の妻、初枝の死をもたらしたのは、袴田の妻である阿佐緒だった。にもかかわらず、その傷を抱えたまま、水野は袴田の傍に付き添っているようであった。袴田と水野の、他人には窺《うかが》い知れない深い絆《きずな》が感じられた。

「もしもし？」と水野は言った。警戒心を含んだ声だった。

私は咄嗟《とっさ》に思いついた嘘《うそ》を言った。「銀行の伝言板で拝見しました。朗読の仕事をする人間を必要とされていると知って、是非、やらせていただきたい、と思いまして」

相手が何の用件で電話をかけてきたのか、はっきりしたせいだろう、水野の口調が元に戻った。幼い頃から受け続けてきた厳格な教育、完璧《かんぺき》な躾《しつけ》を感じさせる、見事に綻《ほころ》びのないなめらかな口調……。

「私は袴田先生の秘書で、水野と申します。失礼ですが、お名前は何とおっしゃいますか」

「木島と申します」

「朗読のご経験はおありでしょうか」

「いえ、ありません。でも、読書は私も昔から大好きです。東京生まれで東京育ちですし、訛《なま》りもありません。できないことはないと思っています」

「実を申しますと、希望者が殺到しております。嬉《うれ》しい誤算でした。そのため、お声の質などを知るために、簡単な面接ではありますが、あらかじめ先生がお会いになって、一番ふさわしいと思われる方に決めることになりました。いらして下さった折の往復の交通費は、当方が負担させていただきます。それから、念のために履歴書もお持ち願いたいのですが、甚だ勝手ながら、そういうことでかまわないでしょうか」

「もちろんです」と私は言った。

早速ですが、明日、来ていただくことはできますか、と水野に聞かれた。袴田は午前中は散歩にあて、夜、五時頃に早めの夕食をとって、八時にはもう、寝室に引き取るような毎日を送っている、したがって面接は午後一時から三時までの間にお願いしたい、という。

翌々日からは、学校が夏休みに入り、図書館もいったん閉館することになっていた。それからのほうが自由が効く。

私は勤めのことは口に出さず、明日はちょっと都合が悪い、と言った。「明後日ではいけませんか」

「かまいません。それでは明後日にいたしましょう」と水野は言った。

檜原村の袴田の家の住所と武蔵五日市駅からの交通手段を教えてもらい、私は翌々日の午後二時ごろ、袴田宅を訪問する約束をした。

電話を切ろうとした時、水野が「申し遅れました」と言った。「袴田先生は、今年、七十七歳になられます。お身体《からだ》がたいそう弱っておられまして、その日にもよりますが、長時間、お客様のお相手をすることはできない状態です。面会は短時間でお願いすることになると思いますが、ご了解ください」

病気のこと、失明の理由は聞きそびれた。わかりました、と私は言い、受話器を置いた。

武蔵五日市駅に行くには、新宿からの直通電車に乗るのが最も簡単で早かったが、直通は朝早い時間か、夕刻にしかない。立川始発の五日市線の直通も本数が少なく、結局、私は立川から青梅《おうめ》線で拝島に行き、さらに五日市線に乗り換えるという方法をとった。新宿を十一時に出て、終点の武蔵五日市の駅に着いたのが十二時半。同じ東京都でありながら、あたりの空気には緑の匂《にお》い、水の匂いが感じられた。

プラットホームも改札口も真新しく、広々とした駅だった。共に降りた乗客は、私を含めて十数人しかいなかった。人の話し声も聞こえない、ただ、日ざかりの中、遠くで鳴いている油蟬《あぶらぜみ》の声と、前を行く乗客の靴音がかすかに聞こえるだけの、静かな、まどろむような駅の佇《たたず》まいである。

一緒に改札口を出た乗客は三々五々、散っていき、まもなくあたりに人の気配はなくなった。時折、行き交う車の音がかえって静けさを増すように思われた。

梅雨が明けたばかりで、町はぎらぎらとした夏の光に包まれていた。舗装道路にはねかえって砕け散る光が目を射た。道路に落ちている建物の影は、くっきりと、まるで墨で縁取られたように色濃い。

水野から教えられたバスの始発停留所で、数馬方面行きのバスを待つ。バスの本数は思っていたよりも少なく、やっと来たバスに乗った時、時刻は一時二十分であった。

檜原街道をゆっくりと西に走るバスに、乗降客の数は少ない。停留所に着くたびに、ぽつりと一人が降り、一人が乗ってくる、といった按配《あんばい》である。まだ夏休みが始まったばかりだったせいか、休みを利用して観光かたがた遊びに来たとおぼしき家族連れの姿も見えなかった。

光の反射で白く浮き上がったように見える道には、次第に緑が色濃くなっていき、くねくねと曲がるカーブの数も増えていく。揺れる車内に木漏れ日が落ち、長く伸びた木々の枝が自在な影絵を踊らせた。

バスが少しずつ、少しずつ、袴田の家に近づいて行く。私はバスの揺れに身を任せながら、自分がこれまで辿《たど》ってきた道のりを思い描いた。長い長い幻のような旅を経て、自分は今まさに、旅の終着点に向かいつつある、と私は思った。

これまで、いつかしよう、やらねばならない、と思って、できなかった作業を自分は今、しようとしているのだった。そんなふうに考えると、何故《なぜ》、袴田に会いにここまでやって来たのか、漠然とではあるがわかったような気がした。

正巳や阿佐緒と共に辿った、あの若かった時分の旅は、文字通りの官能の旅、忘我の旅であった。旅は、あの奇怪な男、袴田亮介と出会ったことから始まっている。

常に私や正巳、阿佐緒の外側にいて、三島由紀夫の作品や美学を愛し、自分が三島を模倣したのではなく、三島が自分と似ていたにすぎない、という顔をしながら生きていたあの男。現実感の希薄だったあの男。希薄であるがゆえに、自らが設けた舞台の上で、自分で自分を演じるという風変わりな、寂しい芝居を打ち続けねばならなかったあの男

――私の旅の終わりの刻印を刻んでもらうのもまた、彼であるべきだった。

武蔵五日市の駅前を出て三十分。水野に指定されたバス停留所に着き、私はそこで降りた。

光の中を走り去るバスを見送り、比較的、賑《にぎ》やかな一角を歩いて街道沿いの道に入る。水野からは、女性の足でふつうに歩いても七、八分だ、と聞いていた。

山間の土地らしく、起伏が多い。傾斜地に石垣を設《しつら》え、畑と隣り合わせで小ぢんまりと建っている民家が目立つ。それぞれの家の庭や門のまわりには、夏の木々、草花が生い茂っている。蟬しぐれに物音がかき消されていき、道路を歩く自分の靴音さえ聞こえなくなる。

汗が額や鼻の頭からにじみ出る。手提げの紙袋の中で、手みやげに買った和菓子の箱が歩くたびに、ごとごと揺れる。

水野は前日の電話で「焦《こ》げ茶色の背の高い垣根が見えてきます。このあたりでは、それほどの垣根を持つお宅は先生のお宅一軒だけですので、すぐにわかると思います」と言っていた。

その焦げ茶色の垣根の家が、道路の左手にあった。細く黒い竹を束ねて作ったように見える垣根である。それは道に沿って延々と伸びており、敷地の広さを窺わせた。

門柱はあるが、門扉《もんぴ》はついていない。でこぼこした節目の多い、黒ずんだ円筒形の門柱に、小さな木彫りの表札が出ていた。「袴田」とあった。

黒い下見板張りの平屋造りの古い家だった。苔《こけ》むしたようになった石畳が、家屋に沿って細く長く続いている。風雅な石畳と垣根の間には無数の孟宗竹《もうそう》が植えられ、地面を被《おお》い尽くすかのように笹《ささ》の葉が繁《しげ》って、あたりは湿った仄暗《ほのぐら》さに満ちていた。

かつては待合か、あるいは料亭か何かだった建物を改造したものかもしれなかった。石畳のアプローチの行き止まりに引き戸の玄関があり、玄関の外壁には、屋号を記して消した跡のある長方形の外灯が、そのまま残されていた。

打ち水がされてある戸口の前に立ち、昔風の呼び鈴を鳴らした。重たいブザー音が轟《とどろ》き、家屋の奥へ奥へと這《は》うようにして広がっていくのが聞こえた。

出て来たのは水野その人だった。真っ白な、皺《しわ》ひとつない半袖《はんそで》ワイシャツの前ボタンを二つほどはずし、学生服を思わせる黒いズボンをはいている。

還暦を迎えたか迎えないか、という年齢にさしかかっているはずで、さすがに肌にも容貌《ようぼう》にも衰えが感じられた。つやつやと撫《な》でつけられていた髪の毛は銀灰色に変わり、ひとまわり痩《や》せたようにも見える。それでも相手をひたと見据える目の奥の、湖沼に映る月明かりのような、青々と澄んだ光だけは昔のままであった。

水野は背筋を伸ばし、さして驚いたふうもなく私を見た。

「あなたでしたか」彼は言った。

そこに懐《なつ》かしさや感傷、あるいは嫌悪感《けんおかん》や失望など、人間らしい感情の動きは何も感じられなかった。彼はただ、目の前に見ている事実を客観的に、そのまま言葉で表現したに過ぎなかった。

「ごぶさたしています」私は頭を下げた。「今は結婚して、木島と申します。電話で本当のことを申し上げるべきでした。ごめんなさい。あらかじめ私だということがわかっていたら、水野さんは袴田さんに会わせてはくださらないかもしれない、などと考えて……」

「私にそんな権限はありません」水野はそっけなく言った。「先生がお待ちしていたのも木島という女性です。嘘を言ったことにはならないでしょう」

どのようにして袴田の檜原村の居所を知ることになったのか、私はその経緯を簡単に説明した。渋谷で開催されていた小寺行秀の写真展で、懐かしい袴田邸の新築記念パーティーの写真を見たことから、すべてが始まったのだと聞いても、水野は黙っていた。感想も相槌《あいづち》も何もなかった。私は、巨大なマイクに向かって、一人で喋《しゃべ》っているような気になった。

「そうでしたか」とだけ彼は言った。「さあ、どうぞ。お入りください」

とりつく島もなく、私に背を向けた水野に、私は「あの」と声をかけた。水野は振り返った。

「袴田さんはどうして目を悪くなさったんでしょうか」

「糖尿病性網膜剝離《はくり》です」

「糖尿？　以前はあんなにお元気そうでしたのに」

「気づいた時はすでに遅くて、失明は免れませんでした。完全に失明なさってから、二年ほどたちます。しばらくの間、私が朗読のお手伝いをしていましたが、先生がどうしても女性の声のほうが聞き易《やす》い、とおっしゃって……」

まだ他にも、聞きたいこと、知りたいことが山のようにあるような気がした。だが、何から聞けばいいのかわからなかった。

私が言葉を選んでいると、水野は「他に何か質問は？」とでも問いたげな顔をして私を見た。

「水野さんはお元気そうですね」私は微笑《ほほえ》んだ。

おかげさまで、と彼は言い、再び私に背を向けて、低い上《あ》がり框《かまち》の上にスリッパを一組置いた。涼しげな藍染《あいぞめ》のスリッパだった。

「おあがりください。先生がお待ちです」


よく磨かれ、つやつやと黒く光っている廊下だった。あたりはひんやりとしていて、暑いさなかに飛び込んだ鍾乳洞を思わせる。手梳《てす》き和紙で作られた、竹籠《たけかご》のような形をした電灯が、廊下の中央に下がっている。仄暗い中、灯《とも》された明かりは闇《やみ》に滲《にじ》む提灯《ちょうちん》の灯のように、ぼんやりと黄色い明かりを放っている。

廊下を曲がったあたりに竹連子窓《れんじ》があり、そこからは露地庭が見渡せた。北向きなのか、露地庭は日陰の中にあり、穴の奥から遠い光を覗《のぞ》き見ているような感じがする。

水野は、連子窓の隣の、さらに薄暗くなっている廊下の行き止まりで足を止め、目で私を制すると、襖《ふすま》の手前で中腰になった。

「先生。木島様がおみえでございます」

湿った咳《せき》の音がひとつ、襖の奥から聞こえた。それだけだった。声は返ってこなかった。

水野は辛抱強く、待っている様子だった。静まり返った家の中に、どこかの部屋の掛け時計が時を刻む音がし、その音に油蟬の鳴き声が重なった。

襖の向こうからは物音ひとつしない。水野は彫像のように中腰の姿勢のままでいる。私には何の指示も与えてくれない。

どうすればいいのかわからず、いたたまれなくなった時だった。やっと「お入り」と言う嗄《しわが》れた声が廊下にもれた。

水野が襖に両手をかけた。音もなくすべっていく襖の向こうから、白く弾《はじ》ける夏の光が、嵐《あらし》でうねり狂う怒濤《どとう》のごとくあふれてきた。私は目がくらんで、その場に立ち尽くした。それは、仄暗い廊下とは対照的な、まばゆさだけに充《み》たされた部屋であった。

さあ、中へ、と水野が私を促した。私はスリッパを脱ぎそろえ、爪先《つまさき》を畳の上にすべらせるようにしながら、中に入った。

床の間があるだけの、簡素な八畳間だった。床の間には書が掛けられている。畳は換えたばかりなのか、青々と美しい。

窓が開け放された広々とした縁側には、日除《ひよ》け代わりなのか、幅の狭い簾《すだれ》がかけられている。その向こうに、緑にかすむ庭が見えた。芝生を敷きつめた庭だった。

畳の上に敷かれた小さなペルシャ絨毯《じゅうたん》の上に、木製のロッキングチェアが置かれている。そこに、色の濃いサングラスをかけ、細い縞《しま》模様の入った薄御召《うすおめし》に身を包んだ老人が座っている。老人は見えない目を庭に向けている。私や水野が部屋に入って行っても、身じろぎひとつしない。

袴田亮介はひと回りどころではない、ふた回りほども縮んで小さくなっていた。かつては皮肉めいた微笑を絶やさなかった口もとにも、無数の皺が刻まれて、青紫色の唇は、粘土のように見える。いつから生やし始めたのか、鼻の下には白くなった口髭《くちひげ》があったが、髭と呼べるだけの猛々《たけだけ》しさはなく、それは顔の色つやの悪さをごまかすための、小さな仮面の役割しか果していなかった。

「お久しぶりでございます」私は袴田から離れて畳の上に正座し、畳に両手をついて頭を下げた。「こんなふうにしてお目にかかれるとは、夢にも思っていませんでした」袴田にわずかな反応が見られた。彼はそれとはわからぬほどゆっくりと首を動かし、私のほうを向いた。

粘土のような唇が小刻みに震えた。誰かに糸で上下を引っ張り上げられたかのように、口が小さく開いた。彼は言った。「その声に聞き覚えがある。あなたとは以前、どこかで……」

水野が青畳の上をにじり寄るようにしながら袴田に近づくと、片手を口にかざし、やおら袴田の耳に何事か囁《ささや》いた。

何を耳打ちしているのかはわからなかった。長い耳打ちだった。庭は光の洪水だった。庭木立ではしきりと蟬が鳴いていた。

水野は耳打ちを終えると、慎ましげに袴田から身体を離した。袴田はうなずきもせず、何ひとつ表情を変えることなく、水野に向かって言った。「何か冷たいものをお持ちしなさい」

水野は深々とうなずいた。私のほうは振り返りもしなかった。襖が閉じられ、廊下を足音が遠のいた。部屋には私と袴田だけが残された。

「視力を失ってから、耳にするものがすべてなのです」袴田は抑揚をつけずにそう言い、再び庭に顔を向けた。「こうやっていると、庭に蟬が何匹いるのかもわかるようになってきました。風が吹いて小枝を揺する音にもそれぞれ違いがある。夜の風と昼間の風も違うのです。面白いものです。だから人の声もよくわかる。ため息ひとつ、吐息ひとつで、そこにいるのが誰なのか、わかるのです」

「私は以前、あまり袴田さんとはお話をしませんでしたのに。私の声を覚えていてくださったなんて光栄です」私は言った。「結婚して、木島という姓になりました。夫は国立科学博物館に勤務しています。私は相変わらず学校の図書館司書を続けています。結婚したこと以外、何も変わっていません。ただ年を取っただけです」

聞こえたのか、聞こえなかったのか、それについての袴田の応答はなかった。

私は手みやげに持ってきた和菓子の箱を紙袋からそっと取り出し、畳のへりに沿うようにして置いた。「袴田さんのご病名はさっき、初めて知りました。こんな甘いもの、召し上がれないかもしれないというのに……買って来てしまいました。知らなかったとはいえ、申し訳ありません。日持ちするお菓子です。お客様のおもてなしにでもお使いください」

老舗《しにせ》の和菓子店の高級干菓子だった。袴田は丁重に礼を述べ、後で水野に手渡すように私に頼むと、また咳をひとつした。

喉《のど》の奥に絡《から》まる痰《たん》を不快げな顔をして飲みこんだ袴田は、光の中にしみわたる蟬しぐれに身を投げるかのように、ぐったりと椅子《いす》にもたれた。

沈黙が続いた。私も黙っていた。

「あなたのことは覚えている」ふいに袴田が口を開いた。「類子……さんだったね。失礼だが、苗字《みょうじ》のほうは失念した。でもあなたのことは本当によく覚えている。阿佐緒の友達は、私の知る限り、あなただけだった。阿佐緒はあなたのことを好いていた。心底、信頼していた」

わずかの間があいた。彼はその日初めて、私の前で儚《はかな》げな笑顔を作った。「ひょっとすると、阿佐緒はこの私などよりも、あなたのほうをよほど信頼していたのかもしれません」

私は首を横に振り、うつむいた。蟬の声がいっそう烈《はげ》しく狂おしくなった。

「御免」と低い声がして、襖が開けられた。丸盆に飲物を載せて、水野が音もなく入って来た。

江戸切り子のグラスに入れられた、冷たいグリーンティが私の前に差し出された。私の分だけで、袴田の分はなかった。私は干菓子の入った箱を水野に手渡し、病気のことを知らずに甘いものを持って来てしまった非礼を再度詫《わ》びた。

立ち去りかけた彼を「水野」と言って袴田が呼び止めた。

水野は命令を聞く忠実な飼い犬のように足を折って中腰になり、袴田の言葉を待った。

「書庫に行って、『天人五衰』を持って来てくれないか」

かしこまりました、と水野は言い、襖の外に姿を消した。

袴田がかすれた声で聞いた。「あなたは三島由紀夫は好きですか」

私はうなずき、「はい」と言った。唐突な質問だった。唇の先がしびれたようになり、小鼻がわずかに震えた。

袴田は軽くロッキングチェアを揺らした。「喉がかわいたでしょう。召し上がってください」

私は礼を言い、丸盆の上のグラスを手に取った。ストローから静かに吸い込むと、わずかに甘味を帯びた冷たい抹茶《まっちゃ》の味が口を満たした。

「私は、三島の『天人五衰』のね、最後のシーンが好きでした」袴田は消え入りそうなか細い声で、だが、何かに憑《つ》かれたような、真剣さをこめて言った。「三島作品に漂う硬質な情感はどれも好きだが、私が読んだ彼の作品の中で、あのシーンの美しさをしのいでいるものは一つもない。死を覚悟していた作家が、最後に書いたシーンなのです。あのシーンには死が色濃く漂ってはいるが、だからこそ、なおのこと美しい。おそらく、死と隣り合わせになった時こそ、人は生涯《しょうがい》でもっとも美しいものを感知することができるのでしょうな。皮肉と言えば皮肉だが、それも致し方ない。所詮《しょせん》、美の行き着く先は、死なんですから」

襖の外に水野の足音がし、本を携えた水野が現れた。函《はこ》入《い》りの『天人五衰』だった。

「この小説の題名が何を意味するか、あなたはご存じでしたかな」袴田は、水野から函に入ったままの本を受け取ると、いとおしげに指先で撫《な》でまわしながら、そう聞いた。

「よく覚えていませんが、確か、天人に死が近づいた時の変化の様子を表す言葉だったと思います。美しい音楽が聞こえなくなったり、肌が衰えたり……後は知りません。ともかく死に至るまでには、五通りの変化がある、っていう意味だったんじゃないかしら。謡曲の『羽衣』か何かに出てくる言葉ですよね」

「その通りです。では、あなたはこの作品を……」

はい、と私は言った。「読んでいます」

袴田は満足げにうなずいた。水野が足音をしのばせるようにして、部屋から出て行く気配があった。

少し風が出てきたようだった。庭木立を吹き抜けてくる風が、首すじの汗を撫でていった。

「五衰が始まると、誰にもそれを止めることができなくなる」袴田はおもむろに言った。「美しく華やいで夢幻的であった天人が、ある時、突然、腐り始め、臭気を放ちながら、醜くなって死んでいく。華やいでいた分だけ余計に、天人の五衰は哀れなのですが、それでもその哀れさの中には、何か寂しい無垢《むく》な光が残される。この作品の最後のシーンに、私はその無垢な光を感じるのです」

私が黙って聞いていると、袴田はロッキングチェアの中で大儀そうに身体《からだ》を動かし、サングラスに隠された目を私に向けた。「読んでみてくれませんか」

「朗読ですか？」

「遠いところをいらしてくださった上に、こんなお願いごとをして申し訳ない。あなたと話をしていたら、最後のシーンがもう一度、読みたく……いや、聞きたくなった」

私は、袴田が細い手で差し出した本を受け取った。函入りの本はずしりと重く感じられた。懐かしい本だった。今はもう、書店で手に入れることはできない。三島由紀夫の作品は、たいてい文庫本でしか読めないようになってしまっている。

となると、この本は、と疑問が浮かんだ。私は訊《たず》ねた。「以前のお屋敷は火災にあったそうですが、本もずいぶん、なくしてしまわれたんでしょうか」

「出火当時、私は留守でした。水野がいち早く気づいて、ともかく少しでも、と書庫からできる限りの本を運び出してくれましてね。といっても、ほんの二、三十冊程度しか運べませんでしたが。なにしろ、火の粉を浴びながらの作業です。命がけだったらしい」

「では、この本はその時の……」

袴田はうなずいた。「水野が運び出してくれた中の貴重な一冊です」

ブルーグレーの帯がついた、古いが美しい装丁の本である。『天人五衰』という題名も、その下に並ぶ三島由紀夫という文字も横書きである。蛇、象、牡鹿《おじか》、孔雀《くじやく》の絵がそれぞれ四つの輪の中に描かれ、題名と著者名も含めて、橙色《だいだいいろ》の蛇が四匹、飾り模様のように函の周囲をぐるりと囲っている。

私は帯をはずさないよう注意しながら、そっと函から本を取り出した。カバー絵は三島由紀夫の妻、瑤子《ようこ》によって描かれた抽象的な絵である。光の加減によって色の異なりを見せている、深い深い海。積乱雲が空にわき上がり、水平線の彼方《かなた》を進む、一艘《そう》の小さな船……。

本を開いた。その時だった。畳の上に、かさりと音をたてて何かが舞い落ちた。

あ、と私は声を上げた。それが何なのか、何故《なぜ》、そこにあるのか、そしてどういう経緯を辿《たど》って今、私の手元から舞い落ちたのか、私は一瞬にして理解した。

「何か？」袴田が訊ねた。「どうかしましたか」

いいえ、と私は言った。「別に何も」

息苦しくなった。庭の蟬《せみ》の声が、耳の中で乱舞する虫の羽ばたきのように聞こえた。

私は畳に落ちたものをつまみ上げた。

それは一枚の美しく色づいた楓《かえで》の葉だった。十九年前の一九七八年十一月。袴田邸新築記念パーティーが行われた時、招かれて行った私は、そこで数年ぶりに秋葉正巳と再会した。邸内にある書庫を見学に行って、正巳と二人、三島由紀夫の作品が並ぶ書棚の前に立った時、私はその楓の葉を手にしていたのだ。

それは、造園業者として袴田に雇われていた正巳が、袴田邸の庭に植えた楓だった。楓はパーティー当日、燃えあがらんばかりに美しく朱色に染まり、はらはらと石のベンチの上に舞っていた。

最初に阿佐緒が拾い上げ、次いで私に渡されて、私が指先で弄《もてあそ》んでいた楓の落葉は、あの日、さらに私から正巳の手に渡ったのである。そして、正巳が袴田邸の書庫で手にした、『天人五衰』の本のページの間に、知らずはさまれたのである。ふいに書庫の戸口に現れた水野に驚いて正巳が本を閉じたその瞬間、楓の葉は、十九年後の今日まで、誰の目にも止まらぬまま、火災現場から運び出され、ひっそりと本の中で、その血のような鮮やかさを保ったまま、眠り続けていたのである。

「最後のページを開いてみてください」袴田が言った。「本当に最後の最後のページです。いいですか。そこに確か、郭公《かっこう》が鳴いた、とか何とかいう、寺の若い御附弟《ごふてい》のセリフがあるでしょう」

「『今日は朝から郭公が鳴いてをりました』というところですか」

「そう。そのセリフの後からでいい、最後まで読んでくれませんか」

私は楓をそっと畳の上に置き、額から流れる汗を拭《ふ》いた。本を両手で持った。胸が熱くなった。嗚咽《おえつ》がこみあげてきそうになるのをこらえつつ、私は読み始めた。

芝のはづれに楓を主とした庭木があり、裏山へみちびく枝折戸《しおりど》も見える。夏といふのに紅葉してゐる楓もあつて、青葉のなかに炎を點じてゐる。庭石もあちこちにのびやかに配され、石の際《きは》に花咲いた撫子《なでしこ》がつつましい。左方の一角に古い車井戸が見え、又、見るからに日に熱して、腰かければ肌を灼《や》きさうな青緑の陶の榻《すゑたふ》が、芝生の中程に据ゑられてゐる。そして裏山の頂きの青空には、夏雲がまばゆい肩を聳《そび》やかしてゐる。

これと云つて奇巧のない、閑雅な、明るくひらいた御庭である。數珠《じゆず》を繰《く》るやうな蟬の聲がここを領してゐる。

そのほかには何一つ音とてなく、寂寞《じやくまく》を極めてゐる。この庭には何もない。記憶もなければ何もないところへ、自分は來てしまつたと本多は思つた。

庭は夏の日ざかりの日を浴びてしんとしてゐる。……

「豐饒の海」完。

昭和四十五年十一月二十五日

涙がひとすじ、頬を伝った。私は流れるままにしながら、そっと顔を上げ、袴田のほうを窺《うかが》った。

袴田は死人のように見えた。ロッキングチェアの中に埋もれたまま、彼は相変わらず、つややかさを失った顔を庭に向けていた。

「ありがとう」ややあって彼は低く言った。言ったのはそれだけだった。

私は本を閉じ、楓の葉を手に取った。年月を経た脆《もろ》さが手の中に伝わってきたが、葉脈をしっかりと伸ばした葉の、瑞々《みずみず》しいほどの美しい色は昔のままだった。

袴田の身体の下で、ロッキングチェアがわずかに軋《きし》んだ。彼は聞いた。「あの男はどうしています」

「あの男？」

「あなたといつも一緒にいた青年ですよ。美しい、実に美しい青年だった」

私は楓の葉を両手でくるみこみながら、「亡《な》くなりました」と言った。「あの後、すぐに。海で……」

沈黙が始まった。長い長い、果てることがないと思われるような沈黙だった。

庭から洪水のようにあふれてくる光の中に、光が残した幻を思わせる袴田の、弱々しい姿が浮き上がった。

袴田はおもむろに口を開いた。「何故、いまごろ」と彼は言った。「何故、いまごろになって、私に会いにいらっしゃったのです」

わかりません、と私は答えた。「ただ、袴田さんにお会いしたかった。それだけです」

かつて誰よりも深く愛した人が、あなたとどこか似ていたから――そう言ってみたい気持ちにかられたが、言えなかった。

「ご迷惑だったでしょうか」

袴田は、私の問いを制するようにかすかな微笑を浮かべると、静かに、そして決然と首を横に振った。

涼やかな風が庭の草木を揺すった。葉裏を見せて踊る木の葉が、夏の光の中に透けて見えた。

今しがた読みあげたばかりの三島由紀夫の文章と同様、その庭には何もなかった。ただ、生い茂る木と芝があるだけで、蟬しぐれの中、あたりはしんと、寂しくきらめく無垢な光に包まれていた。

解説

池上冬樹

どんなに騒がしいところで読んでも、文章がすうっと入ってくる作家がいる。どんなに忙しいときに読んでも、ついついゆっくりと読みふけって時間を忘れてしまう作家がいる。ストーリーの展開が早いからではない。キャラクターが強烈なのでもない。むしろ展開はゆるやかで、人物たちの設定も性格も意表をついたものではなく、どちらかというと地味。にもかかわらず、冒頭から読者を世界にひきこみ、静かに黙読しているのに、まるで朗読しているかのように言葉が頭の中でこだまし、イメージが鮮やかに浮かぶ。持続力のある文体の、その文章のリズムに酔い、しばしば嘆息しながら頁《ページ》をくってしまうのである。本好きなら、人それぞれ思い当たる作家がいるだろうが、僕の場合、そんな至福の時間を約束してくれる作家が、コーネル・ウールリッチであり、バーバラ・ヴァインであり、トマス・H・クックであり、そして小池真理子である。

今回、三年ぶりに本書『欲望』を再読したけれど、読み始めたら、もう周囲の音がいっさいしなくなり、語り手の「私」の息づかいが、書店での戸惑いが、写真を見たときの驚きが伝わってきた。物語る言葉のひとつひとつが頭の中でリフレインし、ヒロインとともに物語の時間を生きはじめたのである。読んでいると、もうため息しかでない。人物たちの深い孤独と絶望すら、読者には甘美な体験に思えてならないのである。懊悩《おうのう》がこれほど蠱惑《こわく》的でいいのだろうかと思ってしまうほど、愛と美が織りなす豊かなロマネスクに、ただただ陶然となるのである。

物語は、私立の女子校の図書館で司書の仕事をしている青田類子が、ある人物に会いにいくために電車に乗っている場面からはじまる。いったいその人と何を話したいのか、何を言ってもらいたいのかも考えず、ただ会いたいという気持ちだけが先走っている。いったい類子は、誰に会いに行こうとしているのか。

時間は一カ月前にもどる。類子は、本屋の帰りに東京を回顧する写真の展覧会に寄り、そこで偶然、懐《なつ》かしい写真を目にする。一九七八年の秋、ある新築された洋館でのパーティーの模様を撮ったもので、そこに洋館の主人である袴田亮介《はかまだりようすけ》・阿佐緒《あさお》夫妻と、秋葉正巳《まさみ》が写っていた。阿佐緒も正巳も類子の中学時代の同級生であり、類子もまた阿佐緒に誘われてパーティーに参加していた。そのとき類子は八年ぶりに正巳と再会したのだった。当時、類子には不倫の相手がいたが、心は正巳にあった。正巳は交通事故がもとで性的に不能。秘密を知っているのは類子だけで、正巳はその秘密を抱えたまま阿佐緒を愛していた。だが、阿佐緒は、三十一歳年上の精神科医の袴田と結婚し、自分を愛してくれないと不満をかこっていた――。物語は、ここからさらに中学時代までさかのぼり、類子の視点から三人の関係が語られ、やがて袴田を加えた究極の愛の物語の全貌《ぜんぼう》が明らかになる……。

おそらく読者はみな、それぞれの恋愛体験を反芻《はんすう》しながら、あるいはありえたかもしれない関係に思いをはせながら、小説を読んでいくのではないだろうか。ときに本から顔をあげ、しばし物思いに耽《ふけ》り、また物語の中へと戻っていく。語られる類子の回想と紹介される正巳の手紙を手掛かりに、物語の奥深い闇《やみ》へと入り、人物たちの輪郭を目にすることになる。三島由紀夫に心酔し、三島邸と寸分違わない家を建てた初老の男、彼と結婚した奔放な女性、その女性に恋する偉丈夫だが性的不能の青年、そしてその青年を慕いながらも妻子ある男と肉欲に溺《おぼ》れている司書と、四者の不可解な恋愛関係が、さまざまな挿話を通して浮き彫りにされてくる。事件の表面的な経緯だけをみれば、さほど波瀾《はらん》にみちたものではないのだけれど、陰影にみちた人物像、微細で鋭い心理分析、エピグラフにあるルキノ・ヴィスコンティの映画と三島文学を思わせる、絢爛《けんらん》たる美と死と性の彩《いろど》りなどで、物語は複雑な様相を呈するようになるのである。

申し遅れたが、本書は、小池真理子が直木賞を受賞した『恋』（ハヤカワ文庫）以来、二年ぶりに発表された書き下ろしである。実は、僕は世評高い『恋』には不満があった。女子大生が大学の助教授夫妻との倒錯した恋にのめりこみ、ある犯罪を犯す物語なのに、しかも若い女性の場合性的問題が大きなウェートを占めるのに、性描写が省略されて、女子大生を激情へと駆り立てる内面に衝迫性を感じなかったからである。だが、本書を読んで、その不満が間違いではないかと思った。本書にもあるように、若い男女にとっては精神と肉体が連動いているのが普通であるからで、それならば書く必要はない。確かに本書では『恋』とは異なり、類子の肉体的な反応が詳しく書かれているけれど、それは精神と肉体の乖離《かいり》をテーマにしているからである。だからこそ、類子は性的不能の正巳を熱烈に愛しながらも、一方で妻子ある教師の能勢と異常なまでにセックスに耽るのである。見方をかえていうなら、類子が能勢に対して〝異様な肉欲をかきたてられた〟のは、〝能勢と精神の関わりを持とうとしなかったから〟である。そして類子が求めたのは、正巳との〝精神の交合〟だった。

作者は、別のところでこんなことを述べている――。

性行為に及ぶ際、女が男を性の対象としてのみ捉《とら》えることは少ない。多くの場合、女は性的関係に陥ろうとしている相手に精神的つながりを要求する。むろんそれはおめでたい錯覚であり、精神的つながりなどなくても性行為が誰にとっても可能であることは、人生経験を積んだ女なら、先刻承知なのだが、承知していながら、時として女には、肉体の快楽を精神で味わいたい、とする強い欲望（＝贅沢《ぜいたく》な欲望）が生じる。／男女間における精神の快楽というのは、持続するオーガズムのごときものと言えよう。触れ合いたい、合体したい、とする肉体的欲望は、その静かに持続するオーガズムの前で衰えていく。（中公文庫『男と女　小説と映画に見る官能風景』所収「精神のオーガズム」より）

本書の類子はまさに、能勢との肉体的な快楽よりも、性的不能の正巳との〝精神の快楽〟

を追求しているのだが、セックスを観念のなかでしか捉えられない正巳にとって、それは難しく、どこまでいっても〝観念の性、幻の性〟である。それは生々しい肉体を拒否するかのように阿佐緒に接する袴田と、〝存在そのものが性器〟といわれる阿佐緒の関係にもあてはまる。この精神と肉体の乖離に直面せざるをえない愛。すなわち肉体の快楽を精神で味わいたい欲望を持つ者と肉体の快楽すら味わえない者との絶望的な探究が、きわめて緻密《ちみつ》に、何とも切々と捉えられているのである。

それにしても、作者はいったい何故《なぜ》このような物語を作り上げたのだろう。

本書が刊行されたとき、「『恋』にしても、今度の『欲望』にしても、かなりかわった状況を設定していますね？」という質問に対して、作者はこんな風に語っている——。

男性作家の書く恋愛のパターンというのは、女から見ると決まっているんですよね。友人の妻を好きになるとか、愛人とも妻とも別れられないとか。男の人は社会的な制約から抜け出せないで、小市民的に小さくまとまった恋愛しか描けない。女の人の書くものは、どんどん制約からはみ出していきますからね。むしろ、はみ出してめちゃめちゃどろどろになったものを書こうとするところがある。はみ出していけばいくほど欲望やエロティシズムの描写は激しくならざるを得ないんですよね。（「波」一九九七年七月号所収・作家インタヴュー〝「欲望」という名の恋愛小説〟より）

右の言葉のあとに、〝性の介在しないところでの濃厚な官能の気分というのを書きたい〟と語っているが、それは本書を読まれれば充分に納得されるだろう。しかもその濃厚な官能とともに、愛と性と欲望に関して縦横に論じられ、それが具体的な体験として創出されている。愛ひとつとっても、嫉妬《しっと》と妄想にさいなまれる愛もあれば、肉欲に溺れながらも精神的なオーガズムを求めてやまない愛もあるし、官能を観念的に語るしかない男の不条理な愛もあれば、決して相手に触れようとしない倒錯した愛もある。とにかく明らかなのは、小池文学のひとつの結晶でもある『無伴奏』よりも『恋』よりもはるかに成熟した男女の官能の諸相が、ここにはあるということである。それもなまめかしく、ときに優雅に、ときに憂愁とたっぷりの頽廃《たいはい》が込められて、である。

さて、本書を語る場合、やはり忘れてならないのは、三島由紀夫のことだろう。袴田自身、〝三島由紀夫の作品や美学を愛し、自分が三島を模倣したのではなく、三島が自分と似ていたにすぎない〟という顔をしながら生きている男であり、本書のさまざまな場面で三島の小説が語られるからである。おそらくこれほど作家三島由紀夫を小説のなかで純粋に捉えた作家はいなかったような気がする。

三年前、本書を読んだとき、ああ、ようやく三島由紀夫が括弧付きで語られなくなった時代がきたなと新鮮な驚きを覚えたものだ。それまで日本では、三島というと、自衛隊市ヶ谷《いちがや》駐屯地で自害した〝憂国派〟の作家として捉えられがちだったからである。だが、ナショナリズムだけで三島は語れない（そうでなければ三島が海外で熱狂的な人気を博すわけがない）。本書に接して、ようやく曇りなき目で三島文学を語る作家が出てきた、しかも三島独特の美学、とりわけ悪意と毒に満ちた甘美極まりないロマンティシズムを継承する作品が生まれたと嬉《うれ》しくなった。そのうえたびたび語られているのが、三島のライフワークともいうべき遺作の『豊饒《ほうじょう》の海』四部作。いささか個人的なことになるが、中学二年のときに『金閣寺』を読んで以来三島が好きで、四部作を高校一年のときに読んで虜《とりこ》になった者としては、さまざまな言及（たとえば函《はこ》入りの美装本に関するくだりや具体的な作品の引用など）にたまらない思いがした。さらに本書は、ラストからして『天人五衰』の本歌取り、明らかなオマージュである。

ここで少し、四部作を紹介すると、この壮大華麗な物語にはおよそ六十年の時間が流れている。すなわち大正初期の悲恋を絢爛豪華に綴《つづ》った『春の雪』、太平洋戦争にかけてのテロリストたちの群像を活写した『奔馬』、終戦前後を舞台にタイの姫への耽溺《たんでき》と神秘思想を描いた『暁の寺』、そして昭和四十年代を舞台にした老人と少年の葛藤《かっとう》と確執の物語『天人五衰』である。観念的かつ人工的ではあるものの濃密なエロティシズムを感じさせる独特の美意識、平安朝の文学を思わせる古典主義（『春の雪』は『浜松中納言物語《ちゅうなごんものがたり》』が典拠）、輪廻転《りんねてん》生《しょう》という死生観、大乗仏教に見られる唯識《ゆいしき》論、人生の諸問題を包含した大河小説的な物語性など魅力は尽きないが、なかでも目をひくのはやはり「輪廻転生」というテーマだろう。

『春の雪』の主人公である侯爵《こうしゃく》家の嫡子松枝清顕《ちゃくしまつがえきよあき》の生まれ変わりを、友人の本多繁邦《しげくに》が見守るという形で物語は進み、『奔馬』では若き右翼活動家、『暁の寺』ではタイの姫、『天人五衰』では船舶信号所の信号員と積極的に関わる。そして、いかに世界を認識するに至るかが語られるのであるが、最後に本多が直面するのは、人物たちの記憶も何もない〝寂寞《せきばく》を極め〟た虚無なのである。本書では、本多と同じように物語の認識者の位置にたつ類子もまた、究極の愛の物語を見つめ、最後に出会うものが、無垢《むく》な光に包まれた虚無である。

そこに七〇年代と同じ時代の空気を見いだす人もいるかもしれないが、僕が思い出したのは、三島の言葉である。三島が『豊饒の海』の原型とおぼしき『鏡子の家』を書いたとき、〝『鏡子の家』は、いわば「私のニヒリズム研究」だ。ニヒリズムという精神状況は、本質的にエモーショナルなものを含んでいるから、学者の理論的探究よりも、小説家の小説による研究に適している〟といい、〝人を虚無へしかいざなって行かない点で、美と悪は同義語である〟というサルトルのジュネ論での定義を紹介して、〝日本の近代文学で、文学を真の芸術作品、真の悪、真のニヒリズムの創造にまで持って行った作家は、泉鏡花、谷崎潤一郎、川端康成などの、五指に充たない作家だけである〟と述べた点である（『裸体と衣裳』より）。これはまた三島自らが泉、谷崎、川端に並ぶ〝真の作家〟を目指した宣言でもあり、決してニヒリズムだけではないけれど、『豊饒の海』はまさに〝真の芸術作品〟を意図したことは間違いない。そして、本書『欲望』もまた、三島の文学論を援用するなら、〝真の芸術作品、真の悪、真のニヒリズムの創造にまで持って行った〟傑作ということになるだろうか。

いささか三島文学に寄りすぎてしまったが、もちろん三島文学に関心のない人が読んでも、本書は魅力のつきない小説であることはいうまでもない。身を焦《こ》がすほどの切ない思慕。恋する女の苦しみと歓《よろこ》び、精神と肉体のあらゆるレベルでの官能の細部を、まるで精度の高い顕微鏡で拡大するかのように鋭く、きめこまかく捉えているからである。その濃やかな描写は読者を深く酔わせる。

注目すべきはこの濃やかさが、本書以降少しずつ顕著になり、描写は精密に、文体はより喚起力を高めていることだろう。『欲望』のあとも、『無伴奏』と同じ一九七〇年の仙台を舞台にした恋愛小説『水の翼』（幻冬舎）、多様な官能の風景を妖《あや》しく切り取った短篇集『ひるの幻　よるの夢』（文藝春秋）、心揺さぶる感動作『冬の伽藍《がらん》』、『恋』前後に発表された短篇を集めた『薔薇《ばら》船《ふね》』（早川書房）、写真家ハナブサ・リュウとのコラボレーション『イノセント』（新潮社）、そして溢《あふ》れんばかりのリリシズムをたたえた『ノスタルジア』（双葉社）がそうだが、視覚や触覚や聴覚と同じくらいに嗅覚が冴《さ》え、嫌悪《けんお》の対象とされる老人の体臭さえも甘やかに引きつけ（〝日にさらした暖かいおがくずのような匂い〟や〝湿った藁《わら》のような匂い〟）、妖しくゆらめく官能を生々しく感得させているのである。つまり小池ならではの幽玄の世界を切り取るサスペンスはいちだんと肌感覚の戦慄《せんりつ》を増し（『薔薇船』の表題作や「夏祭り」を見よ）、男女の恋愛はいちだんと性的感覚が鋭敏になり、しかも風景と内面が微妙に呼応するから、自然が艶《なまめ》かしく迫ってくるようになった（『水の翼』の霊屋の森の妖艶《ようえん》さを見よ)。

とにかく本書『欲望』は、繰り返しになるが、女性の官能の世界を激しくきらびやかに描いた作品である。現実を忘れ、物語の世界に酔いしれ、人物たちと生きていく幸福(たとえ絶望と孤独の淵《ふち》にさまようことになろうとも、それをすべて甘やかなものに変貌させてしまうような幸福)をたっぷりと味わわせてくれる小説である。三島文学を継承した、比類なき美しさをもつ現代文学の古典といっていいだろう。

(二〇〇〇年二月、文芸評論家)

この作品は一九九七年七月新潮社より刊行された。

欲《よく》　望《ぼう》

新潮文庫　こ－25－4

平成十二年四月一日発行
令和六年一月十日二十三刷

著者　小《こ》池《いけ》真《ま》理《り》子《こ》

発行者　佐藤隆信

発行所　株式会社新潮社

郵便番号　一六二－八七一一
東京都新宿区矢来町七一
電話　編集部(〇三)三二六六－五四四〇
読者係(〇三)三二六六－五一一一
https://www.shinchosha.co.jp

価格はカバーに表示してあります。

乱丁・落丁本は、ご面倒ですが小社読者係宛ご送付ください。送料小社負担にてお取替えいたします。

印刷・TOPPAN株式会社　製本・株式会社大進堂

ISBN978-4-10-144014-9 C0193